Originaire de Californie, **Nina Rowan** est titulaire d'un doctorat d'histoire de l'art de l'université McGill à Montréal, avec une spécialisation dans l'art français et russe du XIXe siècle. Bibliothécaire de cœur, elle a également une maîtrise en bibliothéconomie et information. Elle vit dans le Wyoming avec son mari – un scientifique spécialisé dans l'étude de l'atmosphère – et deux enfants.

Nina Rowan

L'Équation amoureuse

Cœurs vaillants – 1

Traduit de l'anglais (États-Unis) par Agnès Jaubert

Milady Romance

Milady est un label des éditions Bragelonne

Titre original : *A Study in Seduction*

ISBN : 978-2-8112-1146-2

Bragelonne – Milady
60-62, rue d'Hauteville – 75010 Paris

E-mail : info@milady.fr
Site Internet : www.milady.fr

Remerciements

Toute ma gratitude à Kimberly Witherspoon de InkWell Management pour sa persévérance et sa confiance, et à William Callahan et Nathaniel Jacks pour leur soutien constant.

Je suis très reconnaissante à mon excellente éditrice, Selina McLemore, dont les idées judicieuses m'ont beaucoup aidée à améliorer ce livre et mon écriture.

Un grand merci aussi à Franzeca Drouin et à Eloisa James, mes marraines fées, qui m'ont donné l'envie d'être meilleur écrivain et meilleure tout court.

F., je chérirai la date du 28 mars 2009 comme le début d'une merveilleuse amitié.

Merci à mon club de lecteurs ainsi qu'à mes partenaires de critique, Bobbi, Rachel, et Melody, avec qui j'ai les discussions les plus enrichissantes sur les livres et l'écriture.

Enfin, mille pensées affectueuses pour mon mari, Will, nos enfants, et pour mon père qui, même s'il ne l'a jamais admis, y a toujours cru.

Pour O. P. qui ne se trompe jamais.

Chapitre premier

Londres, mars 1854

Toute matrice carrée est racine de son propre polynôme caractéristique.

Ballottée dans le fiacre qui l'emmenait, Lydia Kellaway serrait le cahier contre elle. Le mur de maisons massives qui bordait la rue comme une forteresse amplifiait le martèlement des sabots de l'attelage lancé au galop. Les réverbères brillaient dans la nuit d'encre, jetant des flaques de lumière sur les pavés de Mount Street.

Le cocher s'arrêta devant le numéro douze. La gorge nouée par l'angoisse, elle laissa échapper un soupir anxieux et leva les yeux vers la façade aux fenêtres illuminées. Derrière l'une d'elles, au premier étage, une silhouette masculine se découpait à contre-jour. Imposante, droite comme un I, elle était aussi immobile qu'une statue.

S'éclairant au halo d'un réverbère, Lydia feuilleta les pages de son cahier, noircies de notes, d'équations, de schémas, jusqu'à celle où elle avait écrit le nom de l'homme, suivi d'une liste de ragots le concernant, lui et sa famille.

Elle relut ses notes, la nuque soudain parcourue de picotements. Elle avait l'étrange impression d'être épiée. D'un geste brusque, elle ferma le cahier et secoua la tête. Quelle idiote elle était de se laisser troubler ainsi par la pénombre ! D'un pas décidé, elle gravit les marches du perron.

Elle s'apprêtait à tirer le cordon de la sonnette quand la porte s'ouvrit violemment. Une jeune femme vêtue d'une robe en soie d'un vert éclatant sortit en trombe, manquant de la bousculer.

En la voyant sur le seuil, elle s'arrêta net, l'air stupéfait. À la lumière du vestibule, Lydia remarqua ses yeux rouges et bouffis, ses joues maculées de larmes.

— Excusez-moi, je venais…, bredouilla-t-elle.

Pour toute réponse, la femme la repoussa, lèvres pincées, et dévala l'escalier d'un pas vif.

Un juron s'échappa par la porte ouverte. Un homme brun la suivait, marchant à grandes enjambées. Il écumait de rage.

— Talia ! appela-t-il.

Sans un regard pour Lydia, il descendit le perron sur les pas de la femme en vert. Se retournant, elle le foudroya du regard et lança une riposte que Lydia ne distingua pas, mais la dureté de son ton était telle que son poursuivant se figea. Avec un nouveau juron, il rebroussa chemin et appela le valet de pied. Quelques secondes plus tard, le domestique s'élança dans la rue à la poursuite de la fugitive.

— John ! cria alors l'homme à l'intention d'un second domestique. Préparez la voiture et reconduisez lady Talia chez elle.

Il remonta les marches d'un pas rageur, frôlant Lydia au passage. Il semblait sur le point de lui claquer la porte au nez quand, s'arrêtant net, il la dévisagea.

— Qui diable êtes-vous ?

Elle resta paralysée. Toujours sous le coup de la surprise, aucun son ne semblait vouloir franchir sa bouche.

Sans l'avoir jamais vu, elle sut d'instinct qu'elle avait devant elle Alexander Hall, vicomte Northwood, l'homme qu'elle cherchait.

L'heure tardive et sa fureur semblant n'avoir aucun effet sur son apparence, les plis de son pantalon noir étaient impeccables, sa chemise d'une blancheur immaculée, sous un gilet de soie aux boutons dorés rutilants.

Ses yeux d'ébène la détaillèrent de la tête aux pieds. Un regard perçant, scrutateur, hardi, qui lui coupa le souffle.

— Eh bien ? la pressa-t-il.

Toute matrice carrée est racine de son propre polynôme caractéristique.

Le médaillon. Jane. Le médaillon, se rappela-t-elle.

— Lord Northwood ? interrogea-t-elle.

— Je vous ai demandé qui vous étiez.

Son timbre profond de baryton parut s'infiltrer dans toutes les fibres de son corps. La tête penchée de côté, elle croisa son regard sous ses paupières mi-closes.

Des ombres faisaient ressortir les aspérités de son visage au type slave prononcé, les pommettes saillantes, la ligne volontaire de son menton rasé de près.

— Je m'appelle Lydia Kellaway, dit-elle, s'appliquant à maîtriser le tremblement de sa voix.

Elle se tut et jeta un coup d'œil au coin de la rue où le valet de pied avait arrêté Talia. Sur le côté de la maison, une voiture s'approchait en bringuebalant.

— Elle va bien ? s'enquit-elle.

— Non seulement ma sœur est la créature la plus obstinée et la plus pénible de l'univers, mais en plus elle est…, lança lord Northwood d'une voix acerbe.

— C'est une caractéristique familiale ? demanda-t-elle sans réfléchir.

La question avait fusé. Sentant l'embarras lui brûler les joues, elle se tut. Ses bonnes manières ne l'avaient pas habituée à se comporter ainsi. Froisser l'homme à qui elle venait présenter une requête était loin d'être sage.

L'œil sombre, la mâchoire serrée, lord Northwood peinait visiblement à contenir son irritation.

Il suivit son regard en direction de la voiture où lady Talia, cédant à l'insistance des deux domestiques, venait de monter. Avec un geste victorieux à l'intention de son maître, le valet de pied s'installa sur le siège à côté du cocher et l'attelage s'ébranla en cahotant.

La colère de lord Northwood parut s'apaiser et Lydia prit son courage à deux mains. Loin de se douter qu'elle arriverait au beau milieu d'une querelle de famille, elle n'avait pas prévu de stratégie adéquate. Mais, à présent, elle ne pouvait plus reculer.

Déterminée, elle redressa les épaules, regarda le vicomte et déclara :

— Lord Northwood, je vous prie de me pardonner pour cette visite à une heure sans doute indue, mais je dois vous parler. À propos d'un médaillon dont vous avez fait l'acquisition.

— Un quoi ? gronda-t-il.

— Un médaillon. Un pendentif porté en sautoir.

L'air de plus en plus irrité, il répliqua :

— Vous venez chez moi à une heure aussi tardive pour vous renseigner au sujet d'un vulgaire colifichet ?

— Il s'agit d'une affaire d'une importance capitale, se défendit-elle en agrippant le chambranle de la porte pour l'empêcher de la lui fermer au nez. Puis-je entrer s'il vous plaît ?

Il la regarda longuement, puis passa une main sur son menton et, d'un ton curieux, demanda :

— Kellaway. Vous êtes apparentée à sir Henry Kellaway ?

Essayant d'ignorer la pointe douloureuse qui lui vrillait le cœur, les souvenirs qui affluaient à sa mémoire, elle répondit avec un signe d'assentiment :

— C'était mon père. Il est mort il y a quelques mois. Comment le connaissiez-vous ?

— Nous avons tous deux pris part à l'organisation de l'exposition du Crystal Palace en 1851.

Il continua à la dévisager, lui donnant presque l'impression de pouvoir lire dans ses pensées. Puis, au bout de ce qui lui parut une éternité, il s'effaça et lui tint la porte. Quand elle entra dans le vestibule, elle sentit son épaule frôler son bras et, à son contact, un lent frisson l'électrisa, un tourbillon de sensations indésirables lui nouant l'estomac.

— Qu'est-ce qui vous fait croire que je suis en possession de ce médaillon ? demanda-t-il.

— Je ne le crois pas, lord Northwood, je le sais. Vous l'avez acheté à la boutique de Mr Havers, le prêteur sur gages, il y a une semaine à peine. Avec une icône russe. C'était un médaillon que ma grand-mère avait mis en gage, ajouta-t-elle, le défiant du menton.

Lord Northwood s'avança d'un pas. Elle sursauta, avant de comprendre qu'il voulait lui ôter son manteau. Repoussant sa capuche, elle défit gauchement l'attache.

Debout derrière elle, il la frôlait presque. Elle sentait la chaleur de son corps et son souffle tiède sur sa nuque.

— Entrez dans le salon, mademoiselle Kellaway. Vous feriez bien de vous expliquer.

Obéissant à son invitation, elle le suivit et prit place sur le canapé, luttant pour ne pas tordre son cahier entre ses doigts. Lord Northwood s'assit dans le fauteuil en face d'elle. Un valet de pied servit le thé, puis sortit en refermant la porte derrière lui.

Lord Northwood but une gorgée de sa tasse, la reposa sur une petite table et, dépliant son long corps, s'adossa à son fauteuil, les jambes étendues devant lui. Malgré son attitude décontractée, une tension persistait. Il évoquait un oiseau de proie allongeant ses ailes, faisant bruisser ses plumes, prêt à l'attaque.

— Alors ? commença-t-il.

Elle feuilleta le cahier et lui tendit un morceau de papier.

— J'ai trouvé ce ticket sur le bureau de ma grand-mère. J'ignorais qu'elle avait mis en gage certains des bijoux de ma mère.

Il le prit et, à travers les gants protégeant ses mains, elle sentit ses doigts vigoureux effleurer les siens. Elle les retira d'un geste vif, le poing serré.

Après avoir examiné le papier, il déclara :

— Votre grand-mère avait un mois pour retirer l'objet mis en gage.

— J'en suis bien consciente. Et j'aurais essayé de le faire à sa place si j'avais été au courant de cette transaction. Je pensais que Mr Havers n'aurait peut-être pas encore vendu le médaillon. Or, quand je suis allée à sa boutique, il m'a informée qu'un acheteur s'était présenté jeudi dernier.

— Comment avez-vous appris mon nom ?

Elle sentit de nouveau son visage s'empourprer et expliqua :

— Mr Havers a refusé – à juste titre, je suppose – de le divulguer. J'ai profité de ce qu'il était occupé avec un autre client pour lui substituer son registre des ventes derrière le comptoir. J'ai pu… l'emprunter assez longtemps pour retrouver la transaction.

Lord Northwood esquissa un sourire. La fossette qui se creusait dans sa joue, donnant à la sévérité de ses traits taillés à la serpe un éclair presque juvénile, la laissa muette d'admiration.

— Vous avez volé le registre des ventes de Havers ? questionna-t-il.

— Je ne l'ai pas *volé*, se défendit-elle, mortifiée. Je l'ai pris dans sa boutique, en effet, mais je l'ai gardé moins de dix minutes. J'ai donné six pences au commis de Mr Havers pour remettre le livre à sa place à son insu. Vous y étiez clairement nommé comme l'acheteur du médaillon. L'avez-vous toujours en votre possession, monsieur ?

Lord Northwood changea de position et plongea la main dans sa poche de gilet. Le souffle coupé, elle le vit en tirer un médaillon d'argent pendant au bout d'une chaîne. Il examina le bijou qui reposait au creux de sa paume et, de son pouce, frotta la gravure qui l'ornait.

— Cela s'appelle un *fenghuang*, un oiseau de vertu, de force et de grâce, expliqua-t-elle.

— Et le dragon ? s'enquit-il en tournant le bijou sur la gravure de l'autre face.

— Quand le *fenghuang* est représenté avec le dragon, ils symbolisent l'union d'un… homme et d'une femme.

Ses yeux d'un noir de jais se posèrent sur elle.

— Du mâle et de la femelle ?

La gorge soudain desséchée, elle déglutit.

— Le… le *fenghuang* représenté seul évoque le yin et le yang. Le *feng* est l'oiseau mâle, le *huang* la femelle. L'oiseau et le dragon réunis sont symboles d'harmonie matrimoniale.

— Et la femme ? demanda Northwood.

— La femme est le yin, l'oiseau appelé *huang*.

Il ouvrit le médaillon.

— Non, dit-il en le lui présentant pour révéler le portrait en miniature à l'intérieur. La femme représentée ici.

Incapable de baisser les yeux sur le visage si familier, elle les garda rivés sur lord Northwood. Il l'enveloppait d'un regard déroutant, l'étrange lueur de complicité dans ses prunelles sombres semblant indiquer qu'il connaissait déjà la réponse à cette question, mais voulait l'entendre de sa bouche.

— Cette femme est ma mère, murmura-t-elle.

Il referma le médaillon et le maintint entre son pouce et son index.

— Elle est très belle.

— Était.

Le sinus de deux thêtas est égal à deux fois le sinus de thêta multiplié par le cosinus de thêta.

Lydia se répéta l'identité trigonométrique jusqu'à ce que la violente vague d'émotion qui menaçait de la submerger soit retombée.

— Pourquoi avez-vous acheté le médaillon à Mr Havers ? demanda-t-elle.

— Je n'avais jamais vu un bijou pareil.

— Et vous n'en verrez jamais un autre. Mon père l'a fait confectionner pour ma mère. Il est en argent massif, mais je suppose que vous le saviez.

— Je sais reconnaître un travail d'orfèvre de facture exceptionnelle. Ce médaillon doit avoir beaucoup de valeur s'il vous a poussée à venir chez moi au beau milieu de la nuit, enchaîna-t-il en levant les yeux vers elle.

Hochant la tête, elle glissa sa main dans sa poche et en sortit une petite figurine qu'elle lui tendit.

— Mon père a rapporté cette statuette, il y a des années, d'un voyage dans la province de Yunnan. C'est un éléphant de jade, magnifiquement ciselé. J'aimerais vous l'offrir en échange du médaillon.

— Pourquoi votre grand-mère ne l'a-t-elle pas mis en gage, plutôt que le médaillon ?

Elle hésita un instant. Elle devinait qu'avec cet homme, il ne servirait à rien de mentir.

— Il n'est pas aussi précieux, admit-elle.

— Vous attendez donc de moi que j'accepte un échange inégal ?

— Non, mon père possédait aussi plusieurs manuscrits chinois, un ou deux tableaux… Vous pourriez peut-être envisager un certain nombre d'objets en échange ?

Northwood nia de la tête.

— Je ne collectionne ni la peinture ni les antiquités chinoises, mademoiselle Kellaway. Cela ne me servirait donc à rien. Comme je vous l'ai dit, j'ai acheté ce médaillon parce qu'il était unique.

— J'ai sûrement quelque chose qui pourrait vous intéresser.

— Qu'avez-vous d'autre à me proposer ?

Même si la question semblait innocente, le ton de sa voix la fit frissonner. Suggestive et caressante, elle n'évoquait pas la tendresse, mais une sensualité torride. Le danger.

Elle sentit ses yeux la brûler. *Le médaillon. Le médaillon*, se répéta-t-elle.

— Je… je n'ai pas assez d'argent actuellement pour vous le racheter, reconnut-elle. Mais je viens d'accepter un travail qui devrait me permettre de remédier à cela. Je peux donc vous proposer un billet à ordre en échange…

— Je ne fais confiance à personne pour garantir un billet à ordre.

— Je vous promets, monsieur, jamais je ne…

— Personne, mademoiselle Kellaway, répéta-t-il d'un ton sans réplique.

Elle poussa un soupir résigné. Elle n'était même pas indignée. Elle non plus ne ferait confiance à personne pour garantir un billet à ordre. À bientôt vingt-huit ans, elle avait tiré cet enseignement de la vie.

— Pas plus que je n'accepterais de l'argent que vous auriez… gagné ? ajouta Northwood.

Malgré la note interrogative sur laquelle finissait sa phrase, elle prit le parti de ne pas répondre. Si elle lui disait qu'on lui avait offert un poste à la commission éditoriale du Journal des Mathématiques, il était probable qu'il se moquerait d'elle ou que… Une idée venait de germer dans son esprit.

— Lord Northwood, si je comprends bien, vous êtes chargé d'organiser une exposition pour la Société Royale des Arts. Est-ce exact ?

Il acquiesça d'un signe de tête.

— Une exposition internationale sur l'éducation dont j'ai suggéré le concept il y a plus d'un an. Elle doit être inaugurée en juin. Les préparatifs sont en cours.

Une exposition internationale, se répéta-t-elle, sentant une bouffée d'espoir.

— Cette exposition prévoit-elle par hasard de consacrer une section aux mathématiques ? demanda-t-elle d'une voix qu'elle s'appliqua à garder égale.

— En effet, nous avons un projet de présentation de différents instruments mathématiques utilisés dans diverses parties du monde.

— Je vois.

Elle essaya d'ignorer son frisson d'appréhension. S'il acceptait son offre, elle n'aurait aucune raison d'endosser un rôle officiel, quel qu'il soit. Son travail pourrait être terminé avant l'inauguration de l'exposition. Peut-être même qu'à l'exception de lord Northwood, personne ne saurait jamais rien de sa contribution.

— Lord Northwood, en échange du médaillon, j'aimerais vous proposer mon concours pour l'exposition.

— Pardon ?

— J'ai un certain talent pour les mathématiques et je suis presque sûre de pouvoir vous être utile en tant que consultante.

— Vous avez un *talent* pour les mathématiques ? répéta-t-il d'un ton incrédule.

Il la dévisageait comme si elle avait été la créature la plus étrange qu'il ait jamais rencontrée. Lydia avait eu droit à tellement de regards suspicieux depuis l'enfance qu'elle n'y prêtait plus guère attention. Néanmoins, sans qu'elle puisse se l'expliquer, le scepticisme de lord Northwood la désemparait.

— Ce n'est pas banal, reprit-elle avec une désinvolture qu'elle était loin d'éprouver. Mais c'est ainsi. J'ai passé presque toute ma vie dans les chiffres, façonnant des solutions à partir de théorèmes. Je peux vous conseiller sur l'efficacité et la valeur des démonstrations mathématiques.

— Nous sommes déjà en consultation avec un sous-comité composé de mathématiciens et de professeurs créé pour la Société des Arts.

— Je vois, répliqua-t-elle, sentant son cœur se serrer.

Songeuse, elle feuilleta son cahier, se mordillant la lèvre inférieure.

— Et la comptabilité ? N'avez-vous pas besoin de quelqu'un pour tenir les comptes ?

— Non. Même si c'était le cas, je ne vous permettrais pas de travailler en échange d'un médaillon.

— Eh bien, j'aimerais quand même…

Sans lui laisser le temps de finir sa phrase, lord Northwood se leva de son fauteuil avec la vélocité d'un crocodile émergeant d'une rivière. En deux enjambées, il avait comblé l'espace entre eux et lui avait arraché le cahier des mains. Elle étouffa un cri. L'air de plus en plus intrigué, il le feuilleta.

— « Alexander Hall, lord Northwood, lut-il, est rentré de Saint-Pétersbourg il y a deux ans, à la suite d'un scandale ». Pouvez-vous m'expliquer ?

Lydia se sentit de nouveau rougir.

— Monsieur, je vous prie de m'excuser, je ne voulais pas vous offenser.

— Il est un peu tard pour cela, mademoiselle Kellaway. Vous avez enquêté sur moi ? Dans le but de récupérer votre médaillon ?

— C'était la seule façon pour moi de...

— « Un homme prétentieux » ? lut-il. Où avez-vous entendu dire que j'étais un homme prétentieux ?

De plus en plus alarmée, elle sentit que le médaillon était sur le point de lui échapper.

— Euh... par une amie de ma grand-mère. D'après elle, vous aviez la réputation d'évoluer dans des milieux plutôt arrogants, ici et à Saint-Pétersbourg.

Devant son mutisme, elle ajouta :

— Elle raconte aussi que vous avez fait prospérer avec brio votre compagnie de négoce.

Si le compliment tempéra l'offense, il n'en laissa rien paraître et reprit sa lecture.

— « Un scandale impliquant la mère ». Vous avez mené votre petite enquête, n'est-ce pas, mademoiselle Kellaway, lâcha-t-il, la colère durcissant ses traits.

Consternée, oppressée par la honte, elle était incapable de répondre. Impassible, lord Northwood feuilleta le reste du cahier aux pages couvertes d'équations et de théorèmes.

— Qu'est-ce que c'est que tout cela ? répéta-t-il.

— Mes notes. Je l'ai toujours avec moi afin de pouvoir écrire mes pensées à mesure qu'elles me viennent à l'esprit.

L'air soudain las, lord Northwood referma le cahier et déclara d'un ton abrupt :

— Il est tard, mademoiselle Kellaway. Je crois que John est revenu avec la voiture. Si vous attendez dans le vestibule, je m'assurerai de vous faire reconduire chez vous en sécurité.

Elle savait que si elle partait à ce moment précis, jamais il n'accepterait de la revoir. Prise de panique, elle plaida :

— Lord Northwood, je vous en prie ! Je suis sûre que nous pouvons trouver un accord.

— Vraiment ?

Le regard qu'il planta dans le sien était d'une telle intensité qu'elle changea de position, troublée. Ses yeux glissèrent sur elle, s'attardant sur ses seins, sa taille.

— Quel genre d'accord ?

Sa voix rauque ne laissait aucun doute sur ce qu'il voulait insinuer. Pourtant, loin d'être offusquée, elle sentit un sentiment d'excitation intense naître au creux de son ventre.

En effet, qu'avait-elle d'autre à offrir ? Au bout de quelques minutes, elle demanda enfin :

— Lord Northwood, que proposez-vous ?

Alexander marqua une pause et dévisagea la femme qui se tenait devant lui. Qui était-elle ? Pourquoi attisait-elle autant sa… curiosité ? Et pourquoi était-il si mal à l'aise de la savoir au courant du scandale ?

— Je propose, mademoiselle Kellaway, de jeter votre satané cahier au feu et de me laisser en paix, suggéra-t-il d'une voix hachée.

Les yeux agrandis par la surprise, elle murmura sans se laisser impressionner.

— Vous vous doutez sûrement qu'il ne saurait en être question.

— On peut toujours espérer, repartit-il dans un petit rire amer.

Et dire qu'il avait pensé l'effrayer !

Il aurait pu se comporter en gentleman et lui rendre son fichu médaillon. Pourtant, il soupçonnait qu'elle n'accepterait pas son geste. Pour elle, le bijou ne pouvait être que racheté ou échangé.

Il se redressa, essayant de chasser la tension qui crispait ses épaules. Sa contrariété liée au comportement de Talia subsistait. Et à présent, il devait composer avec Miss Kellaway… S'il parvenait à la conclusion que les femmes étaient la cause de tous les maux du monde, il ne faudrait pas s'étonner.

En tout cas, elles étaient la cause de ses propres problèmes.

— Vous avez raison, acquiesça-t-il en tapotant le cahier de son index, ma mère a pris la fuite avec un autre homme. Plus jeune qu'elle, de surcroît. De quoi horrifier les gens bien-pensants. Un scandale qui, fait extraordinaire, nous a mis au ban de la bonne société. Notre famille n'est plus fréquentable.

— Est-ce vrai ? demanda-t-elle.

— À votre avis ?

— Je ne sais pas. Je n'accorde pas beaucoup d'importance aux ragots. Il est difficile de les prouver.

— Vous avez besoin de preuves, c'est ça ?

— Oui. Après tout, les mathématiques reposent sur un socle de théorèmes démontrés, de raisonnements déductifs. C'est la base de mon travail.

— Tout est dans ce cahier ?

Il le feuilleta de nouveau, dubitatif. Équations griffonnées, listes et diagrammes remplissaient les pages, certaines tachées, certaines barrées, d'autres entourées d'un cercle ou marquées d'une étoile.

— Ce sont des notes. Des idées pour des articles, expliqua-t-elle. J'ai composé certains problèmes et certaines énigmes mathématiques pour mon seul plaisir.

Il se mit à rire.

— Qu'est-ce qui vous amuse tant ? demanda-t-elle, l'air surpris.

— La plupart des femmes, une grande majorité de femmes, en vérité, trouvent leur plaisir dans les travaux d'aiguille ou dans leurs visites aux boutiques. Et vous, vous élaborez des problèmes mathématiques…

— Quelquefois, oui. Pouvez-vous me rendre mon cahier, s'il vous plaît ? demanda-t-elle, une main tendue, son froncement de sourcils s'accentuant. Je ne vois pas ce qu'il y a de si drôle, monsieur. Élaborer un problème mathématique complexe peut se révéler très satisfaisant.

— Je peux vous énumérer mille autres façons de trouver des satisfactions, répliqua-t-il en le lui tendant, sans le lâcher.

Elle entrouvrit les lèvres pour répondre, un éclair de surprise passant dans son regard. S'emparant de son bien, elle parut reprendre contenance et, le menton fièrement levé, déclara, une note de défi dans la voix :

— Eh bien, laissez-moi vous dire, si vous me le permettez, que vous ne pourriez résoudre aucun de ces problèmes.

Il riposta comme si elle venait de parier mille livres sterling.

— Vraiment ? En êtes-vous si certaine ?

— Oui, répondit-elle, son cahier serré sur sa poitrine.

— Assez certaine pour parier votre médaillon ?

Après un instant d'hésitation, se drapant dans sa dignité, elle hocha la tête.

— Bien sûr… Même si j'insiste pour établir une limite dans le temps.

— Une limite dans le temps ?

Décidément, cette femme était si étrange qu'elle en était fascinante.

— Si vous n'arrivez pas à résoudre mon problème en moins de cinq minutes, vous devrez me rendre aussitôt le médaillon.

— Et si vous perdez ?

— Dans ce cas, ce sera à vous de décider de ma dette.

Il la scruta de son regard perçant qui, il le savait, aurait pu ébranler n'importe quelle autre femme. Mais elle resta de marbre.

— Lord Northwood, le pressa-t-elle.

Il réfléchit. Qu'est-ce qui pourrait bien l'émouvoir ? Provoquer une réaction ? Fissurer cette carapace d'austérité rigide ?

— Un baiser, dit-il dans un souffle.

Le regard de Lydia se leva vers le sien, l'azur de ses prunelles scintillant de surprise.

— Je… vous demande pardon ?

— Si vous perdez, vous m'accorderez le plaisir d'un baiser.

Ses joues se colorèrent de rouge.

— Monsieur, il s'agit là d'une requête tout à fait déplacée.

Devant son embarras grandissant, il contint son sourire.

— Pas aussi déplacée que d'autres suggestions qui me viennent en tête. Néanmoins, cela devrait vous donner la preuve du théorème que représente ma disgrâce. Ce que vous pourrez ajouter en section quatre, ajouta-t-il en baissant les yeux sur le carnet.

Il était conscient de se comporter en goujat. Mais voilà deux ans qu'il contrôlait ses paroles, ses pensées, refoulées depuis si longtemps qu'il avait l'impression que devant l'embarras de cette femme, quelque chose en lui se libérait. Comme une envie incontrôlée de la déstabiliser, d'oublier ses principes de gentleman dans le simple but de voir sa réaction. De plus, une conduite répréhensible n'était-elle pas exactement ce que la société attendait de lui ?

— Vous acceptez ? demanda-t-il.

— Certainement pas !

— Très bien. Dans ce cas, je vais demander à John de vous ramener chez vous, déclara-t-il en se dirigeant vers la porte.

— Attendez ! lança-t-elle.

Il tourna la tête vers elle. Il s'était attendu à son hésitation.

— Monsieur, il y a sûrement quelque chose…

— C'est ma proposition, mademoiselle Kellaway.

Les mains tremblantes, elle repoussa une mèche rebelle de son front. Devant les reflets dorés qui illuminaient ses cheveux châtains, il essaya de les imaginer flottant librement sur ses épaules.

Lydia hocha la tête avec raideur, le visage toujours empourpré.

— Très bien.

— Alors, lisez-moi l'un de vos problèmes.

— Pardon ?

— Lisez-m'en un, répéta-t-il avec un geste de tête en direction de son cahier.

Elle semblait tout à fait déconcertée par sa requête. Qu'aurait-elle dit s'il lui avait avoué qu'il aimait le son de sa voix, douce et mélodieuse, avec ce timbre rauque qui s'insinuait dans son sang ?

— Allez ! l'encouragea-t-il.

Elle jeta un coup d'œil à son cahier, l'incertitude se peignant sur son visage. Il l'avait désarçonnée. Il devinait qu'en planifiant cette rencontre, elle n'avait pas prévu un tel revirement de situation. Elle ne savait comment réagir.

— Très bien, finit-elle par dire.

S'éclaircissant la gorge, elle feuilleta ses pages et commença.

— En route pour le marché, une marchande d'œufs passe devant une garnison. Elle rencontre trois gardes sur son chemin.

Elle marqua une pause et lui jeta un coup d'œil consterné. Il lui adressa un signe d'encouragement.

— Au premier garde, reprit-elle, elle vend la moitié du nombre total de ses œufs, plus une moitié d'œuf. Au deuxième garde, elle vend la moitié du reste de ses œufs plus une autre moitié d'œuf. Au troisième garde, elle vend la moitié du reste de ses œufs plus une autre moitié d'œuf. Quand elle arrive au marché, il lui reste trente-six œufs. Combien d'œufs avait-elle au départ ?

Après l'avoir regardée un moment, Alexander se leva et traversa la pièce jusqu'au bureau. Il ouvrit le premier tiroir, en sortit un crayon et une feuille de papier blanc, puis tendit la main vers le cahier.

Tout en lisant sa petite écriture précise, une vision traversa son esprit : Lydia Kellaway, assise à un bureau comme celui-ci, ses cheveux cascadant sur ses épaules, un petit pli entre les sourcils, travaillant sur un problème qui, elle l'espérait, confondrait les gens. Peut-être était-ce tard le soir et peut-être était-elle nue sous son ample chemise de nuit.

Chassant ses pensées vagabondes, il secoua la tête avec vigueur. Il relut le problème et commença à griffonner des opérations sur le papier.

Nombre impair, la moitié d'un œuf en plus, soixante-treize œufs, avant d'arriver au dernier garde.

À mesure qu'il progressait dans ses calculs, il se sentit gagné par une sorte d'apaisement, et la colère qui l'habitait sans relâche se volatilisa. Pour la première fois depuis très longtemps, il passait un bon moment.

Enfin, il nota un nombre, l'entoura d'un cercle et tendit sa feuille à Lydia.

— Elle avait deux cent quatre-vingt-quinze œufs, déclara-t-il.

Elle s'avança d'un pas pour lire sa solution puis leva la tête vers lui. Devant le désarroi qui voilait son regard bleu, il sentit un mélange de triomphe et de regret l'envahir. Elle ne s'était pas attendue à perdre.

Ou plus exactement, elle ne s'était pas attendue à le voir gagner.

— Vous avez raison, lord Northwood.

Reposant son crayon, il se redressa.

Lydia se leva, le regardant, son expression soudain méfiante. Sa peau était d'une blancheur laiteuse, son visage en forme de cœur ombré de longs cils épais. Ses pommettes surmontaient des lèvres pulpeuses, bien dessinées, et un menton délicat.

Si elle n'avait pas été aussi compassée, aussi tendue, avec ces lèvres pincées, cette méfiance dans le regard, cette pâleur spectrale rehaussée par le noir de sa robe à la coupe austère qui ne parvenait pas à dissimuler les formes d'un corps voluptueux, elle aurait été très belle.

Debout devant elle, il sentit les battements de son cœur s'emballer. Au mouvement de sa gorge qui se plissait, il remarqua qu'elle déglutissait. Il ne savait pas si elle redoutait ou si elle désirait ce baiser.

Impassible, elle se contentait de le regarder à travers la barrière de ses cils baissés.

D'une main, il frôla une mèche de ses cheveux, et la prit entre ses doigts. Ils étaient à la fois doux et épais, des cheveux faits pour cascader sur ses épaules. Du dos de sa main, il caressa son visage, ses jointures frottant sa joue satinée et il perçut son tressaillement.

— Alors ? murmura-t-il.

Son squelette fin et délicat sous ses mains vigoureuses, il la prit par les épaules, sentant leur crispation, et inclina la tête vers elle. Autour d'eux, l'air se fit plus dense, torride. Son cœur tambourinait dans sa poitrine et il éprouva comme un vague sentiment de malaise – comme si l'étrange pouvoir de ces pulsations électriques entre Lydia Kellaway et lui contenait une menace cachée.

Il inhala l'odeur de sa peau. Elle ne portait pas l'un de ces écœurants parfums fleuris mais sentait le propre, le pimpant, une odeur de linge amidonné, de crayons bien taillés.

Il vit ses lèvres s'entrouvrir. Elle se tenait toujours aussi raide, les poings serrés de côté. S'était-elle jamais autorisée à se laisser aller ? À relâcher cette tension, à sortir de sa réserve ? Ses mains toujours sur ses épaules, un instant, ils restèrent immobiles. Puis il glissa ses doigts dans son cou, effleurant son col.

Il la caressa de son pouce, sentant son pouls battre plus fort sous la peau satinée. Ses pommettes s'étaient colorées de la même teinte rouge qu'une aube naissante.

Elle déglutit de nouveau, à plusieurs reprises, toujours figée, lui offrant un visage impassible.

Elle se raidit encore, le dos très droit. Il fit glisser son pouce jusqu'au petit creux secret, intime, derrière l'oreille, ses doigts sur sa nuque. Sa peau était veloutée, il sentait des boucles de cheveux châtains caresser le dos de sa main.

Un désir implacable le submergea. Il éprouva soudain le besoin impérieux de retirer ces vêtements ternes et de toucher sa peau nue. Comme en écho à son envie, il sentit le pouls de Lydia s'affoler comme des ailes de papillon contre sa paume.

Un bruit sourd sur le tapis leur indiqua que le cahier était tombé par terre.

Il inclina encore la tête. Elle ne recula pas mais ne lui tendit pas ses lèvres. Elle avait à présent les joues en feu. Il laissa glisser son regard sur ses seins voluptueux qui se soulevaient au gré de sa respiration. Celle-ci se fit saccadée, comme si l'oxygène lui manquait. Il plongea son regard dans les profondeurs du bleu limpide de ses yeux qui se déclinait sur une myriade de tons. Il sentit son souffle tiède contre sa bouche et resserra son étreinte sur ses épaules, sur son cou.

Les fêlures en lui commencèrent à se refermer. Seul subsistait le besoin de prolonger cette étrange attirance, de savourer le mystère de ce qui se passerait quand leurs bouches se rejoindraient enfin.

— Plus tard, chuchota-t-il, brisant soudain la tension.

Lydia recula, les lèvres entrouvertes.

— Pardon ? dit-elle d'une voix altérée.

Il retira sa main de sa nuque, ses doigts s'attardant sur sa peau chaude.

— Plus tard, répéta-t-il. Je vous réclamerai le paiement de votre dette plus tard.

Elle le dévisagea, avant de reculer d'un pas, les poings toujours serrés.

— Monsieur, vous êtes sans scrupules.

— Vraiment ? Nous n'avons jamais décidé que le paiement serait immédiat.

— C'était tacite.

— Et c'est votre erreur, mademoiselle Kellaway. Il est dangereux de présumer que votre opposant partage vos idées si elles n'ont pas été formulées. Présumer est toujours dangereux, en fait.

La colère de Lydia était flagrante. Un instant, elle resta immobile, livide, ses yeux lançant des éclairs. Mais presque aussitôt, elle reprit son expression habituelle, son attitude composée, son maintien.

Altière, elle s'avança à grands pas vers la porte. Au moment de sortir, elle se tourna vers lui.

— Même si je préfère une méthode plus cartésienne pour prouver un théorème, monsieur, je suis sensible à votre aide.

Il regarda sa silhouette s'évanouir dans le vestibule obscur. Puis, souriant malgré lui, il ramassa le cahier resté par terre et le glissa dans sa poche.

Chapitre 2

Si l'équation différentielle linéaire devait représenter les émotions de deux amants elle serait gouvernée par les variables assignées à chaque amant : a = Ar + bJ et J = cR + dJ.

Lydia regardait la page d'équations sur ses genoux. Elle la mit de côté et croisa les bras.

Les émotions de deux amants.

La différence entre une émotion et une sensation était incommensurable. Malgré elle, un souvenir s'insinua dans son esprit, la catapultant des années en arrière, quand, nue, sans entraves, elle avait lâché les amarres.

Cela avait été une expérience prodigieuse. Pour la première fois de sa vie, elle s'était sentie libre, jusqu'à ce qu'elle apprenne qu'assouvir ses désirs se soldait toujours par un prix à payer.

Une équation gouvernée par les variables assignées à chaque amant.

Jamais elle ne pourrait assigner une variable aux sensations qui mettaient tout son corps en émoi depuis sa rencontre avec lord Northwood.

Son cœur tambourinait dans sa poitrine, chacun de ses battements résonnant en elle. Comme si elle s'embrasait littéralement, le désir roulait dans ses veines en une lave brûlante, mettant tous ses sens en alerte. Ses seins étaient lourds, sa peau tendue à l'extrême, sa fièvre si violente que le creux de ses cuisses en palpitait d'impatience.

Elle ferma les yeux et un frisson de honte la parcourut, repoussant le désir qu'elle éprouvait pour celui qui, la veille encore, était un inconnu. Un homme qui ne serait jamais pour elle. Qu'elle devait s'interdire de convoiter.

Trois, quatre, cinq : le premier triplet pythagoricien.

Les battements de son cœur s'apaisèrent, son souffle saccadé retrouva un rythme plus doux, plus régulier. Peu à peu, la forme précise d'un triangle rectangle parfaitement construit gomma les sensations troublantes de la soirée précédente.

— Tu es bien matinale.

Elle rouvrit les yeux. Sa grand-mère se tenait sur le seuil de son bureau, sa main serrant le pommeau de sa canne. À peine marqué par les années, le visage pâle aux traits fins de Charlotte Boyd gardait des traces de la beauté de sa jeunesse.

Priant pour ne rien trahir de ses pensées sensuelles, Lydia repoussa les mèches qui tombaient sur son front.

— Je ne pouvais pas dormir, expliqua-t-elle. Mrs Driscoll m'a dit que le petit déjeuner serait prêt dans une heure.

Mrs Boyd s'installa dans le fauteuil en face d'elle et, ses yeux bleus pétillant de vivacité, demanda :

— Tu n'es pas encore en train de ressasser cette histoire de médaillon ?

Lydia réprima un geste d'irritation.

— Bien sûr que si.

— Pour l'amour du ciel, Lydia ! Je t'ai dit de l'oublier. C'est un objet ridicule, sentimental, et, hormis sa valeur, ni toi ni Jane ne devriez y attacher la moindre importance. Mr Havers nous en a donné un bon prix.

— Il appartenait à ma mère, répliqua Lydia, piquée au vif par le ton méprisant de sa grand-mère. Vous comprenez sûrement pourquoi il est important pour moi. Et pour Jane. Papa n'aurait jamais accepté de le vendre.

— Tes parents auraient bien mieux fait d'envoyer Jane dans une bonne école au lieu de s'accrocher à ce bijou, rétorqua Mrs Boyd avec un froncement de sourcils. J'espérais que tu verrais les choses ainsi.

— Vous n'aviez pas besoin de mettre le médaillon en gage pour payer l'éducation de Jane, fit-elle valoir.

— Tu connais les tarifs exorbitants de Queen's Bridge, Lydia. Sa préinscription requiert tous les fonds que nous pourrons réunir. Et nous n'avons pas besoin d'un vieux médaillon.

— Moi, si ! riposta-t-elle en la regardant sans ciller.

Les mains croisées, elle sentit son cœur se serrer. Ce n'était pas le moment de se quereller au sujet de l'éducation de Jane. Elle avait d'autres soucis en tête.

— J'ai appris que le médaillon avait été acheté par Alexander Hall, lord Northwood, reprit-elle.

Une expression incrédule se peignit sur le visage de Mrs Boyd qui esquissa une petite moue.

— Le vicomte Northwood ? Tu plaisantes ?

— Non. Il a acheté le médaillon à Mr Havers. Il prétend qu'il le trouve très intéressant.

— Tu lui as parlé ? s'étonna sa grand-mère.

— Je suis allée chez lui hier soir. Je l'ai prié de me le rendre.

Les yeux écarquillés, Mrs Boyd s'exclama :

— Tu es allée chez lord North…

D'une main levée, Lydia interrompit la remontrance.

— Avant de me réprimander, sachez que personne ne m'a vue ni entendue. J'ai été très prudente.

— Lydia, enfin ! Il n'y a rien de prudent à aller rencontrer un homme comme lui en privé. N'as-tu donc tiré aucune leçon du passé ? Par quel démon es-tu possédée ?

— Vous auriez dû savoir que jamais je n'accepterais de me séparer de ce médaillon, rétorqua-t-elle. Surtout après la mort de papa.

— Pendant des années, tu ne l'as même pas regardé.

Dans son agitation, Mrs Boyd se leva et fit quelques pas, s'appuyant pesamment sur sa canne.

— Franchement, Lydia ! Maintenant que lord Northwood sait que tu es allée dans une boutique de prêteur sur gages et que nous… Seigneur ! Et si cela finissait par se savoir ?

— Il n'en parlera à personne.

— Comment peux-tu en être si sûre ?

— Le feriez-vous ?

— Eh bien, je…

— Bien sûr que non. Parce que vous avez déjà fait l'expérience des terribles conséquences qu'une telle nouvelle peut entraîner. Il en va de même pour lord Northwood.

Elle jeta un coup d'œil méfiant à sa grand-mère. Malgré ses lèvres pincées, Mrs Boyd ne semblait pas vouloir discuter. Sans doute parce qu'elle savait que c'était la vérité.

Soudain glacée, Lydia se frotta les bras en un geste frileux, écartant les souvenirs menaçants de son sombre passé. Pourtant, elle voulait en avoir le cœur net. Même si elle vivait dans la terreur des ragots sous toutes leurs formes, elle ne pouvait résister à l'envie d'en savoir plus sur lord Northwood.

— Est-il exact que sa mère s'est enfuie avec un autre ? demanda-t-elle.

— Oh, ce sont des rumeurs bien déplaisantes, répliqua Mrs Boyd en agitant une main dédaigneuse. Des rumeurs qui expliquent pourquoi, malgré la fortune des Hall, la plupart des gens de leur monde les tiennent à l'écart. Il paraît que lady Rushton, que tout le monde croyait tout à fait convenable, entretenait une liaison avec un jeune soldat russe. Quand elle s'est enfuie avec son amant, lord Rushton, son mari, a demandé le divorce. Je dois reconnaître qu'il a eu raison. Leur fils aîné, lord Northwood, est rentré à Londres au beau milieu de cette tourmente. Se retrouver aux prises avec les suites d'un tel scandale est une véritable tragédie. Cette famille ne s'en est jamais remise.

— Qu'est-il arrivé à la comtesse ?

— Lady Rushton a été interdite de séjour dans leurs propriétés, même si je crois qu'elle n'a jamais essayé de revenir. J'imagine qu'elle vit toujours dans le péché, sans doute quelque part dans les steppes de Russie.

Sa grand-mère marqua une pause et, les yeux plissés par la curiosité, demanda :

— Eh bien. Comment est-il ?

Prise au dépourvu, Lydia bredouilla, cherchant ses mots.

— Lord Northwood ? Il m'a paru courtois. Impitoyable.

Furieux.

Fascinant. Beau. Séduisant.

Elle s'empressa de se rabrouer intérieurement. Aucun homme ne devait lui inspirer de telles pensées. Surtout pas lord Northwood.

— Je vois ! dit Mrs Boyd en tapotant le sol de sa canne. Si je ne me trompe pas, le sang d'ancêtres cosaques coule dans les veines des enfants de lord et lady Rushton. La lignée des Hall, la famille de lord Rushton, remonterait aux Normands. Le côté paternel est donc purement anglais. Mais ils ont des racines russes par leur mère. C'est ce qui explique la rudesse de lord Northwood. Même avant le scandale, lady Chilton s'inquiétait à la perspective de voir sa fille l'épouser.

Lydia battit des paupières. Prise de vertige, elle sentit un étau lui broyer la poitrine.

— La fille de lady Chilton va épouser lord Northwood ? murmura-t-elle.

— Plus maintenant. Ils ont été fiancés, mais la conduite inqualifiable de lady Rushton a poussé lord Chilton à faire rompre ces fiançailles. Malgré la fortune des Hall, il refuse de voir sa fille entrer dans cette famille.

Lydia laissa échapper un soupir. Sa main tremblait légèrement.

— Les quatre frères Northwood et leur sœur ont fait de longs séjours en Russie, fit remarquer Mrs Boyd. Pas étonnant qu'ils ne soient pas très populaires. J'ai entendu dire qu'ils n'étaient guère civilisés.

Lydia se mordit la langue, ravalant sa riposte. Même si elle détestait l'admettre, les commentaires de sa grand-mère sur Alexander Hall n'étaient pas infondés.

Malgré son apparence impeccable, une lueur animale, ardente, couvait dans les yeux du vicomte. Un regard qui évoquait les cosaques, les sabres d'argent, les immenses plaines de la steppe russe.

Certes, même si elle n'allait pas jusqu'à la qualifier de grossière, la conduite de lord Northwood n'avait pas été irréprochable, loin de là !

Jusqu'ici.

— Sophie ! chuchota Jane Kellaway.

La domestique se détourna de ses fourneaux, l'air alarmée.

— Mademoiselle Jane, vous ne devriez pas être ici. Votre grand-mère…

— Y a-t-il une autre lettre ? Le coursier en a-t-il apporté une autre ?

Avec un soupir las, Sophie tira un papier froissé de la poche de son tablier. Elle la tendit à Jane qu'elle poussa vers la porte.

— Si elle le découvre, je serai renvoyée, vous savez, chuchota-t-elle.

— Elle ne le découvrira pas.

La lettre à la main, Jane se hâta de redescendre jusqu'à la salle de classe. Elle rompit le sceau de ses doigts impatients et déplia le papier couvert d'une écriture précise, évoquant des rangées de fourmis noires.

« Chère Jane,

Merci pour votre traité sur les libellules, un bien joli nom pour – d'après votre description – un petit insecte bien désagréable.

Il est toutefois intéressant de savoir que les libellules femelles ont un vol plus agile que les libellules mâles. Peut-être pouvons-nous tous en tirer une leçon.

Ci-joint une devinette appelée un acrostiche. Je suis un peu dépité par la vitesse à laquelle vous avez résolu la dernière.

Amitiés,

C. »

Jane sourit. Elle tirait une certaine fierté d'être venue à bout de la dernière aussi vite. Elle fit glisser la lettre sous la feuille suivante qu'elle se mit à étudier.

« Mon premier est dans chaloupe mais pas dans nougat (p)
Mon second est dans reine et aussi dans ruche (r)
Mon troisième est dans godet mais pas dans galet (o)
Mon quatrième est dans café mais pas dans lait (f)
Mon cinquième est dans thé mais pas dans lait (e)
Mon sixième est dans assez et aussi dans essaim (ss)
Mon septième est dans butiner et encore dans essaim (e)
Mon huitième est toujours dans butiner et dans ruche (u)
Mon dernier est dans rêve, alors qui puis-je être ? (r)
Je suis ici dans la classe. M'entends-tu ? »

— Jane, as-tu vu mon cahier ? lui demanda Lydia, la faisant sursauter.

D'un geste vif, elle cacha la lettre sous son bras et jeta un coup d'œil anxieux à sa sœur. Pourvu qu'elle n'ait pas remarqué son geste maladroit. Mais elle était trop absorbée par ce qu'elle cherchait dans la pièce.

— Ton cahier ? s'étonna-t-elle. Tu l'as perdu ?

— Égaré, la corrigea Lydia.

Jane la dévisagea, incrédule. Lydia Kellaway avait perdu son cahier ? Le monde ne devait plus tourner très rond.

— Quand te rappelles-tu l'avoir vu pour la dernière fois ?

— Hier soir, affirma son aînée, visiblement anxieuse, ses yeux soudain voilés par une détresse familière. Bon, inutile de m'en inquiéter maintenant. Je suis sûre que je vais le retrouver. Mrs Driscoll m'a dit qu'il y aurait du biscuit de Savoie pour le thé.

— Tant mieux ! s'exclama Jane avec un enthousiasme forcé.

Elle aimait le biscuit de Savoie mais l'heure du thé avait toujours été d'un ennui à mourir. Et cela n'avait fait qu'empirer depuis que leur père n'était plus là pour jouer aux tangrams chinois.

— Nous arriverons peut-être même à la persuader de nous offrir un peu de sa confiture de fraises, ajouta Lydia, un sourire dissipant un instant son expression sévère.

Jane hocha la tête. De toute façon, sa sœur n'avait pas besoin d'avoir perdu son cahier pour arborer un visage austère.

Lydia lui rappelait ces rochers fendus en deux par une veine scintillante de quartz ou de sel, étudiés en géologie. À la différence près que la veine qui traversait sa sœur était aussi dure que glaciale.

Elle en ignorait la raison. Même si elle soupçonnait cette froideur âpre d'être liée au drame de leur mère.

— Tu as arrosé la fougère ? demanda Lydia.

La lettre toujours bien plaquée sous son bras, Jane se dirigea vers la table près la fenêtre. Une cloche de verre abritait une fougère chétive, aux feuilles roussissantes. Elle souleva la cloche et versa quelques gouttes d'eau à la racine.

— Elle fait un peu pitié, non ? fit-elle remarquer en arrachant quelques feuilles mortes.

Lydia la rejoignit.

— Nous devrions peut-être la changer de place, suggéra-t-elle après avoir examiné la plante. Ou a-t-elle besoin de plus d'air et d'un sol différent ? Je dois avouer que je n'ai jamais compris comment une fougère était censée pousser sous le verre.

Jane entrouvrit la fenêtre pour laisser entrer la brise et les deux sœurs restèrent un moment à contempler la plante.

— Je pense que nous devrions faire plus de recherches, suggéra Lydia. Je vais à la bibliothèque demain, je verrai s'ils ont des livres sur la culture des fougères. Bon. Il est temps de reprendre notre leçon sur les divisions longues.

Elle posa un manuel et des feuilles blanches sur la grande table encombrant la petite pièce, l'ancienne nursery, qui avait été transformée en salle de classe.

Profitant de ce que sa sœur était occupée, Jane prit un livre dans la bibliothèque, y glissa la lettre et le poussa sur une étagère entre deux encyclopédies.

Une brusque envie de parler à Lydia des autres lettres pliées et cachées dans des livres sur les étagères la saisit. Mais devant le pas décidé dont sa sœur arpentait le parquet, elle perdit courage.

En outre, elle ne voulait pas désobéir aux instructions de l'expéditeur qui demandait le secret. Ces lettres anonymes et leurs devinettes avaient été une distraction bienvenue depuis la mort de son père. Elle souhaitait continuer à les recevoir.

— Tout va bien ? demanda-t-elle en revenant vers la table.

— Bien sûr. Pourquoi ? s'étonna Lydia.

— Tu as l'air un peu contrariée.

— Pas le moins du monde. Maintenant, viens t'asseoir. Nous allons réviser les dividendes et les diviseurs.

— C'est grand-mère ? s'enquit Jane, en prenant docilement un crayon.

— Jane, honnêtement, il n'y a rien.

Malgré son affirmation, l'azur des yeux de Lydia s'était assombri d'exaspération. Jane poussa un soupir accablé. Elle ignorait quel grief sa sœur nourrissait à l'encontre de leur grand-mère. Elle savait juste qu'elle aurait aimé voir sa famille tirer enfin un trait sur l'austérité et commencer à goûter à la douceur de vivre.

Les jours passaient, monotones. Petit déjeuner, leçons, déjeuner, marche, thé. Et les promenades étaient loin d'être passionnantes : le parc, la bibliothèque, les magasins.

— Jane.

Elle leva les yeux.

— Pardon, j'étais distraite.

— Tu te souviens de ce qu'est un nombre résidu ?

— Un nombre laissé de côté.

— Bien. Ce problème aura un nombre résidu. Mais commence par le nombre entier, puis multiplie-le par le diviseur. Tu vois, ce qu'il y a de si intéressant dans la division longue, c'est que la même opération te permet de faire à la fois une division, une multiplication et une soustraction.

— Lyddie ?

— Oui ?

— Ce n'est pas bien de garder un secret ?

— Un secret ? Quel genre de secret ? demanda son aînée d'un air surpris.

— Oh, rien qui puisse nuire à quiconque. Juste… un secret. Quelque chose que personne d'autre ne connaît. Comme si tu avais un sac plein de bonbons à la menthe caché sous ton lit.

— Eh bien… je suppose que cela dépend de la teneur du secret. Mais s'il ne nuit à personne, alors non, je ne pense pas que ce soit mal, répondit-elle en écartant gentiment les cheveux de Jane de son front. Pourquoi, tu caches des bonbons quelque part ?

— Non, répliqua Jane avec un sourire triomphant. Si j'en avais, je les partagerais avec toi.

Lydia lui pinça la joue en un geste affectueux.

— Tu es adorable, commenta-t-elle. Mais il faudrait quand même apprendre à les partager équitablement. Et pour cela, tu dois apprendre à faire les divisions.

Feignant l'agacement, Jane reporta son attention sur le problème. Elle aimait les maths mais parfois, à entendre Lydia, on aurait pu croire que tout, sur cette terre, était axé sur les chiffres.

Elle supposait que, dans un sens, c'était peut-être le cas. Même si elle avait le sentiment que le monde était régi par des forces beaucoup plus mystérieuses que les mathématiques.

Les devinettes, les énigmes, les puzzles.

Les secrets.

Chapitre 3

Le médaillon en argent oscillait d'avant en arrière, reflétant la lumière du soleil. Alexander le prit dans sa paume pour en examiner l'inscription. Glissant l'ongle de son pouce dans la fente, il l'ouvrit.

Le portrait en miniature d'une femme aux cheveux d'un noir de jais le regardait, l'ombre du sourire qui flottait sur ses lèvres adoucissant son port de tête impérieux. Elle faisait face au portrait d'un homme au regard grave, au visage long et fin, à la barbe bien taillée.

L'image de Lydia Kellaway s'imposa à son esprit. Il l'imaginait portant ce médaillon en sautoir, le prenant au creux de sa main chaque fois qu'elle pensait à ses parents adorés.

Jamais ses propres parents ne lui avaient inspiré ce type d'émotion. Ni son père et sa poigne de fer ni sa mère à la froideur glaciale, dont la liaison honteuse les avait tous choqués.

Aujourd'hui encore, il peinait à y croire : la comtesse Rushton, impérieuse à l'excès, avec sa voix douce et sa peau de porcelaine, s'abaissant à prendre pour amant le plus ordinaire des soldats.

Il réprima un soupir. Au moins, elle avait eu la présence d'esprit de s'enfuir. Sinon, il l'aurait mise à la porte lui-même, avant que l'affaire n'éclate au grand jour.

Un grognement lui fit lever les yeux. Sebastian, son frère de vingt-neuf ans, venait de s'affaler dans un fauteuil, les paupières lourdes, les joues mal rasées. Il passa une main dans ses cheveux en bataille et étouffa un bâillement.

— Tu t'es couché tard ? demanda Alexander, irrité.

Les yeux rivés sur la table, comme s'il s'attendait à ce que le petit déjeuner apparaisse comme par magie, Sebastian se contenta de hausser les épaules. Il bâilla de nouveau, se releva et alla prendre la cafetière sur le buffet.

— Où es-tu allé ? reprit Alexander.

— À un concert à la *Taverne de l'Aigle*. Le pianiste leur a fait faux bond et ils m'ont demandé de le remplacer au pied levé. J'ai pensé qu'il valait mieux que je dorme ici pour éviter de réveiller Talia ou la vieille chouette.

— Tu penses avoir eu une bonne idée en te produisant à la *Taverne de l'Aigle* ?

Sebastian émit un nouveau grognement et avala une gorgée de café.

— C'est un endroit plutôt respectable. De plus, tout le monde s'en fiche, Alex.

— Pas moi.

— Dans ce cas, tu es bien le seul.

Alexander s'efforça de réprimer sa colère. Malgré tous ses efforts, à la suite du divorce de ses parents, ses frères et sa sœur n'avaient jamais rien fait pour restaurer la bonne réputation de la famille. Sebastian se fichait royalement de l'opinion d'autrui. Quant à Talia, si elle avait eu le choix, elle se serait retirée dans la propriété familiale, à la campagne, et ne serait jamais venue à Londres.

Alexander, en revanche, était au cœur de l'action. Il assistait à des réceptions mondaines, fréquentait des clubs, prenait des rendez-vous d'affaires, comme si de rien n'était, comme si leur mère n'avait pas jeté l'opprobre sur leur famille. Comme si leur lien étroit avec la Russie ne représentait pas un fardeau de plus en plus lourd à porter.

— J'ai fait porter une lettre à père hier pour solliciter un entretien au sujet de la gestion de Floreston Estate, reprit-il. Il y a une certaine divergence entre les revenus et les dépenses, et j'ai plusieurs problèmes de locataires à régler.

— Si tu souhaites parler à lord Rushton, je suggère que tu lui rendes visite, répliqua Sebastian en se frottant le visage. Tu le trouveras au 45 King Street, à Piccadilly, au cas où tu l'aurais oublié. Il est probable qu'il passe la matinée dans sa serre.

— Et Talia ? Quels sont ses projets pour la journée ?

Son frère le regarda par-dessus le bord de sa tasse.

— Je pense qu'elle a un rendez-vous avec la Ragged School Union. Elle m'a dit hier que tu l'avais encore sermonnée sur le mariage.

— Je ne la sermonnais pas. Elle a besoin de comprendre que contracter une belle alliance n'est pas seulement dans son intérêt, mais aussi dans celui de notre famille. Tant d'un point de vue financier que social.

— Elle se montrerait plus affable si tu la laissais tranquille, fit valoir Sebastian. De plus, tu ferais mieux de te soucier de ton propre mariage.

— Tu crois vraiment que j'ai le temps de chercher une femme adéquate ? fulmina-t-il.

— Tu n'as qu'à trouver une gentille oie blanche écervelée, Alex. Dieu sait qu'elles sont nombreuses. Encore mieux si le père de la fille n'a pas de fortune. Tu n'auras pas grand-chose d'autre à faire que de l'épouser et coucher avec elle. Ce qui devrait être vite expédié, ajouta-t-il en haussant un sourcil.

— Canaille ! marmonna Alexander. Ce serait vite expédié, comme tu dis, parce que la jeune fille s'évanouirait de surprise avant même les préliminaires.

Sebastian sourit.

— Une fois qu'elle t'aura donné un fils, rien ne t'obligera plus à remplir ton devoir conjugal. Ensuite, Mrs Arnott sera contente de te divertir. On prétend qu'elle te préfère à ton argent.

Alexander soupira. Sa fréquentation occasionnelle de la maison close était due à son besoin de discrétion et à son manque d'intérêt pour les complications qu'une liaison pouvait entraîner.

Sans parler de la répugnance que lui inspirait un mariage avec une « oie blanche écervelée », les avantages d'une telle alliance pour perpétuer son titre lui importaient peu. Le simple fait de l'envisager réveillait le souvenir de la pénible expérience avec lord Chilton et sa fille.

— Marie-toi et couche avec elle, Alex. Tu n'as rien d'autre à faire.

Secouant la tête, Alexander quitta la salle à manger, satisfait d'avoir permis à Sebastian de retrouver sa bonne humeur, si toutefois il pouvait qualifier ainsi les conseils auxquels il avait eu droit.

Malgré leur différence de tempérament, c'était le frère dont il s'était toujours senti le plus proche. D'une part parce que leurs deux autres frères partageaient une complicité de jumeaux, d'autre part parce qu'il avait toujours secrètement apprécié l'insouciance et la décontraction avec lesquelles Sebastian abordait la vie.

Une attitude qu'il n'avait jamais su cultiver.

En dépit de toutes leurs disputes entraînées par l'attitude cavalière de son cadet au moment du scandale, Alexander était incapable d'ignorer cette pointe d'envie. Sebastian ne faisait que ce qui lui plaisait, et tout le monde pouvait aller au diable.

Il n'était pas celui qui avait été obligé de sacrifier tous ses projets. De rentrer à Londres pour affronter les conséquences de l'abandon de leur mère et du divorce de leurs parents. De porter l'humiliation de fiançailles rompues avec une débutante.

Aucun de ses trois frères n'avait eu à braver ces épreuves.

Alexander se frotta la nuque pour dissiper sa tension latente. Parfois, il se sentait écrasé par le poids des responsabilités. Il avisa alors le cahier de Lydia Kellaway sur sa table.

Elle n'était pas une gentille oie blanche, fille d'un hobereau de campagne. À en juger par son écriture, elle en connaissait beaucoup plus sur les nombres premiers et les équations différentielles que sur la mode et l'étiquette.

Peut-être était-ce la raison pour laquelle il ne l'avait jamais rencontrée auparavant. Bien que son père, sir Henry Kellaway, ait été un universitaire de notoriété considérable, spécialiste d'histoire et de littérature chinoises, il avait toujours mené une vie un peu recluse.

Lydia en était-elle la raison ?

Après avoir commandé la voiture, il donna au cocher l'adresse sur East Street inscrite sur le revers de la couverture du carnet.

Chemin faisant, il le feuilleta. Les notes griffonnées semblaient l'avoir été au hasard. Juste des pages et des pages d'équations d'algèbre et de diagrammes géométriques.

C'est ce qui arrive quand r est la plus grande des solutions de $a + ar = b + \beta r$, $a + ar = c + yr$, *&c. Admettons que* $(k - a) : (a - \kappa)$, *que l'on désigne par* ρ, *est le plus grand élément de l'ensemble.*

Il eut un petit rire sardonique. Il avait dit étrange ? Miss Kellaway était plus qu'étrange si son cerveau, non seulement comprenait de tels méandres, mais les produisait.

Quelques mots sur la page suivante attirèrent son attention.

Variables comme les mesures de l'amour.

Le mot amour était souligné d'un trait énergique. La phrase était suivie d'une série d'équations et de notes incompréhensibles, à l'exception de la structure des équations différentielles et des références à *L'Iliade*, à *Roméo et Juliette*, à Pétrarque.

Perplexe, il referma le cahier. Il regrettait de ne pas saisir le sens de ces recherches.

Un peu plus tard, il descendit de voiture devant une modeste maison en briques. Un jeune livreur de journaux, le pantalon retenu à la taille par une corde, faisait les cent pas devant une barrière de fer forgé. Au coin, un marchand de fruits avait dressé son étal et chassait à coups de pieds un chien qui cherchait des restes.

La porte de la maison s'ouvrit et une femme en émergea, les bras chargés d'une bonne demi-douzaine de livres. Il reconnut Lydia Kellaway. Vêtue d'une robe noire, son torse aussi rigide qu'un tronc d'arbre contrastait avec son jupon bouffant.

Pourtant, malgré ses vêtements, il devinait son corps mince aux formes exquises, renforçant sa conviction que Lydia Kellaway, nue, serait douce, voluptueuse, tentante comme le péché.

Le cœur battant, il traversa la rue.

Une fillette d'une dizaine d'années aux cheveux châtains, impeccable dans son tablier amidonné, surgit à côté de Lydia pour lui tenir la porte.

— Jane, s'il te plaît, peux-tu prendre…

Elle s'interrompit. Elle venait de l'apercevoir qui approchait. Elle se redressa, tenant maladroitement ses livres, sa bouche entrouverte trahissant sa surprise.

— Mademoiselle Kellaway.

— Lord Northwood.

Seigneur ! Le seul son de sa voix parvenait à mettre ses nerfs à vif. Mélodieuse, avec une pointe rauque, comme un bon cognac riche et chaud dans votre gorge. Il voulait entendre son prénom prononcé par cette voix caressante, sensuelle.

— Vous permettez ?

Il fit un pas en avant et lui prit les livres, ses doigts effleurant ses bras, ses mains gantées. Son parfum le grisa.

— Merci, dit Lydia en levant une main pour remettre son chapeau en place.

L'effort rosissait sa peau pâle, quelques mèches de cheveux châtains s'échappaient sur sa nuque et sur son front.

Posant une main sur l'épaule de l'adolescente, elle se pencha pour lui chuchoter quelque chose à l'oreille. La petite lui jeta un coup d'œil curieux et rentra dans la maison. Intrigué, il la suivit du regard.

— Ma sœur, expliqua Lydia. Vous me pardonnerez de l'avoir congédiée mais je ne souhaite pas qu'elle soit au courant des… événements récents.

— Événements ? répéta-t-il, surpris.

— Oui, le… lord Northwood, je vous en prie, entrez.

Une fois à l'intérieur, elle le précéda dans le salon.

Il posa les livres sur la table et promena son regard sur la pièce, le canapé et les fauteuils de brocard usé, le papier peint qui s'effilochait, les vieux manuscrits chinois. Le mobilier, sans un grain de poussière, montrait des signes d'usure.

— J'avais l'intention de vous contacter aujourd'hui, monsieur, commença-t-elle en se tournant vers la fenêtre pour retirer ses gants. Vous avez mon cahier ? Je crains de l'avoir laissé chez vous l'autre soir.

Alexander détourna ses yeux de ses fines mains blanches aux doigts fuselés et le tira de sa poche. Le soulagement se lut sur le visage de Lydia.

— Oh, merci ! J'ai tellement de notes dans ce cahier que si je devais le…

Quand elle s'aperçut qu'il ne le lui tendait pas, elle s'arrêta à quelques mètres de lui. Son visage arborant une expression exaspérée, elle eut un geste d'impatience.

— Je vous en prie, ne me dites pas que vous allez me faire une requête totalement inappropriée avant de me rendre mon bien.

— Hum. Je n'y avais pas pensé mais c'est une idée intéressante.

— Lord Northwood !

Esquissant un sourire en coin, il lui tendit l'ouvrage. Elle s'en empara et leurs mains se frôlèrent. Elle retira son bras, une légère rougeur colorant ses joues.

Il savait que sa réaction n'était pas due à la timidité mais plutôt à l'embarras de ne pas savoir quelle attitude adopter envers lui.

Mordillant sa lèvre inférieure de ses dents très blanches, elle semblait fascinée par sa chemise. Il en profita pour l'étudier à la lumière qui entrait à flots par la fenêtre, remarquant des détails qu'il n'avait pas vus l'autre soir.

L'arc léger de ses sourcils, son nez parsemé de taches de rousseur, ses lèvres délicieusement pulpeuses. Non, cela il l'avait remarqué quand il s'était approché assez près pour sentir son souffle tiède. Mais sans rouge à lèvres, leur couleur rappelait celle de l'abricot. Elles en auraient eu le goût : sucré, savoureux.

Il se rabroua. Il devait à tout prix se ressaisir.

Luttant pour contenir son excitation, il recula d'un pas. Il se força à ne pas détailler le reste du corps de Lydia, à ne pas laisser son regard s'attarder sur les courbes de ses seins fermes, sa taille fine, ses hanches voluptueuses.

Assez !

Pour s'empêcher de la regarder, il porta son attention sur les livres qu'il avait posés sur la table. Pour un homme qui s'enorgueillissait de son flegme, il réagissait en blanc-bec en émoi.

Il se força à se concentrer sur le titre du livre au sommet de la pile. *Introductio in Analysin Infinitorum* – l'introduction à l'analyse des infiniment petits. Il les prit et regarda les autres titres. *L'Analyse mathématique de la logique. Réflexions sur l'étude des mathématiques dans le cadre d'un enseignement libéral.*

Il les reposa et leva la tête. Elle le regardait, ses yeux aux cils épais méfiants, mordillant toujours sa lèvre inférieure.

— Avez-vous d'autres lectures que des textes mathématiques ? s'enquit-il.

— Des magazines ou d'autres types de livres, oui.

— Pétrarque ?

— Pardon ? demanda-t-elle d'un air surpris.

— Vous lisez Pétrarque, non ? Et Shakespeare ? *L'Iliade* ?

— Comment savez-vous ? Vous avez lu mes notes ? demanda-t-elle en reculant d'un pas, bouche bée de surprise.

— Pas vraiment. Si c'était le cas, j'aurais compris ce que je lisais. Or, rien du tout. Néanmoins, j'ai remarqué vos notes sur certains romans.

— Lord Northwood, vous avez empiété sur mon intimité.

— Hum ! Tout comme vous avez empiété sur la mienne quand vous avez débarqué chez moi à minuit ? Ou que vous avez traqué tous les ragots imaginables sur moi ? Ou quand vous avez rôdé chez Havers pour vous procurer mon nom de manière illégale dans son registre de ventes ?

— Eh bien, je…

Deux taches roses coloraient ses joues. Existait-il une autre femme au monde qui rougissait aussi facilement que Miss Lydia Kellaway ?

Elle s'éclaircit la gorge et tripota une broche piquée sur son col.

— Je veux dire que je n'avais pas l'intention de…

— De toute façon, reprit Alexander, je ne vois pas ce que quelques noms et une équation griffonnés peuvent avoir d'intimes. Maintenant, si vous aviez écrit des poèmes érotiques ou…

— Lord Northwood.

Malgré son teint très rose, elle leva les yeux et le regarda sans ciller.

— Je pense en fait que les relations amoureuses sont fondées sur des formules mathématiques.

Il la dévisagea. Il n'aurait pu être plus surpris si elle lui avait dit que, dans un autre cahier, elle écrivait effectivement des poèmes érotiques.

— Vous voulez dire que les relations amoureuses reposeraient sur des bases mathématiques ? répéta-t-il, interrogatif.

— Oui. Un mode de comportement. Je m'appuie sur des exemples historiques comme Roméo et Juliette, Tristan et Yseult, Hélène et Pâris, pour ne citer qu'eux, pour tester mes théories et établir les preuves.

Elle parlait le plus sérieusement du monde. Debout devant lui, serrant le cahier infernal, elle clignait de ses yeux bleus avec candeur.

— Des preuves de… quoi ? demanda Alexander.

— Des schémas d'attirance et de rejet. Par exemple, bien que Laure, une femme mariée, ait repoussé les avances de Pétrarque, il a continué à la poursuivre à travers ses sonnets. Je pense pouvoir décrire leur relation en appliquant des variables à leurs émotions et en concevant des équations différentielles.

Alexander était abasourdi. Cette femme essayait de quantifier l'amour.

— Lydia, je pensais que tu allais...

Tous deux se retournèrent. Une dame âgée venait d'entrer, sa canne au pommeau d'ivoire résonnant au rythme de son pas. Elle s'arrêta.

— Grand-mère, je vous présente le vicomte Northwood, déclara Lydia, d'une voix un peu altérée. Lord Northwood, je vous présente ma grand-mère, Mrs Charlotte Boyd.

Refoulant son agacement devant l'interruption, il salua la nouvelle venue d'un hochement de tête.

— Madame Boyd. Très heureux.

Comment diable pouvait-on quantifier l'amour ?

— Lord Northwood, répliqua Mrs Boyd d'un air circonspect, son regard allant de Lydia à lui. Ma petite-fille m'a dit qu'elle vous avait dérangé chez vous.

Certes, elle m'a dérangé, ne put-il s'empêcher d'acquiescer en son for intérieur.

— Je vous prie d'accepter toutes mes excuses pour son impertinence, ajouta Mrs Boyd.

— Je vous en prie, madame Boyd. Miss Kellaway et moi avons trouvé un accord.

Il jeta un rapide coup d'œil à Lydia avant de ramener son attention sur sa grand-mère qui plissait les yeux d'un air soupçonneux.

— Vraiment ? demanda-t-elle. Puis-je vous demander quel genre d'accord ?

— Ce n'est rien, tempéra la voix de Lydia. Je travaille sur des comptes pour lord Northwood en échange du médaillon.

Alexander étudia Mrs Boyd pour voir si elle devinait le mensonge. Son expression méfiante avait laissé place à un air étrangement satisfait.

— Eh bien, je ne pense pas qu'il soit très convenable pour une femme de travailler dans le domaine de la comptabilité, fit-elle remarquer. Mais je sais que Lydia fera preuve de la plus grande rigueur. Elle a toujours eu la passion des chiffres, monsieur le vicomte.

— C'est ce que j'ai découvert, repartit-il avec un coup d'œil à la jeune femme. Il est temps pour moi de prendre congé. Je suis attendu dans les bureaux de la Société des Arts dans une heure.

Alors qu'il regagnait sa voiture, les paroles de Sebastian résonnaient dans sa tête.

« Trouve-toi une gentille oie blanche, une écervelée. »

Lydia Kellaway était tout sauf une oie blanche. Elle était vive d'esprit, piquante, et gentille n'était certainement pas l'adjectif qui la qualifiait au mieux. De plus, elle était loin d'être écervelée. Il faillit s'esclaffer… au contraire, même, la tête de cette femme bouillonnait de pensées et de suppositions. D'ailleurs, elle n'était pas vraiment jeune. Elle devait tutoyer la trentaine.

Il regarda par la vitre. Non, Miss Kellaway était trop directe, trop ombrageuse, elle avait des idées trop arrêtées. Sans oublier qu'elle était vraiment étrange. Elle ne venait pas d'une famille en vue. La bonne société jugerait cette alliance surprenante. Pas du tout celle que l'on attendait de lui.

Pourtant, c'était la première fois depuis des années, la toute première fois même, peut-être, qu'une femme l'intriguait autant. S'il ne la comprenait pas du tout, il était bien déterminé à essayer.

Il l'avait fait rougir. Rougir ! Depuis combien d'années Lydia Kellaway, prodige mathématique qui, à huit ans, étudiait le calcul différentiel et intégral, n'avait-elle pas rougi ? N'avait-elle pas connu ce frisson de plaisir, ce besoin incontrôlé de sourire ?

Et quand lord Northwood l'avait dévisagée, son cœur avait frémi comme des pétales de fleur sous la brise.

À quoi pensait-il quand il la regardait ? Lui plaisait-elle ? La flamme qui embrasait ses prunelles laissait entendre que c'était le cas. Mais il avait beaucoup plus d'expérience qu'elle dans ce domaine. Peut-être n'était-ce qu'un jeu pour lui.

Ou peut-être pas.

Elle pressa ses mains contre ses joues encore chaudes. Quelque part au plus profond d'elle-même, un endroit où elle s'autorisait rarement à s'aventurer, elle se rappelait la sensation du désir physique. Elle se rappelait la volupté torride embrasant tous ses sens, la tension lui nouant l'estomac.

Mais cela… cette légèreté, son cœur affolé. Tout cela était nouveau. Bienvenu. Délicieux.

Dangereux.

Elle ferma les yeux. Elle détestait la petite voix intérieure qui lui soufflait de se méfier, que, même en imagination, elle ne pouvait pas se permettre de reconnaître, encore moins d'apprécier, les sensations que lord Northwood réveillait en elle.

— Lydia, appela la voix de sa grand-mère.

Elle ouvrit les yeux, se redressa et croisa les bras, envahie par la honte. Pourtant, elle n'avait rien fait de mal.

— Pourrais-tu me rejoindre dans le salon ? J'aimerais te parler.

— De quoi ?

— De certaines affaires dont je souhaite t'entretenir en prévision de mon rendez-vous à la banque demain matin. Accorde-moi dix minutes, s'il te plaît.

Sur ses mots, Mrs Boyd sortit. Effaçant immédiatement lord Northwood de son esprit, Lydia lissa les plis de sa robe, recoiffa ses cheveux en arrière, s'assurant que ses mèches rebelles soient bien retenues par son ruban.

Incapable de faire taire son appréhension, elle se dirigea vers le salon. Bras croisés, sa grand-mère était debout devant la cheminée où brûlait un feu.

— Je vous en prie, commença Lydia. De quoi s'agit-il ?

Mrs Boyd tapotait ses bras de ses doigts, d'un geste impatient.

— Combien de fois as-tu vu lord Northwood ?

— Vu ? Deux fois, je pense. Pourquoi ?

— Je suppose que tu vas être amenée à le voir plus souvent, si tu travailles sur ses comptes, poursuivit Mrs Boyd. Mon amie Mrs Keene affirme qu'il a la ferme intention de restaurer l'honneur dans sa famille. C'est la raison pour laquelle il est si impliqué dans l'organisation de l'exposition éducative pour la Société des Arts. De plus, il cherche un bon parti pour sa sœur.

Lydia revit la scène de son arrivée chez lord Northwood. Cela expliquait sans doute pourquoi lady Talia avait eu l'air si mortifiée ce soir-là.

— Je suis certaine qu'il y parviendra, répliqua-t-elle.

Quel que soit l'objectif qu'il se donnait, elle imaginait mal lord Northwood échouer.

— Qu'importe ! Il paraîtrait toutefois que, pour sa part, il semble beaucoup moins pressé de convoler.

— Et alors ?

— Ne trouves-tu pas cela étrange ? Ne doit-il pas avoir un héritier pour perpétuer son titre ? Même si je devine qu'après la conduite inqualifiable de sa mère, aucune famille aristocratique ne souhaite une alliance avec les Hall. Surtout pas depuis que lord Chilton a fait rompre les fiançailles de sa fille avec lord Northwood.

Lydia sentit ses nerfs se tendre comme des cordes.

— Qu'essayez-vous d'impliquer ?

— Rien du tout, Lydia, répondit Mrs Boyd. Je me contente de t'exposer les faits concernant cet homme, étant donné que tu as pris l'initiative d'aller lui rendre visite sans chaperon. J'espère simplement que tu attaches autant d'importance à l'éducation de Jane qu'à cet horrible médaillon.

Surprise par le changement brutal de sujet, elle battit des paupières.

— Bien sûr ! affirma-t-elle. Jane et son éducation sont tout pour moi. Vous le savez. Pourquoi l'oublierais-je ? Et qu'est-ce qui vous ferait penser le contraire ?

Sa nuque était raide et douloureuse.

— Je sais que tu tiens à elle, Lydia. Et tu...

— Je *tiens* à elle ? répéta-t-elle, abasourdie.

Seigneur ! sa grand-mère ignorait-elle donc tout de l'amour inconditionnel qu'elle vouait à Jane ?

— Tu as très bien réussi avec elle, reprit Mrs Boyd. Elle est encore un peu étourdie, mais, dans l'ensemble, c'est une fille réfléchie, très respectueuse. Néanmoins, elle est prête pour un genre d'éducation différent. Celui qui lui ouvrira les portes de la bonne société.

— Elle progresse très bien sous ma tutelle. Nous avons commencé à lire *L'Odyssée*. Nous étudions les pays de l'Empire. Elle apprend les fractions et l'algèbre de base.

— Lydia, Jane a besoin d'être guidée par des professeurs dotés d'une connaissance des usages de la société beaucoup plus innée que la tienne. Elle doit apprendre l'étiquette si elle veut faire un beau mariage.

— Elle n'a pas encore douze ans, protesta Lydia. Je n'ai pas pensé un instant à l'étiquette ou, Dieu m'en préserve, au mariage, avant d'aller en pension.

— Tu aurais peut-être dû commencer plus tôt.

Sa grand-mère marqua une pause. Puis sa voix se fit tranchante.

— La discipline t'aurait fait du bien.

Lydia tressaillit, sa main s'agrippant au dossier de la chaise.

Le cosinus de thêta plus gamma est égal au cosinus de thêta multiplié par le cosinus de gamma moins le sinus de thêta multiplié par le sinus de gamma.

— Je sais que nous avons parlé de l'éventualité qu'elle aille à Queen's Bridge, mais même avec l'argent du médaillon, nous n'avons pas les moyens…

Elle se tut. Quelque chose dans l'expression de sa grand-mère la fit paniquer.

— J'ai discuté de cette affaire avec Mrs Keene en qui j'ai une confiance absolue, reprit Mrs Boyd. Mrs Keene a une tante qui vit à Paris, lady Montague, une baronne à qui son défunt mari a laissé sa fortune et son nom. Mrs Keene et cette dame ont correspondu au sujet d'une école de jeunes filles qui s'est récemment ouverte dans le quartier du faubourg Saint-Germain.

— Non.

— Je ne te demande pas ton avis, Lydia.

— Vous ne pouvez pas envoyer Jane en France pour son éducation. C'est trop loin. Vous ne pouvez pas lui faire ça, murmura-t-elle d'une voix étranglée.

Sa panique s'amplifia, l'angoisse l'étouffait, son cœur tambourinait dans sa poitrine.

— Je le fais pour elle, Lydia.

— Non. C'est trop loin. Elle ne…

— Seigneur, Lydia ! Nous parlons de Paris, pas du fin fond de l'Afrique, l'interrompit sa grand-mère. Et comme tu l'as fait remarquer, nous ne pouvons nous permettre de l'envoyer dans les meilleures écoles de Londres. Encore moins à Queen's Bridge. Or, au nom de mon amitié avec Mrs Keene, lady Montague a eu la grande bonté de proposer une bourse pour Jane.

— Et vous avez accepté ?

— J'en ai bien l'intention.

Mrs Boyd poussa un soupir, sa main frôlant distraitement ses manchettes de dentelle.

— Lydia, moi non plus je ne veux pas voir Jane nous quitter, mais je n'ai pas d'autre choix. À moins de trouver un moyen de l'envoyer dans une prestigieuse école de Londres, où elle pourra recevoir l'éducation que nous ne pouvons lui donner.

Elle leva la tête. Elles se dévisagèrent pendant un long moment. Lydia sentit une infinie tristesse l'envahir. Un millier d'années paraissait creuser l'espace entre sa grand-mère et elle, débordant de regrets, de la douleur de l'absence.

Elle regrettait vivement sa mère ! Pas la femme à l'esprit tourmenté, mais la femme dont elle se souvenait avant sa descente dans les ténèbres de la maladie. Theodora Kellaway, joyeuse, sereine, avec ses mains douces, sa longue et magnifique chevelure aussi brillante que les blés mûrs.

Son père aussi lui manquait. Elle avait besoin de son bon sens, de son calme, de sa clairvoyance. En dépit de tout, il n'avait jamais souhaité que le meilleur pour elle et Jane.

— Vous voulez toujours me punir, n'est-ce pas ? demanda-t-elle sans pouvoir contenir la rudesse de sa voix.

La question avait fusé, malgré elle.

— Il ne s'agit pas de toi, répondit sa grand-mère. Mais de Jane.

— Si, il s'agit de moi. Me permettrez-vous jamais d'oublier ce qui s'est passé quand vous m'avez envoyée loin de la maison ?

— Lydia ! s'exclama Mrs Boyd en frappant le sol de sa canne. L'école de lady Montague a peut-être ouvert récemment mais, outre la chance qu'elle aura d'y recevoir une excellente éducation, Jane y sera parfaitement supervisée. Comment peux-tu suggérer que cette décision soit liée à tes actes irréfléchis ?

Tremblante d'humiliation, Lydia regarda fixement sa grand-mère. Silencieuse, Mrs Boyd semblait se rendre compte de la portée de ses paroles.

— Non ! s'exclama-t-elle, les poings serrés, des larmes de rage lui brûlant les paupières.

— Lydia !

— Non, je vous le défends. Je ne vous laisserai pas envoyer Jane loin de moi.

Elle traversa la pièce et fit claquer la porte derrière elle. Les doigts agrippant sa jupe, bouillonnant de rage, elle prit une longue inspiration. La pendule du vestibule faisait « tic-tac ». Un miroir reflétait l'escalier aux ombres inquiétantes dans l'obscurité.

Suffoquant de rage et de douleur, Lydia se sentit submergée par la honte. Elle ouvrit la porte d'entrée et sortit en trombe. Une fois dehors, elle marcha d'un pas de plus en plus vif, puis se mit à courir, le froid nocturne lui piquant le visage. Au bout d'un moment, les poumons en feu, elle ralentit, le souffle court. Pliée en deux par la souffrance, elle croisa les bras.

Haletante, son cœur battant la chamade, elle se laissa tomber sur un perron et posa la tête sur ses genoux.

Les souvenirs affluaient. Impitoyablement, elle refoula les images du corps émacié de sa mère, de l'expression désespérée de son père, de la fureur de sa grand-mère.

Repoussant la vision du regard vert, glacial, tranchant comme le verre, elle grelotta. Son cœur semblait pris dans un étau glacé.

Au bout de ce qui lui parut une éternité, elle releva la tête. Le brouillard qui voilait le ciel masquait la clarté de la lune et des étoiles.

Elle se leva et descendit Dorset Street. Des fiacres noirs attendaient les clients à une station.

Un cocher lui jeta un regard curieux, avant de hocher la tête pour approuver sa requête. Après l'avoir aidée à monter dans son fiacre, il fit claquer la portière.

Paupières closes, elle sentit la voiture s'ébranler vers Oxford Street.

Si p est un nombre premier, alors pour tout entier a, $a^p - a$ *sera régulièrement divisible par p. La dérivée de uv égale u dérivée de v plus dérivée de u multiplié par v.*

— Nous voilà au 12 Mount Street, mademoiselle, annonça la voix du cocher un instant plus tard, la tirant de sa réflexion.

Elle rouvrit les yeux. Plusieurs fenêtres éclairaient la façade. Pourquoi était-elle revenue ? C'était de la folie. Elle le savait. Pourtant, après avoir prié le cocher d'attendre, elle gagna la porte d'entrée et sonna. Pas de réponse. Son cœur se serra. Elle sonna de nouveau.

La porte s'ouvrit sur un valet de pied au visage impassible.

— Oui ?

— Lord Northwood, je vous prie. Pour Miss Lydia Kellaway.

— Veuillez attendre.

Il s'effaça devant elle, puis disparut sans bruit dans l'escalier.

Après un moment, la lumière inonda le dernier étage et lord Northwood vint à sa rencontre, de sa démarche posée. Devant son assurance, la force qui émanait de lui, elle se prit à envier son aisance.

— Mademoiselle Kellaway ? dit-il en fronçant les sourcils et en jetant un coup d'œil au fiacre par la porte entrouverte. Tout va bien ?

— Je... je n'ai pas un...

— Entrez. Je vais m'en occuper.

D'un geste, il indiqua au valet de pied d'aller payer la course avant de se retourner vers elle.

— Que faites-vous ici ?

— Je suis venue...

Elle prit une inspiration et, levant la tête, planta ses yeux dans les siens.

— Je suis venue payer ma dette.

Ressentait-elle la même chose ?

Elle ne ressemblait pas à celle qu'il avait connue. Elle était plus âgée, bien sûr, les contours de son visage plus durs, son regard, ses mouvements, moins impatients, remplacés par une sorte de rigidité. Une attitude compassée.

Depuis son retour à Londres, Joseph n'avait vu Lydia flancher qu'une seule fois. Juste après l'enterrement de son père, devant l'église, où la fillette, enlaçant sa taille, avait sangloté.

Il avait remarqué que Lydia luttait contre ses propres larmes. Comme une fêlure dans sa dureté.

Avant de repousser gentiment l'enfant, son visage avait repris son masque serein et déterminé.

La fillette s'appelait Jane. Malgré son nom banal, elle était jolie. Intelligente aussi, à en juger par ses lettres. Toutefois, il avait besoin de plus de temps pour explorer les profondeurs de son esprit.

— Monsieur ? Vous êtes arrivé.

Le cocher le dévisageait d'un air intrigué.

Il hocha la tête et, d'un geste de la main, lui demanda de reprendre sa place…

— Ramenez-moi à Bethnal Green.

Tandis que le fiacre s'éloignait, il regarda Lydia Kellaway s'engouffrer dans la maison de Mount Street, la silhouette d'un homme imposant à son côté.

Joseph rit. Elle était peut-être plus âgée mais, apparemment, ses besoins n'avaient pas changé. Néanmoins, à en juger par le quartier, elle s'élevait au-dessus de sa condition.

Était-ce le cas ?

Il savait que, même avant la mort de sir Henry, les Kellaway avaient traversé des difficultés financières.

Lasse d'utiliser les talents de son esprit, Lydia avait-elle décidé de gagner de l'argent grâce à ceux de son corps ?

Les belles maisons de Mount Street appartenaient à des familles riches. Il ne tarderait pas à découvrir qui habitait au numéro douze.

Chapitre 4

Après avoir commandé le thé, Alexander regarda Lydia s'effondrer dans le canapé du salon. Elle repoussa ses cheveux échappés de son catogan retenu par un simple ruban sur la nuque. Il remarqua que ses mains tremblaient. Sa peau satinée était marbrée de taches rouges, ses yeux marqués de cernes bouffis. Son regard rivé au sol, sa poitrine se soulevait par saccades, au rythme de sa respiration haletante.

Agrippant le dossier en bois lisse de la chaise derrière laquelle il était, il éprouva le besoin impérieux de la protéger. Il brûlait de prendre Lydia dans ses bras, de la sentir s'abandonner contre lui, de réparer ce qui la mettait dans un tel état de détresse. La subite conscience et la violence de ce sentiment le prenaient au dépourvu. Nerveux, il passa une main dans ses cheveux. Il avait l'impression d'être hypnotisé par son ravissant visage.

— Mademoiselle Kellaway, commença-t-il, s'appliquant à garder une voix calme car, dans sa hâte de savoir, il avait peur de l'effrayer, quelqu'un vous a-t-il fait du mal ?

Elle eut un faible rire rauque.

— Pas comme vous l'entendez.

— Vous pouvez me dire la vérité.

— C'est la vérité, affirma-t-elle.

— Vous en êtes sûre ?

— Oui, répondit-elle en hochant la tête, froissant les plis de sa jupe entre ses doigts. Ce n'est pas… ce n'est pas ce que vous imaginez.

— Dans ce cas, que se passe-t-il ?

— C'est un problème personnel, un… Cela n'a pas d'importance.

— Pour moi, si.

— Vraiment ?

Elle releva le visage, l'azur de ses yeux assombri par la colère.

— Qu'attendez-vous ? Je suis venue ici dans le seul but de régler ma dette. Embrassez-moi ! lui intima-t-elle.

Alexander secoua la tête.

— Pas comme ça.

— Votre contrat ne stipulait pas de condition.

— Maintenant si.

Un coup discret à la porte annonça l'arrivée de Giles, le valet, portant un plateau. Il le déposa et, après l'avoir remercié d'un signe de tête, Alexander attendit qu'il ait quitté la pièce, refermant la porte derrière lui. Puis il versa le thé dans une tasse, ajouta du sucre, et la mit fermement entre les mains de Lydia.

— Quelle condition ? demanda-t-elle.

— Je ne vous embrasserai pas alors que vous êtes dans cet état d'esprit : votre détresse est évidente. Non seulement, ce serait très malséant de ma part mais, en outre, si le fait de vous embrasser devait vous attrister davantage… je crois que ma fierté ne s'en remettrait pas.

L'ombre d'un sourire passa sur les lèvres de Lydia.

— Votre fierté me semble capable de supporter des affronts bien pires, lord Northwood.

— Peut-être. Mais je n'ai nulle intention d'en arriver là.

Préoccupé, il regarda ses lèvres se refermer sur la fine porcelaine, sa gorge se plissant alors qu'elle buvait une gorgée de thé.

Les minutes s'égrenèrent, interminables. Il voulait lui laisser le temps de se ressaisir. Puis il posa de nouveau la question :

— Que s'est-il passé ?

La couleur de ses prunelles vira à un bleu aussi foncé que le lapis-lazuli. Elle secoua la tête, des boucles épaisses de ses cheveux s'agitant dans son cou.

— Parfois, je me sens… totalement impuissante, finit-elle par dire d'une voix lourde de chagrin.

Désorienté, Alexander resta muet. Comment répondre à un aveu fait avec une telle simplicité ? D'un côté, venant d'une femme à l'esprit aussi brillant, perspicace que le sien, cela ne rimait à rien. De l'autre, elle passait son temps à formuler des équations sur l'amour, un travail qui, il le savait, resterait vain.

Le silence s'étira, s'installant entre eux comme une entité vivante.

Alexander s'éclaircit la gorge, regrettant l'espace d'un instant l'absence de Sebastian. Son frère aurait su quoi dire. Il avait ce don inné de donner aux femmes l'impression qu'elles étaient en sécurité, protégées. Elles se livraient à lui, lui faisaient confiance. Ce n'était pas son cas. La réputation de sa froideur déjà bien établie s'était renforcée depuis la catastrophe de ses fiançailles ratées.

Un rictus déformant sa bouche divine, Lydia posa sa tasse sur le plateau.

— Mais ce n'est pas le sujet du moment.

— Quel genre de pouvoir cherchez-vous ?

— Aucun que je puisse obtenir, alors pourquoi se fatiguer à le nommer ?

Il l'étudia, remarquant la courbe de sa nuque gracile, la manière dont ses longs cils ombraient ses pommettes.

— Je sais que vous avez un esprit vif et que votre talent pour les chiffres vous a valu le respect des échelons académiques les plus élevés.

— Comment le savez-vous ?

— Je me suis renseigné sur vous. Votre nom suscite le respect, mademoiselle Kellaway.

— Non, mon nom suscite la curiosité, lord Northwood. Comme un tapir d'Amérique du Sud ou un artiste de cirque.

— Vous vous trompez, dit-il en secouant la tête.

— Vraiment ? demanda-t-elle en repoussant une mèche de son front. Je ne veux pas avoir l'air de me plaindre. Ni de ne pas reconnaître ma propre intelligence. Mais, s'il vous plaît, n'essayez pas de me convaincre que mes capacités me confèrent une autre réputation que celle de savoir résoudre des équations.

Parce que ce n'est pas le cas. Il y a longtemps que je l'ai découvert.

— Pourtant, des mathématiciens et des professeurs d'université vous consultent au sujet de leurs travaux ?

— Oui. Exactement. Leurs travaux. Mais nos échanges restent purement académiques.

Elle planta son regard dans le sien et, avec une dureté inattendue, déclara :

— Ce que je veux vous faire comprendre, lord Northwood, c'est que ma compétence en mathématiques est vraiment une entité distincte du reste de mon existence. Dans la vie, la maîtrise d'un domaine ne se transfère pas à un autre.

— Cela peut arriver.

— Pas dans mon cas. J'éprouve une grande impression de puissance quand je résous des problèmes, quand je prouve des théorèmes. Mais cela se réduit à la seule sphère des mathématiques.

Alexander laissa échapper un soupir.

— Je ne peux prétendre avoir été un brillant élève. Je sais néanmoins que les mathématiques sont loin d'être un monde réduit. Au collège, j'ai appris que les formules algébriques s'appliquent à l'art de la Renaissance. Il y a des liens entre la musique et les mathématiques auxquels j'avoue ne rien comprendre. La gestion d'un domaine de la taille de celui de mon père implique un équilibre constant entre les dépenses et les recettes, entre le montant des loyers et…

Lydia l'interrompit d'une main levée.

— Tout cela est très bien, monsieur, mais je vous en prie, comprenez que mon expérience est assez différente. Dans mon monde, les mathématiques sont véritablement dissociées de ma vie quotidienne.

Comme vous, l'entendit-il ajouter silencieusement.

Les deux mots résonnèrent dans sa tête. Il se leva, réprimant sa colère à grand-peine, et se mit à faire les cent pas.

— Que voulez-vous, mademoiselle Kellaway ?

— Je ne… je n'avais nul autre endroit où aller. J'ai pensé à…

— Non.

Le mot jaillit, dur, tranchant. Il pivota sur ses talons, les poings crispés le long des cuisses.

— Que voulez-vous ?

— De vous ?

— Pour vous.

— Je ne comprends pas.

— Que voulez-vous ? Qu'est-ce qui vous aiderait à obtenir ce sens du pouvoir qui vous échappe ?

Elle cligna des yeux. Son visage parut se fermer, comme si elle essayait de refouler le tourbillon de ses pensées.

— Je ne sais pas.

— Si ! vous le savez. De quoi s'agit-il ?

— Monsieur, je ne suis pas idiote. Je connais ma place, ma position. Il est insensé autant qu'absurde de rêver de ce qui ne pourra jamais être.

— Qu'est-ce qui vous dit que ce ne pourra jamais être ?

Il vit une lueur d'amusement s'allumer dans ses yeux, portant la promesse d'un éclat de rire. Voir un jour Lydia Kellaway s'abandonner à un vrai fou rire serait un moment de beauté pure.

— Vous êtes un romantique, n'est-ce pas, lord Northwood ? demanda-t-elle. Vous estimez sans doute que pour voir nos aspirations se réaliser, il suffit de le souhaiter.

— Ou, peut-être de faire en sorte qu'elles se réalisent.

— C'est facile à dire pour vous.

— Je ne comprends pas…

— Avant même de faire votre connaissance, j'avais entendu parler de vous. Même si j'étais sincère quand je disais détester les rumeurs, je peux néanmoins y déceler quelques éléments de vérité.

— Et quelle est la vérité à mon sujet, mademoiselle Kellaway ?

— Que vous avez essayé pendant deux ans de réhabiliter la réputation de votre famille d'une manière très publique et sans chercher à vous excuser.

Elle reprit sa tasse et, les yeux baissés, murmura :

— Contrairement à votre père. Votre travail avec la Société des Arts, les lois sur le commerce, les nombreuses œuvres de bienfaisance, les conférences, les clubs et maintenant une exposition internationale… Tout cela relève de votre volonté de changement.

Elle avait l'air résignée comme si cet exposé condensé l'avait découragée ; comme après l'évocation de quelque chose qu'elle désirait ardemment mais ne posséderait jamais. Alexander se remit à faire les cent pas, conscient du malaise qui s'était installé.

— Dans l'ensemble, vous avez raison, finit-il par admettre. Bien que je n'aie pas eu beaucoup le choix. Si je n'avais rien fait, personne n'aurait bougé.

— Oh ! vous aviez le choix, lord Northwood. Nous avons toujours le choix.

— Non. Étant donné les difficultés actuelles avec la Russie, mes liens familiaux avec ce pays sont de plus en plus critiqués. Quelle est ma marge de manœuvre, à votre avis ?

— Vous pouvez choisir la manière dont vous répondez à ces calomnies.

Alexander tourna la tête pour la regarder, frappé encore une fois par la sensation que l'aplomb de Lydia Kellaway était à la fois pérenne et fragile. Comme une amphore grecque, solide, mais couverte de fêlures et de défauts.

— Quel était votre choix ? demanda-t-il.

Un instant, elle ne répondit rien mais son visage refléta une émotion aussi intense que fugace.

— Aucun que je ne souhaite expliquer.

Elle but une dernière gorgée de thé puis se leva, lissant les plis de sa jupe.

— Je vous renouvelle mes excuses pour m'être imposée à vous de cette façon. C'était inconséquent de ma part et imprudent.

— Je pense que vous devriez vous montrer inconséquente et imprudente plus souvent, mademoiselle Kellaway.

— Dans ce cas, vos pensées font vraiment fausse route.

— Vraiment ?

— Oui, affirma-t-elle, la mâchoire crispée, le regard plein de défi. Je ne suis plus une jeune femme, monsieur. L'époque de mes imprudences est bel et bien révolue.

— En toute honnêteté, je vous imagine mal avoir jamais commis d'imprudences.

— Tant mieux, rétorqua-t-elle en s'avançant vers la porte.

— Dites-moi ce que vous voulez, mademoiselle Kellaway.

Elle s'arrêta et se redressa, les épaules raides.

— Je refuse d'avoir cette discussion.

— Dites-moi ce que vous voulez et le médaillon est à vous.

Elle se retourna, le visage empourpré de colère.

— Comment osez-vous essayer de me manipuler de la sorte ?

— C'est un échange honnête.

— Non. Aucun échange n'est honnête quand le gagnant perd aussi.

— Ce qui veut dire ?

— Cela veut dire que vous vous moquez bien de l'objet de nos échanges. Le médaillon ne signifie rien à vos yeux mais il est tout pour moi. Mes souhaits ne signifient rien à vos yeux mais ils sont tout pour moi. Donc, je vous dis ce que vous voulez entendre et je gagne le médaillon, mais j'ai quand même perdu, n'est-ce pas ? Vous avez réussi à obtenir ce que vous vouliez.

— Oubliez le médaillon. Contentez-vous de me faire part de vos souhaits.

— Pourquoi voulez-vous savoir ?

— Parce que je refuse de croire qu'ils ne signifient rien pour moi.

— Vous voulez savoir ce que je veux ? Ce que je ne pourrai jamais avoir ?

Rigide, elle fit un pas vers lui.

— Très bien. Je vais vous dire ce que je veux. Alors vous vous rendrez compte par vous-même combien il est futile pour une femme comme moi de vouloir décrocher la lune.

Alexander restait immobile.

— Dites-moi, répéta-t-il.

Ses yeux lançant des éclairs, elle déclara d'une voix vibrante :

— Je veux récupérer le médaillon de ma mère. Je veux que ma mère revienne. Je veux la retrouver en bonne santé, comme avant ; qu'elle n'ait jamais souffert les horreurs infligées par son propre esprit. Je veux que mon père ait eu la carrière qu'il méritait. Je veux que ma sœur ait la vie ordinaire, heureuse, que je n'ai jamais eue. Est-ce assez ? Non ? Je veux plus. Je veux que ma grand-mère cesse de régenter l'avenir de Jane. Je veux prouver le théorème de Legendre sur les nombres premiers. Je veux réussir quelque chose. Je…

Alexander combla l'espace entre eux et encadra son visage de ses mains. Il plongea son regard dans ses prunelles dévorées par les flammes de la colère et de la douleur, remarqua sa peau empourprée. Un désir douloureux s'empara de lui, assez puissant pour briser son propre serment. Sans laisser à Lydia le temps de reprendre son souffle, il inclina la tête vers ses lèvres et l'embrassa.

Elle tremblait sous ses mains, un tremblement de colère. Mais elle ne se dégagea pas. Il intensifia son baiser, un brasier s'allumant dans sa poitrine tandis qu'il essayait d'envahir sa bouche. Une bouche si douce. Si pleine, si consentante, un tel contraste avec la rigidité de son corps. Il lécha l'ourlet de ses lèvres, provoquant un long tremblement et, malgré la rigidité de ses épaules, sa bouche commença à s'attendrir, à s'ouvrir.

Le goût du thé et du sucre, la saveur intime de Lydia, s'infiltrèrent dans son sang. Ses mains se resserrèrent sur ses épaules, l'attirant plus près afin que les courbes de ses seins frôlent son torse. Elle étouffa un gémissement qui lui donna l'envie de savoir à quoi ressembleraient ses cris d'extase si elle était allongée, nue et consentante, sous lui.

L'image enflammait son esprit. Il se pressa contre elle, ses mains descendirent sur sa taille fine, ses doigts s'enfonçant dans un corset d'une dureté invraisemblable. Il voulait le lui retirer, sentir sa peau nue contre la sienne, prendre ses seins lourds au creux de ses mains, les palper l'entendre gémir de plaisir.

Désirable ! Elle était infiniment désirable. Il sentait presque sa peau le brûler à travers le tissu de sa robe.

Elle répondait à son baiser, sa langue délicieuse glissant sur ses dents, ses mains agrippant le plastron de sa chemise. Ce n'était ni un baiser tendre ni un baiser aguicheur. C'était un baiser exprimant sa colère, sa frustration, ses lèvres pulpeuses dévorant les siennes avec fièvre.

Elle se plaqua plus près de son corps, une main se détachant de sa chemise pour s'écarter vers sa taille. Sa paume glissait sur lui en une caresse urgente, ardente, ses ongles griffant son torse. Elle prit sa lèvre inférieure entre ses dents. Son érection durcit douloureusement.

Pourtant, alors que son corps l'appelait ardemment, un sentiment de malaise commença à diluer son désir. Son cerveau était trop embrumé pour l'analyser mais son instinct lui soufflait que quelque chose la retenait.

Avec un effort suprême, il leva la tête et, enfonçant ses doigts dans ses épaules, la repoussa. Il se noya dans le bleu indigo de ses yeux et ses lèvres gonflées s'entrouvrirent pour laisser échapper un soupir saccadé.

— Pas assez audacieuse à votre goût ? demanda-t-elle d'un ton dur.

— Mademoiselle…

— Vous me prenez pour une vieille fille, n'est-ce pas ? jeta-t-elle, mordante. Aussi desséchée qu'un vieux cuir. N'intéressant personne, seule. Vous pensez…

— Ne me dites pas ce que je pense !

La réplique avait jailli, cassante, trahissant son exaspération. Les poings serrés, il affrontait son regard sans ciller, incapable de chasser son malaise, cette étrange appréhension. Ce sentiment qu'il était inéluctablement aspiré dans un engrenage dont jamais il n'aurait imaginé la complexité.

— Vous pensez que je suis destinée à une vie de solitude, reprit Lydia. Que mes seuls compagnons sont les livres, les équations, les formules. Une vie de l'esprit, froide, intellectuelle.

— Je ne...

Elle s'avança, un tremblement secouant son corps svelte.

— Monsieur, le mieux serait que vous continuiez à me voir ainsi.

— Pourquoi ? s'étonna-t-il.

— Parce qu'il serait beaucoup trop dangereux pour vous comme pour moi que vous reveniez sur votre première impression.

Avant même qu'il ait eu le temps de réagir, de répondre, elle était sortie en claquant violemment la porte derrière elle.

Chapitre 5

— Mademoiselle Jane, vous ne devez pas descendre ici, la rabroua Sophie.

La domestique tourna le dos à l'évier et repoussa une mèche de son front moite d'un revers de main. Une odeur de toast et de bacon filtrait de la salle à manger.

Jane se dandina d'un pied sur l'autre, impatiente de regagner sa chambre avant que sa grand-mère et Lydia ne descendent pour le petit déjeuner.

— Il est déjà passé ?

— Je l'attends d'une minute à l'autre, mais...

Un coup à la porte l'interrompit. Lui lançant un coup d'œil irrité, Sophie alla ouvrir. Le garçon de courses, un jeune au visage criblé de taches de rousseur sous un casque de cheveux poil de carotte, se tenait sur le seuil avec un carton de nourriture.

— Bonjour, Sophie. Vous êtes bien belle ce matin.

— Chut, Tom ! le rabroua-t-elle avec un regard embarrassé pour Jane.

Elle lui ouvrit la porte et le fit entrer. Il posa la boîte sur la table.

— Mademoiselle Jane, n'est-ce pas ?

Hochant la tête, elle s'avança vers lui.

— Vous avez une lettre pour moi, Tom ?

— En effet, acquiesça-t-il en tirant une enveloppe froissée de sa poche et en la lui tendant.

Jane la prit et lut le nom écrit sur le devant.

— Qui vous les remet, Tom ?

— Vous ne le savez pas, mademoiselle ?

— Devrais-je le savoir ?

— Eh bien… je pensais que vous saviez qui les écrivait, mademoiselle. Je les reçois de Mr Krebbs. Il possède une pension de famille à Bethnal Green, près de chez moi. Quelquefois, il me donne une lettre pour vous et deux *pennies*. Je n'en sais pas plus, mademoiselle.

— Mr Krebbs n'est sûrement pas l'auteur de ces lettres.

— Je ne pense pas, mademoiselle.

— Ce sera tout, Tom, merci, le congédia Sophie en lui donnant son pourboire.

Après l'avoir poussé vers la porte, elle se retourna vers Jane, l'air inquiète.

— Vous êtes sûre que tout va bien, mademoiselle ? La lettre et tout le reste ?

— Tout va bien, Sophie. C'est juste un jeu.

Elle quitta la cuisine d'un pas vif tout en décachetant l'enveloppe.

« Chère Jane,

J'aurais dû me douter que cette devinette serait trop facile.

Le professeur, oui, bien sûr, c'est la réponse. En
voilà une autre.
Je suppose que comme elle est plus courte, elle
n'en sera que plus difficile.
Un mot, cinq syllabes.
Retirez-en une, vous n'avez plus de syllabes.

À bientôt,

C. »

Un mot en cinq syllabes ?

— Jane, regarde un peu devant toi !

Jane leva les yeux pour se trouver nez à nez avec son aïeule qui avançait à grandes enjambées dans le couloir. Elle semblait soucieuse.

— Que fais-tu ? reprit Mrs Boyd. Où est Mrs Driscoll ?

— Oh, dit Jane en pliant discrètement la lettre et la plaquant contre sa jupe. Je… je ne sais pas. J'allais parler à Sophie.

— Pourquoi ?

— Je voulais voir si… si nous avions de la confiture pour les toasts, déclara-t-elle, grimaçant presque à la platitude de son excuse.

Le froncement de sourcils de sa grand-mère s'accentua.

— Tu sais bien que nous avons toujours de la confiture pour les toasts. Que tiens-tu à la main ?

— Ça ? dit-elle de son ton le plus innocent en regardant la lettre comme si elle venait tout juste de la remarquer. C'est juste un… problème de mathématiques que Lydia m'a donné à résoudre.

— Eh bien, je suggère que tu le fasses dans ta chambre plutôt qu'en te promenant dans la maison.

— Bien madame, dit-elle en filant vers l'escalier qu'elle grimpa d'un pas vif.

Absorbée dans ses pensées, elle arriva dans la salle d'étude. Où tout cela la mènerait-il ? Qui était « C » ? Qu'attendait-il d'elle en dehors de leur correspondance ?

Peut-être devrait-elle commencer par prendre plus de renseignements auprès du garçon de courses et de Sophie. Apprendre l'identité de l'auteur de ces missives équivaudrait à résoudre l'énigme dans l'énigme. Peut-être était-ce le but de tout ce jeu. Peut-être attendait-il de la voir résoudre la plus mystérieuse des énigmes.

Le plaisir d'être aimé : *R pour Retour.*

La réaction à la séduction du partenaire : *I pour instinct.*

Le processus d'oubli : *O pour oubli.*

Si elle faisait certaines hypothèses sur le comportement de certains individus et attribuait des variables à un système linéaire positif, et le modèle linéaire de

$$x_1(t) = -\alpha_1 x_1(t) + \beta_1 x_2(t)$$

Le plaisir d'être aimée.

Lydia laissa tomber son crayon. Elle leva la tête et regarda par la fenêtre, le cœur vibrant comme les cordes d'un violon. Aucune équation ne pouvait quantifier ce type de plaisir. Aucun théorème ne pouvait expliquer l'intention de lord Northwood de la toucher, qui avait été si palpable qu'elle l'avait sentie à travers la pièce.

Elle repoussa ses papiers et gagna le rez-de-chaussée. Elle était seule responsable de cette pulsation constante qui augmentait l'afflux sanguin dans ses veines, du souvenir qui brûlait toujours son âme. Elle refoula son désir au plus profond d'elle-même, là où dormaient ses autres fautes, enfouies sous l'épaisseur du temps.

La porte du bureau de son père était entrouverte. Elle frappa avant d'entrer. La gorge soudain nouée, elle laissa son regard errer sur la table en bois de cèdre de sir Henry, les cloisons tapissées d'étagères croulant sous les ouvrages d'histoire et de littérature chinoises. Elle imaginait sentir encore l'odeur de sa pipe. Aux murs, des parchemins calligraphiés, et des tableaux de cavaliers à cheval datant de la dynastie Tang, des sommets embrumés, de gracieux martins-pêcheurs.

Blottie sur un canapé près de la fenêtre, Jane avait un livre sur les papillons ouvert sur les genoux. Lydia s'installa à côté d'elle et l'attira près d'elle, se penchant pour déposer un baiser sur la chevelure soyeuse. En reconnaissant le parfum du savon Pears, elle sentit se relâcher l'étau qui enserrait son cœur.

— Tu vas bien ? demanda-t-elle.

— Il me manque, c'est tout.

— À moi aussi.

Le réconfort des souvenirs partagés les enveloppa. Elles revoyaient sir Henry leur enseignant patiemment la calligraphie des caractères chinois, leur racontant les voyages de sa jeunesse, partageant leurs jeux, leurs puzzles.

Pendant toute l'enfance de Lydia, son père avait consacré le plus clair de son temps à ses voyages et à son travail. Mais son dévouement pour elle et l'attention qu'il portait à son éducation, n'avaient jamais faibli. Après la naissance de Jane, il avait cessé de voyager pour enseigner et étudier. Éprouvée par une enfance solitaire, puis par la mort de sa mère, la présence de cet homme placide et réfléchi, avait agi comme un baume sur ses chagrins.

Jane, elle, n'avait connu que l'amour et la dévotion sans faille de sir Henry. Lydia en vouait une gratitude éternelle à son père.

La fillette ferma son livre.

— Tu crois que grand-mère va vraiment m'envoyer au loin ? demanda-t-elle en nichant sa tête au creux de son épaule.

Lydia regarda sa sœur, étonnée.

— Comment as-tu su ?

— Je n'arrivais pas à dormir. Je suis descendue chercher un verre de lait. Je vous ai entendues parler dans le salon.

— Tu n'aurais pas dû écouter.

— Tu n'aurais pas écouté si tu avais surpris quelqu'un en train de parler de toi ?

Avec un petit rire, Lydia concéda :

— Je pense que si.

— Tu crois qu'elle va mettre son projet à exécution ? demanda Jane. Tu crois qu'elle va m'envoyer dans cette école à Paris ?

Lydia se creusa l'esprit pour trouver la bonne réponse. S'il lui était difficile de saper l'autorité de sa grand-mère, elle ne pouvait pas non plus mentir. Elle décida d'éluder la question.

— Comment te sentirais-tu si elle le faisait ?

Devant le silence de sa sœur, elle sentit son cœur se serrer. Elle aurait espéré une réponse spontanée, négative, mais bien sûr, Jane ne donnait jamais une réponse sans y avoir réfléchi.

— Je ne sais pas, finit-elle par dire. Tu me manquerais bien sûr. Et la maison. Mais ce n'est pas comme si... je veux dire, après tout, nous n'allons jamais nulle part.

— Ce n'est pas tout à fait vrai. Nous...

— C'est vrai, Lydia, répliqua-t-elle d'une voix teintée de frustration. La seule fois où j'ai quitté Londres, c'était pour aller à Brighton. Au moins, Paris serait intéressant.

— En effet, admit Lydia, le cœur lourd.

— Et honnêtement, j'aimerais apprendre le piano et le français. Oh ! Lydia, je n'avais pas l'intention de te faire de la peine, murmura-t-elle en levant les yeux vers elle.

— Tu ne m'as pas fait de peine, la rassura-t-elle en la serrant dans ses bras. Je comprends ce que tu veux dire. Quand j'étais un peu plus âgée que toi, on m'a envoyée en pension, moi aussi. En Allemagne.

— Et ça t'a plu ?

Lydia sentit son ventre se nouer. Cette seule et unique année reposait comme un diamant dans son cœur.

Brillant, froid, dur. Par certains côtés, ce voyage lui avait ouvert des horizons qu'elle n'aurait jamais imaginés… D'un autre côté, il les avait détruits, elle et ceux qui lui étaient le plus chers.

— J'ai aimé apprendre de nouvelles choses, reprit-elle. Tout était différent et intéressant. Mais ce n'était pas facile. Je parlais très peu allemand. Je ne me suis pas fait beaucoup d'amis. La maison me manquait. Je me sentais souvent seule.

J'étais seule.

Même avant l'accord de sir Henry pour l'envoyer en Allemagne, Lydia avait été seule. Sa grand-mère s'occupant de sa mère et son père toujours absent… la solitude avait été sa seule compagne.

Jusqu'à cet homme. L'homme aux yeux verts, au regard glacial, au cœur fourbe. Un lent frisson la parcourut.

— Que s'est-il passé quand tu étais là-bas ? demanda Jane.

— Que…

— Je t'ai entendue évoquer avec grand-mère une punition pour quelque chose que tu avais fait. Était-ce en Allemagne ? De quoi s'agissait-il ?

Avec une bouffée de panique, elle resserra son bras autour de Jane et embrassa de nouveau son crâne.

— Rien qui doive t'inquiéter. C'était il y a très longtemps.

Elle relâcha sa sœur pour lui permettre de se lever.

— Aimerais-tu venir voir le diorama à Regent's Park, cet après-midi ? Il est ouvert depuis la semaine dernière.

— Oui, avec plaisir ! répondit Jane, pleine d'enthousiasme.

— Bien. Monte finir ton exposé de géographie. Nous irons après le déjeuner.

Jane obtempéra sans se faire prier. Lydia prit le livre que sa sœur avait laissé sur le canapé. Les pages étaient remplies de papillons aux multiples couleurs vives, chaque dessin créé avec un minutieux souci du détail. Une feuille pliée émergeait des dernières pages. Lydia la repoussa dans le livre. Elle essaya d'imaginer ce que sa vie serait sans Jane. Cela lui était impossible. Elle avait son travail, certes, mais presque tout ce qu'elle avait fait depuis onze ans était lié à sa sœur.

Elle ne pouvait pas perdre Jane. Pas encore. Même si Jane voulait partir.

La main de Talia se crispa sur le bras d'Alexander, ses doigts s'enfonçant dans sa peau, alors qu'ils descendaient de la calèche dans l'air froid de la nuit. Il ignora sa bouffée de regret en regardant sa sœur. Dans sa robe de soie bleu pâle, ses cheveux parfaitement coiffés, elle était ravissante et fragile. Elle avait un peu abusé de la poudre de riz, ce qui donnait à son visage une expression froide, comme un masque.

Il posa sa main sur la sienne.

— Talia, cela ne te sert à rien d'avoir l'air d'aller à la potence.

— Cinq cents livres, Alex. J'ai dit à Mr Sewell de la *Ragged School Union* de compter sur ta traite bancaire lundi.

— Si tu feins de t'amuser, j'y ajouterai cent livres.

Ses doigts se relâchèrent, comme si elle faisait un effort pour se détendre.

— Si lord Fulton est là, je pars immédiatement.

— Qu'y a-t-il avec Fulton ? demanda Sebastian qui descendait de la calèche après eux.

— La semaine dernière, Alex a suggéré à ce monsieur que je serais favorable à une demande en mariage.

Sebastian laissa échapper un bruit qui ressemblait à un rire mêlé d'un grognement.

— Fulton ? Mon Dieu, Alex, qu'essaies-tu de faire ? Tu veux que Talia prenne le voile ?

— Une perspective bien plus tentante que Fulton, je vous assure, affirma Talia en se tournant vers Sebastian. Ton frère a décidé d'en faire la suggestion à lord Fulton avant même d'en discuter avec moi. Sans doute parce qu'il se doutait de ma réponse, ajouta-t-elle avec un regard assassin pour Alexander. Je me suis donc retrouvée la cible d'une bonne blague, puisque tout le monde au théâtre était au courant sauf moi. C'était humiliant.

— Tu pourrais faire pire, murmura Alexander.

— Vraiment ? Savais-tu que lord Fulton pense que personne d'autre ne demandera ma main à cause de mon sang russe ? Qu'il est le seul à vouloir ignorer une pareille tare ?

Alexander fronça les sourcils.

— Il a dit ça ?

Talia jeta un regard exaspéré à Sebastian. Il lui adressa un clin d'œil.

— C'est toi qui dois dire oui, ma grande. Pas lui, déclara-t-il avec un geste de tête en direction d'Alexander. À propos, j'entends que la sœur de Fulton commence à désespérer un peu. Elle a de grandes dents, tu sais, et les hanches larges. La tête un peu dérangée aussi, sans aucun doute.

La tension de Talia se dissipa un peu et elle échangea un sourire en coin avec Sebastian.

— Elle est faite pour toi, Alex, plaisanta-t-elle.

— Avec tes trente-deux ans, tu ferais peut-être aussi bien de te concentrer sur tes propres projets matrimoniaux au lieu d'essayer de contrôler les miens, rétorqua-t-il.

Tandis qu'ils entraient dans le vestibule, Alexander leur tourna le dos, incapable d'analyser la cause de son irritation. Était-elle due à la conduite de son frère et de sa sœur ou aux commentaires présumés de Fulton ? Il soupira. Soudoyer sa sœur pour qu'elle l'accompagne à un bal n'était pas la façon dont il aimait évoluer dans la société, mais cette entêtée de Talia ne lui laissait guère le choix.

Après le salut du maître d'hôtel, ils entrèrent dans la salle de bal bondée d'hommes et de femmes dans leurs plus beaux atours, tournoyant dans la pièce comme des bateaux dans un port. La musique, les rires et les conversations se mêlaient en un joyeux brouhaha.

Le marquis de Hadley, le président du Conseil de la Société Royale des Arts, s'approcha avec sa femme

— Oh ! Lord Northwood, lady Talia, et Mr Hall, les salua-t-il. Nous ne vous attendions pas.

— La Société comptait sur certains billets pour financer l'exposition éducative, monsieur. D'où notre présence.

Hadley toussota et le sourire de sa femme se fit hésitant.

— Oui, bien sûr, acquiesça-t-il. Je faisais référence à cet affreux problème avec la Russie. Il semble atteindre un sommet, maintenant.

Lady Hadley balaya le malaise d'un geste de main et son sourire s'élargit.

— Oublions tout cela. C'est un tel plaisir de vous voir ici tous les trois. Profitez de votre soirée.

Alexander refoula son irritation. Leurs chances de s'amuser étaient limitées.

— Accompagne lady Hadley, Talia, suggéra-t-il.

Sa sœur lui décocha un regard furieux, mais s'éloigna docilement avec leur hôtesse. Sebastian se dirigea vers un groupe près de la cheminée.

Resté seul avec lord Hadley, Alexander s'enquit :

— Qu'en est-il de cet épineux problème ?

— Le Conseil veut tenir une réunion pour évoquer, disons... le spectre d'une guerre avec la Russie, expliqua lord Hadley. Ses effets sur l'exposition sont une source d'inquiétude. L'annonce de la réunion est attendue à la fin de la semaine.

— Sur quoi sont basées les inquiétudes ?

— Le commissaire français de l'exposition, Mr Bonnart, a indiqué que le sentiment antirusse gagnait du terrain chez les Français. Il ne souhaite pas que l'implication de la France dans cette exposition aille à l'encontre des sympathies de ses concitoyens.

Perplexe, Alexander fit remarquer :

— Il ne s'agit pas d'une exposition russe.

— Je sais, Northwood, mais c'est l'inclusion de la section russe qui provoque une certaine consternation. Dans le cadre de l'organisation de l'exposition, le soutien financier des Français à la Société est important. Ils ne veulent pas d'ennuis, c'est tout. Vous comprenez ?

— Je ne pense pas que ce soit le cas, repartit Alexander. Lord Hadley, annoncez aux membres du Conseil que je ferai un discours sur la question, qui calmera leurs inquiétudes.

Prenant congé de son interlocuteur avec un salut de la tête, il se dirigea vers le buffet. Il avait eu conscience d'un sentiment antirusse croissant au cours de l'année, surtout après l'anéantissement d'une flotte turque par la marine russe, en novembre dernier. L'événement avait provoqué une vague d'antipathie vis-à-vis du tsar et renforcé la pression pour une déclaration de guerre, qui semblait imminente désormais.

Alexander avala une gorgée de cognac, détestant l'incertitude dans laquelle l'avaient plongé les remarques de Hadley. En tant que vice-président de la Société des Arts, il avait proposé d'en célébrer le centenaire par cette exposition. Mais ce n'était pas là son seul motif.

L'exposition éducative serait concentrée sur les aspects positifs de l'éducation britannique et inclurait des démonstrations internationales visant à montrer la nécessité des libres échanges commerciaux entre la Grande-Bretagne et les autres pays. Toutefois, cette exposition serait aussi son triomphe personnel, un étalage d'idéaux exceptionnels qui rejaillirait sur lui et effacerait les ombres de scandale qui ternissaient le titre familial.

Mais si ses attaches avec la Russie devaient être associées au climat politique… eh bien, il refusait de laisser le Conseil les utiliser contre lui, refusait de les voir affecter l'exposition. Après s'être autant investi, il ne l'accepterait pas.

Il s'apprêtait à se servir un autre cognac quand son regard se posa sur un bel homme blond qui parlait à Talia. Le corps raidi par la tension, sa sœur semblait faire son possible pour creuser l'écart avec son interlocuteur qui se tenait trop près d'elle.

Alexander fit un pas en avant, mais sentit une main sur son bras. D'un signe négatif, Sebastian l'en dissuada.

L'homme blond prit le bras de Talia. Quand il se pencha encore plus près, elle essaya de se dégager, les traits durcis. Cette fois, Alexander se dégagea de l'emprise de son cadet et s'avança vers sa sœur.

Le devançant, un homme de haute taille aux cheveux châtains striés de mèches décolorées par le soleil s'arrêta à côté d'elle. Il reconnut leur vieil ami, lord Castleford. Prenant le grand blond par le bras, il l'écarta et s'interposa entre eux, protégeant Talia de son corps. En quelques mots, il se débarrassa de l'intrus qui s'éclipsa, les épaules voûtées.

Puis, une main sur la chute de reins de Talia, Castleford la guida vers la piste de danse, au son des premières mesures de l'orchestre.

Alexander jeta un coup d'œil à la ronde. Castleford s'était acquitté de sa mission avec une telle célérité que personne, hormis Sebastian et lui, n'avait rien remarqué de la scène déplaisante.

— Je l'ai vu approcher, expliqua Sebastian. Il est beaucoup plus discret que tu l'aurais été. Ose me dire encore que je me fiche de l'opinion de la société !

Son cadet lui lança un coup d'œil éloquent et s'éloigna. Dès que la musique s'arrêta, Alexander rejoignit son ami et plaqua une main sur son épaule.

— Bienvenue à toi, vieux nomade ! Je suis content de te revoir.

— Moi aussi, North.

Alexander regarda sa sœur. D'un imperceptible signe de tête, elle lui fit comprendre que l'incident avec l'autre homme ne tirait pas à conséquence.

— Combien de temps t'es-tu absenté, cette fois ? demanda-t-il à Castleford.

— Plus d'un an mais je prévois une nouvelle expédition en Malaisie, à l'automne. Lady Talia me dit que tu as organisé l'exposition éducative de la Société des Arts ?

— En effet.

— Alexander, lord Castleford apporterait une aide précieuse à la mise en place de la section sur l'éducation chinoise, dit Talia. Il a beaucoup voyagé en Chine. Il a aussi accepté de m'aider à remanier mon programme d'études pour mes écoles des pauvres.

Taquin, Alexander plaisanta :

— J'ignorais que tu t'intéressais tant à l'éducation, Castleford. Il me semblait que tu avais toujours préféré le cricket aux études.

Le visage fendu d'un large sourire, Castleford rétorqua du tac au tac.

— Tout le monde n'est pas aussi studieux que toi, North. Tu as toujours ta grammaire latine d'Eton, n'est-ce pas ?

— Et je la consulte régulièrement, répliqua Alexander. Je parie que tu serais incapable de décliner un nom pour sauver ta vie.

— *Salva animum tuum*.

— *Abi*.

— Gamins ! lança Talia.

Malgré son ton réprobateur, pour la première fois, ce soir, elle avait l'air amusée.

— Écoute-moi, Alexander, reprit-elle. Le week-end prochain, se tient le festival des enfants au bénéfice des écoles des pauvres. J'ai invité lord Castleford. J'espère que tu pourras y assister aussi.

— Oui, c'est noté dans mon agenda.

Devant le sourire de Talia, Alexander faillit sursauter. Sa sœur ne lui avait pas souri depuis des années. C'était comme si elle s'illuminait soudain de l'intérieur, sa clarté rejaillissant sur lui.

— Lord Northwood ! s'exclama une jeune femme dans une robe de soie verte.

Elle s'arrêta à côté de leur cercle et leva vers lui un visage radieux.

— Nous espérions que vous seriez ici ce soir. Nous avons tellement entendu parler de l'exposition.

— Mademoiselle Cooper. Permettez-moi de vous présenter…

— Lord Castleford. Oui, nous nous connaissons, affirma Miss Cooper en lançant à Castleford un regard froid, avant de se tourner vers Talia. Et bonsoir à vous, lady Talia.

La jeune femme lui adressa un bref salut de la tête. Puis Castleford lui prit le coude, murmura une excuse et l'entraîna vers le buffet des rafraîchissements.

Alexander se tourna vers Miss Cooper qui l'enveloppait d'un regard plein d'espoir. Il réprima un soupir résigné.

— Comment vont vos parents, mademoiselle Cooper ? s'enquit-il.

— Très bien, je vous remercie. Ma mère part en voyage à Paris la semaine prochaine. Elle a l'intention d'aller chez une modiste renommée qui lui a été recommandée par une très bonne amie, lady Dubois. Je regrette tellement de ne pouvoir l'accompagner mais j'ai déjà plusieurs engagements mondains ici, à Londres. Irez-vous au bal de lady Whitmore ?

— Je n'ai pas encore décidé, répondit Alexander. Merci de transmettre mon meilleur souvenir à vos parents.

Il recula d'un pas, dans l'intention de clore la conversation. Mais Miss Cooper s'avança, comblant l'espace entre eux.

— J'espère que vous y serez, reprit-elle. Et je crois que maman aimerait vous inviter à prendre le thé un après-midi, avant son départ.

Elle battit des paupières. Alexander s'inclina à moitié.

— Merci, mademoiselle Cooper. Votre invitation me comblera d'aise. Je vous souhaite une bonne fin de soirée.

Sans lui laisser le temps de répondre, il s'éloigna vers le salon réservé aux jeux de cartes.

La nuque raidie par la tension, il se fraya un chemin à travers la foule. Il aurait dû inviter Miss Cooper à danser. Il aurait dû lui proposer une coupe de champagne. Il aurait dû lui dire qu'elle était belle. Il aurait dû flirter avec elle.

Une semaine auparavant, c'était sans doute ce qu'il aurait fait. Avant sa rencontre avec Lydia Kellaway.

Il s'arrêta dans le salon des cartes. Les bras croisés, ses doigts tambourinaient sur ses manches. Une image de Lydia traversa son esprit : ses joues empourprées, ses yeux qui lançaient des éclairs, sa fureur désespérée.

— Elle est beaucoup plus jolie que la sœur de Fulton, constata Sebastian en s'arrêtant à côté de lui.

— Bien sûr, elle est plus jolie que… Oh !

Alexander toussota.

— Tu parles de Miss Cooper. Eh bien oui. C'est exact.

Sebastian lui jeta un regard inquisiteur.

— À qui d'autre aurais-je pu faire référence ?

— Un certain nombre de jeunes femmes, je présume, répondit Alexander pour tromper la curiosité de son frère.

Il avait raconté à Sebastian sa rencontre avec Miss Kellaway, le médaillon, mais il n'avait rien divulgué de son intérêt pour la jeune femme.

— Tu devrais convoler avec l'une d'elles, poursuivit Sebastian. Les femmes comme Miss Cooper sont légion. Jolies, un peu frivoles. Je t'assure qu'elles font de délicieuses compagnes. La nièce de lady Welbourne vient d'arriver à Londres et il se dit qu'elle est absolument ravissante. Tu devrais aller faire sa connaissance au dîner donné par lady Welbourne demain soir.

— J'ai d'autres affaires à gérer demain. Une réunion avec les avocats de papa. Des lettres à dicter concernant Floreston Manor.

Sebastian resta silencieux un moment, puis se planta devant lui. Alexander réprima l'envie de reculer d'un pas, d'essayer d'esquiver les conseils de son frère.

— Ton statut d'aîné ne t'oblige pas à te sacrifier par devoir, Alexander. Il ne t'oblige pas à faire passer tes responsabilités avant tout.

Par-dessus l'épaule de Sebastian, il regarda les diverses parties de cartes en cours.

— Si je ne le fais pas, qui le fera ? répliqua-t-il d'un ton mordant.

Devant le silence de Sebastian, Alexander croisa ses yeux. Il savait qu'ils pensaient tous les deux à leur père. Refoulant sa frustration, il reprit :

— Et c'est toi qui as suggéré que je me marie. Quelle autre raison aurais-je que de perpétrer notre titre de comte ? Quelle autre raison que le devoir ?

Sebastian fit un pas en arrière. Un étrange éclair de déception traversa son regard.

— Tu pourrais te marier pour toi.

— Ne sois pas stupide.

— Pour l'amour du ciel, Alex, le devoir ne t'oblige pas à être rigide comme la justice, dit Sebastian en passant une main dans ses cheveux. Il n'y a pas de loi t'interdisant de t'amuser un peu. Et si tu venais avec moi à la Taverne de l'Aigle tout à l'heure ?

Alexander hésita, partagé entre la tentation et sa crainte constante du qu'en-dira-t-on. Il secoua la tête.

— D'accord, concéda Sebastian sans chercher à cacher sa déconvenue. Fais ce qui te rendra heureux. Oh non, j'oubliais, tu en es incapable. Tu ne feras jamais que ton devoir.

Alexander le suivit des yeux. Sebastian s'installa à une table à jeu. Malgré tous ses efforts et tout son travail ces dernières années, il ne savait même pas ce qu'il voulait vraiment.

Néanmoins, il savait ce qu'il ne voulait pas. Il ne voulait pas épouser une femme comme Miss Cooper pour qui la vie se résumait à la dernière mode et aux réceptions mondaines. Il ne voulait pas contracter une union lui rappelant le mariage de ses parents, une union froide et formelle, basée sur l'indifférence. Il ne voulait pas s'ennuyer.

Peut-être savait-il exactement ce qu'il voulait, après tout. Il voulait épouser une femme intéressante, à l'esprit brillant. Qui allumait un brasier dans ses veines. Qui le mettrait à l'épreuve et l'obligerait à regarder au-delà des limites de sa propre vie. Une femme dont le regard vif, intelligent, rehaussait encore la beauté.

Une femme qui n'avait pas quitté ses pensées depuis le jour où elle était entrée dans sa vie.

Une femme comme Lydia Kellaway.

Alexander regarda Sebastian s'asseoir à une table en riant à une boutade d'un autre joueur. Peut-être devrait-il suivre le conseil de son frère et se laisser surprendre par la suite des événements.

Alexander ne savait pas ce qui arriverait s'il faisait la cour à Lydia Kellaway. Il ne savait pas si elle le rejetterait. Il ne savait pas ce qu'en dirait son père. Mais il savait qu'il allait adorer lui faire la cour. Et se plaisait à croire que cela le rendrait heureux.

Chapitre 6

Le soleil, bas dans le ciel, baignait d'une lumière pâle les arbres couverts de petites feuilles d'un vert tendre. Des marchands ambulants vendaient des fleurs, des oranges, des tourtes, des tartelettes, et criaient pour vanter la qualité et le prix de leurs produits. Lydia s'arrêta devant le chariot d'un marchand de fruits pour lui acheter deux pommes.

— Nous boirons une limonade glacée au parc, promit-elle à Jane tandis qu'elles descendaient New Road pour leur sortie du dimanche après-midi.

— Tu crois que les hippopotames seront sortis ? demanda sa sœur. Et les orangs-outans ?

— Nous verrons bien. J'ai entendu dire que le zoo accueillait un nouvel animal d'Afrique. Mais je ne me souviens pas du nom.

Elle posa sa main sur l'épaule de Jane pour l'écarter d'un élégant coupé noir qui s'arrêta à côté d'elles. Le cœur étreint par une angoisse familière, elle hâta le pas sans regarder en arrière.

— Mademoiselle Kellaway ?

Au son de la voix grave, Lydia s'arrêta net et se retourna pour regarder l'homme qui descendait du coupé.

Elle resserra son étreinte sur l'épaule de Jane.

— Lord Northwood.

Il s'avança, le soleil qui brillait dans ses cheveux bruns créant comme un halo, son torse puissant, ses larges épaules couvertes d'un pardessus noir. Lydia sentit presque l'admiration mêlée de respect qui émanait de sa sœur à mesure qu'il approchait.

— Bonjour. Vous devez être mademoiselle Jane, ajouta-t-il avec un sourire à l'intention de Jane.

— Oui, monsieur.

— Je te présente lord Northwood, dit Lydia à sa sœur, sachant qu'elle ne pouvait pas expliquer comment elle avait fait sa connaissance.

Elle lui jeta un regard à la dérobée et devant son expression déterminée, sentit son cœur s'emballer.

Que voyez-vous quand vous me regardez, lord Northwood?

— Qu'est-ce qui vous amène ici, monsieur? demanda-t-elle d'une voix plus aiguë qu'elle n'aurait voulu.

— J'ai pensé pouvoir vous convaincre d'accepter d'être conduite où vous voudrez, dit-il en indiquant son coupé d'un signe de tête.

— En fait, nous sommes plutôt contentes de marcher et…

Sentant Jane la tirer par la main, elle s'interrompit. Devant les yeux implorants de sa sœur, elle se sentit soudain fléchir. Ni l'une ni l'autre n'avaient jamais eu l'occasion de se promener dans un coupé aussi luxueux.

— Nous allions au jardin zoologique, précisa-t-elle.

— Parfait. Si ma présence ne vous déplaît pas, je serais enchanté de vous y accompagner. Il y a des années que je n'ai pas visité le jardin zoologique. Je suppose que Drury Lane ne compte pas.

Avec un petit rire enchanté, Jane demanda :

— On peut, Lyddie ? S'il te plaît ?

— À condition que cela ne dérange pas lord Northwood.

— Je ne vous l'aurais pas proposé si c'était le cas, fit-il remarquer.

Il ouvrit la portière et leur offrit sa main pour les aider à s'installer sur les banquettes capitonnées de velours. Puis il lança des instructions au cocher et le suivit à l'intérieur de la voiture.

À la seconde même où il fut assis en face d'elles, l'habitacle sembla plus exigu. Lydia était soudain beaucoup plus consciente de sa présence qu'elle ne l'aurait souhaité.

— Vous vous intéressez aux animaux, mademoiselle Jane ? s'enquit-il.

— Oui, monsieur. Plus aux insectes qu'aux animaux, toutefois.

— Aux insectes ? répéta-t-il, surpris.

Jane hocha la tête.

— Notre père avait l'habitude de m'emmener voir les expositions de la *Royal Entomological Society*. La première fois, elle portait sur les papillons. Puis nous sommes allés à une autre sur les araignées, puis une autre sur les insectes d'Amérique du Nord. Il m'a même emmenée voir une exposition sur les mouches apprivoisées. Vous n'imagineriez pas que l'on puisse apprivoiser des mouches. Or, c'est possible, figurez-vous!

L'air songeur, Alexander regarda Jane.

— L'exposition que j'organise pour la Société des Arts compte un département qui pourrait vous intéresser. Nous prévoyons de consacrer une importante section à la flore et à la faune, y compris à quelques nouvelles espèces d'insectes exotiques.

— Oh! Lydia! Pourrons-nous y aller? implora Jane.

— Bien sûr. Tu pourras peut-être écrire un exposé sur les nouvelles découvertes.

Jane se tourna vers lord Northwood et leva les yeux au ciel. Il sourit.

— Votre sœur ne vous laisse pas de répit, n'est-ce pas?

— Rarement. Elle est ma tutrice depuis que je suis petite. Mais notre grand-mère prétend que j'ai besoin d'une éducation plus complète, ajouta-t-elle, s'assombrissant. Aussi vais-je être envoyée au loin.

Lydia sentit le regard de lord Northwood se poser sur elle, aussi tangible que s'il l'effleurait de ses doigts. Elle s'agita, et pressa une main sur son cœur transpercé d'une flèche douloureuse.

— Envoyée au loin, répéta lord Northwood.

Ce n'était pas une question mais Jane hocha la tête affirmativement.

— Elle pense que j'ai besoin de plus d'instruction en… quel est le mot qu'elle a utilisé, Lyddie?

— En matière de convenances.

Avec un sourire à Jane, Northwood répliqua :

— Les convenances sont un concept dépassé, si vous voulez mon avis.

— Notre grand-mère estime que j'ai besoin de les perfectionner.

— Ne pouvez-vous pas vous en charger ? demanda-t-il à Lydia.

— Jane arrive à un âge où il est important qu'elle connaisse mieux l'étiquette et les usages du monde. Aussi, notre grand-mère l'envoie-t-elle à Paris, dans une école où elle pourra apprendre le français et où on lui donnera de vraies leçons de musique et de danse.

Northwood continuait à regarder Lydia comme s'il avait saisi que les exigences de leur grand-mère la déchiraient. Comme s'il devinait qu'elles étaient la cause de sa détresse le soir où elle était venue régler sa dette. Le soir où elle n'avait voulu aller vers nul autre que lui.

— Londres ne manque ni de professeurs de musique ni de professeurs de danse, reprit-il. En fait, mon frère Sebastian donne des cours de piano. Je serais heureux de vous le présenter la semaine prochaine, si vous souhaitiez que votre sœur commence ses leçons immédiatement.

Lydia sentit Jane lui tirer de nouveau le bras. La fillette leva vers elle un regard implorant.

— Eh bien… je vous remercie, monsieur, dit Lydia en risquant un coup d'œil vers lui. C'est très généreux à vous. Je ne manquerai pas de faire part de votre proposition à notre grand-mère.

Un peu mal à l'aise, Lydia observait sa sœur et lord Northwood. Il était clair qu'un courant de sympathie passait entre eux.

Elle s'efforça de chasser cette pensée. Rien de bon ne pourrait jamais sortir d'une association avec lord Northwood. À l'exception, peut-être, de leçons de piano pour Jane. Aussi était-il inutile de se faire du souci.

Ils contournèrent Regent's Park jusqu'à l'entrée réservée aux équipages. Lord Northwood descendit le premier pour aider Lydia et Jane, puis ordonna au cocher de s'occuper des billets d'entrée.

Ils passèrent devant la loge et gagnèrent la promenade qui menait aux jardins à la végétation luxuriante où trônait la volière neuve au toit de verre. Partant de l'allée bordée de fleurs et d'arbres, des sentiers couverts de graviers conduisaient aux différents enclos et aux gîtes des animaux.

Devant eux, Jane se hâtait d'un pas léger.

— C'est une charmante enfant, fit remarquer lord Northwood, alors qu'ils arrivaient à la prairie où paissaient des cerfs, des pélicans, des alpagas et plusieurs gazelles.

Des oiseaux voletaient dans des cages en osier sur roulettes disséminées sur la pelouse.

— C'est vrai. Elle a l'esprit vif et très bon cœur.

— Comme sa sœur.

Lydia ne put s'empêcher de sourire. Depuis combien de temps n'avait-elle pas reçu de compliment, quel qu'en soit le motif?

— Vous êtes un flatteur, monsieur.

— Ce que je dis est toujours sincère.

Elle s'arrêta et il l'imita. Elle avait beau apprécier sa compagnie, elle était sidérée par la bizarrerie de la situation, les chances minimes de leur rencontre fortuite et son improbable envie de visiter le jardin zoologique.

Elle leva les yeux vers lui.

— En vérité, pourquoi êtes-vous ici, monsieur ?

— Ma sœur Talia, que vous avez… euh… rencontrée l'autre soir, œuvre beaucoup pour les écoles des pauvres.

Elle tiqua. Quel était le rapport avec sa question ?

— Oh. C'est très généreux de sa part.

— Avez-vous quelques notions sur les écoles des pauvres ?

— J'en ai entendu parler mais je ne sais pas quel est leur but.

— Ces écoles essaient de récupérer les enfants des rues, expliqua lord Northwood. Leurs élèves viennent de familles pauvres dont les pères sont soit en prison, soit en train de commettre des délits qui finiront par les y envoyer. C'est une cause qui tient très à cœur à Talia.

— Certes, cette cause semble être digne du plus grand intérêt.

— C'est le cas. Talia et plusieurs de ses amis ont organisé un gala de bienfaisance samedi prochain. C'est un festival pour enfants, avec des jeux. Toute la recette ira à ces écoles. Je serais honoré si vous acceptiez d'y venir.

Soudain anxieuse, Lydia répondit :

— Oh, je ne sais pas si…

— Je suis sûr que votre sœur aimerait y assister, ajouta lord Northwood. Je crois qu'il est aussi prévu des cerfs-volants, des danses, des promenades en carriole. Talia a passé plusieurs mois à collaborer à l'organisation de l'événement. Elle a même réussi à convaincre Sebastian de jouer du piano.

Sans lui laisser le temps de protester, il ajouta :

— Ma voiture viendra vous chercher à 11 heures. Je vous ramènerai quand vous voudrez. Vraiment, je suis sûr que vous y prendrez plaisir.

Lydia se mordilla la lèvre un moment. Elle jeta un coup d'œil à sa sœur qui les précédait vers les enclos des animaux, puis hocha la tête.

— Je serais ravie, monsieur, et je sais que Jane aussi. Nous n'avons pas souvent l'occasion d'assister à de telles réjouissances.

Devant l'air surpris de lord Northwood, elle se rendit compte qu'elle avait répondu un peu vivement.

— Pourquoi donc ?

— Eh bien, je… Je n'ai pas beaucoup de temps pour ce genre d'activités.

Elle n'avait jamais eu beaucoup de temps pour le divertissement. La douleur lui transperça le cœur au souvenir de sa propre enfance, sombre et austère, d'où étaient bannis festivals, cerfs-volants et autres frivolités.

Si elle avait veillé à ce que les jeunes années de Jane ne ressemblent en rien aux siennes, elle n'avait pas non plus cherché beaucoup de distractions pour sa sœur.

— Parce que vous êtes trop occupée avec vos équations ? demanda-t-il.

Un peu vexée par sa voix tranchante, elle détourna le regard.

— Je ne suis pas faite de chiffres, monsieur.

— Alors pourquoi tenez-vous tant à faire croire le contraire ?

— Qu'est-ce que vous insinuez ?

— Que vous voulez donner l'impression de n'être rien d'autre qu'une brillante intelligence mathématique.

— Je ne...

— Non ? Il y a moins de quinze jours, vous avez essayé de me dire que c'était ce que je devais croire de vous.

— Très honnêtement, c'est ce que tout le monde croit de moi.

— Pas moi !

Troublée, elle le dévisagea.

— Pas vous ?

— Non. Ce n'est pas vrai. Votre destin n'est pas celui d'une intellectuelle froide. Et je ne crois pas un instant que vous soyez heureuse avec les cahiers et les chiffres pour seule compagnie.

Lydia déglutit. Il la dévisageait avec plus que de la curiosité, plus que de l'étonnement. Il donnait l'impression de savoir que son épaisse carapace dissimulait une grande vulnérabilité, une douloureuse tendresse.

— Pourquoi croiriez-vous une chose pareille ? demanda-t-elle d'une voix tremblante.

Il s'approcha si près que, malgré la fraîcheur, l'air sembla s'embraser autour d'eux. Sa voix se fit plus basse, sensuelle, glissant sur sa peau comme une caresse.

— Si vous étiez satisfaite de cette vie, vous ne m'auriez pas embrassé, touché, comme si vous rêviez de plus, murmura-t-il.

Elle sentit son visage s'enflammer.

— J'ai fait preuve d'un manque de jugement consternant.

— Vous avez exprimé ce que vous ressentiez. Ce que vous vouliez.

— Je vous ai dit ce que je voulais. Ce n'était pas cela.

Vous n'êtes pas ce que je veux.

Elle ne pouvait se résoudre à prononcer les mots, sachant que ce serait un énorme mensonge. Elle s'éloigna de lui d'une démarche raide.

— Vous pouvez penser ce que vous voulez de moi, monsieur. Je vous demande seulement de vous rappeler une chose. Je vous ai dit que le mieux à faire était de croire mes paroles, de me laisser à mon destin de solitude intellectuelle. Un autre destin, quel qu'il soit, ne pourrait qu'être voué au désastre.

Elle se détourna. Il lui prit le bras, ses doigts le serrant avec une telle possessivité qu'elle sentit son cœur bondir dans sa poitrine.

— Rien entre nous ne sera jamais un désastre, mademoiselle Kellaway, affirma-t-il avec conviction. Rien.

— Raccourcissez votre phrase, monsieur, et vous aurez la vérité, répliqua-t-elle en se dégageant de son emprise. Rien entre nous ne sera jamais.

— Vous vous trompez.

Elle sentit sa gorge se nouer. Combien elle aurait aimé se tromper. Combien elle regrettait de ne pouvoir déverrouiller son cœur et l'y laisser entrer. Plus elle passait de temps avec lui, plus elle imaginait à quel point il serait grisant de découvrir ce qu'ils pourraient partager.

Même si ce n'était que le temps d'une nuit.

Refusant de laisser paraître le trouble que cette pensée faisait naître en elle, Lydia lui tourna le dos. Sans un regard pour lui, elle se dirigea vers sa sœur.

— Jane !

Jane agita la main pour lui faire signe d'approcher. Elle hâta le pas, espérant de toutes ses forces que lord Northwood allait partir.

— Regarde ! lui enjoignit-elle en lui montrant la terrasse grillagée sur laquelle se trouvaient dix tanières pour les lions, les tigres, les guépards et un jaguar. Lord Northwood, saviez-vous que les lions viennent d'un pays qui s'appelle la Nubie ? C'est en Afrique. Et regardez les léopards. Ils viennent d'Inde. N'est-ce pas Lydia ? L'un d'entre eux, en tout cas. Lord Northwood, savez-vous que dans la Grèce antique, on croyait que les girafes étaient issues d'un croisement entre le léopard et le chameau ?

Northwood s'arrêta à côté de Lydia.

— Je l'ignorais. Pourtant, je suis déjà monté à dos de chameau.

— Vraiment ? Où ?

— Quand j'étais petit, mon père nous a emmenés en voyage familial en Égypte. Là-bas, les chameaux sont aussi courants que les fiacres.

— Cela fait quel effet d'en monter un ?

— C'est comme être sur un bateau sur le point de chavirer. C'était vraiment l'une des expériences les plus étranges que j'aie faites dans ma vie.

Avec un sourire, Jane ramena son attention sur l'habitat des lions. Lydia et lord Northwood regardèrent les énormes félins tourner lentement dans leur cage, grattant le sol, leurs muscles jouant sous leur peau.

— Pourquoi Paris ? s'enquit lord Northwood à brûle-pourpoint.

Lydia poussa un soupir.

— Vous êtes tenace.

— Je sais. Mais je suis curieux. Pourquoi Paris ?

— Parce que nous n'avons pas les moyens de l'envoyer dans une école à Londres et que lady Montague a offert une bourse à Jane.

— Et pourquoi votre grand-mère ne vous croit-elle pas capable de lui donner une telle éducation ?

Pensive, Lydia regarda sa sœur. Jane se dirigeait vers la fosse aux ours en traînant un bâton sur le sol. Ses longs cheveux brillaient au soleil, cascadant sur ses épaules en un voile de soie.

Northwood croyait-il connaître son destin ? Croyait-il savoir ce qu'elle voulait, ce qu'il lui fallait, quel genre de vie elle devrait vivre ? S'il connaissait son passé, il changerait peut-être d'avis.

— Parce que je ne l'ai jamais reçue moi-même, expliqua-t-elle.

— Pas même de votre mère ?

Même si elle s'était attendue à cette question, elle sentit le chagrin la suffoquer. Elle garda le silence, essayant de calmer sa respiration saccadée. Northwood lui prit le coude.

— Mademoiselle Kellaway ? Tout va bien ?

Elle hocha la tête, et regarda dans la direction de Jane pour s'assurer qu'elle était toujours dans les parages.

— Ma mère n'était pas capable de s'occuper d'elle-même. Elle pouvait donc difficilement donner des cours d'étiquette.

— Que lui est-il arrivé ?

Lydia se raidit. Alexander lui tenait toujours le bras, la chaleur de sa paume irradiant à travers son gant et sa manche. Impassible, fort, imposant, il se tenait à côté d'elle, trop près, son regard scrutant son visage, comme s'il cherchait à résoudre un problème très compliqué.

Lydia eut soudain la certitude gênante qu'un homme aussi exceptionnel soutiendrait sans faiblir le choc de la vérité, quelle qu'elle soit. Quels que soient les aveux dont elle voulait soulager son cœur, il pouvait les entendre.

— Elle avait des… troubles, répondit-elle en touchant sa tempe d'une main tremblante. Ici. C'était une maladie du cerveau. D'abord des étrangetés, oscillant entre la mélancolie et l'obsession. Elle a commencé à avoir des crises de rage, de profonde tristesse. Jusqu'à mes cinq ans, elle avait toujours l'air d'aller bien. Puis… Plus tard, mon père m'a dit qu'elle avait fait plusieurs fausses couches et perdu un enfant mort-né. Que cela… avait brisé quelque chose en elle. Elle a commencé à s'enfermer dans sa chambre sans vouloir en sortir. Elle devenait furieuse après moi sur les moindres détails, comme une tache d'herbe sur ma robe. Elle n'avait jamais été comme cela auparavant. Elle quittait la maison pendant des jours, et personne ne savait où elle était. Ma grand-mère est venue vivre avec nous pour nous aider à prendre soin d'elle. Après une amélioration de courte durée, c'est devenu trop horrible, même pour elle. Elle a convaincu mon père d'envoyer ma mère dans une maison spécialisée pour la faire suivre par des professionnels de la médecine.

La main d'Alexander se resserra sur son épaule.

— L'ont-ils aidée ?

— Au début, elle a semblé aller mieux, répondit-elle, les yeux rivés sur Jane qui regardait les ours. Elle revenait à la maison. Puis les crises ont recommencé. Alors, ma grand-mère a cherché une autre institution, un autre médecin, un autre traitement. Elles ont parcouru l'Europe. Puis, quand les rumeurs au sujet de ma mère ont commencé à se propager, ma grand-mère a demandé la permission de lui faire quitter Londres définitivement. Elles sont parties en France, aux environs de Lyon, dans un endroit dont ma grand-mère avait entendu parler par son église. Elles y sont restées presque trois ans.

— Et alors ? persista-t-il.

— Pendant quelque temps, elle a paru contente. Ma grand-mère est restée avec elle. Mon père allait les voir quand il le pouvait. C'est là que ma mère est morte.

Alexander tressaillit sous le choc de ses paroles. Pourtant, en les prononçant, Lydia fut envahie par un vide étrange.

— Je suis désolé.

— Il ne faut pas. Elle avait été prisonnière de son propre esprit pendant si longtemps qu'il nous a semblé qu'elle était enfin libre. Mais bien sûr, cela a quasiment détruit ma grand-mère. Perdre un enfant, une fille, même aussi malade que l'avait été ma mère…

Elle se dégagea de son emprise. Elle voyait qu'il continuait à assimiler son histoire. Pivotant sur ses talons, elle se dirigea vers Jane.

— Lydia.

Elle se retourna avec l'impression que son nom, prononcé par cette voix de baryton, résonnait sur les parois de son cœur.

— Où étiez-vous quand votre mère était en France ? demanda Northwood.

Fuyant son regard, elle répondit :

— Pas avec elle.

Alexander Hall. Le vicomte Northwood.

Décidément, Lydia s'élevait dans la société. La question était de savoir si elle était seulement la putain de cet homme ou si elle aspirait à plus.

Quelle importance, après tout ?

Joseph regarda la jeune Jane remonter dans le coupé du vicomte, suivie de près par Lydia.

Si, c'était important. À présent que sir Henry était mort, Lydia ne se souciait peut-être plus des conséquences de ses actes, ni de leurs répercussions déplorables sur sa réputation.

Cependant, si Lydia poursuivait lord Northwood pour autre chose que l'argent… eh bien, ce serait tout bénéfice pour ceux qui la connaissaient.

Et tout particulièrement pour lui.

Chapitre 7

Jane balançait sa jambe d'avant en arrière, les yeux rivés sur la spectaculaire peinture à l'huile suspendue au-dessus de la cheminée. Une scène de chasse avec pour proie, un tigre. Une flèche était fichée dans un flanc du félin, du sang se répandait sur sa fourrure, sa tête se tordait en un rugissement désespéré. C'était horrible.

Elle balança son autre jambe. Elle se demandait si le garçon de courses avait confié une autre lettre à Sophie ce matin-là. Mais Lydia s'étant affairée autour d'elle pendant qu'elle se préparait, elle n'avait pas eu l'occasion de parler à la domestique en privé.

Elle sentit la main de Lydia se poser sur sa jambe, calmant son mouvement nerveux. Jane laissa échapper un soupir et prit une nouvelle tranche de gâteau. Le piano de Mr Hall, noir et si brillant qu'elle pouvait sans doute y voir son reflet si elle s'approchait, était dans un coin du vaste salon. Et si elle laissait des traces sur les touches blanches ?

Elle frotta ses mains sur sa jupe. Pour commencer, elle était montée dans un équipage de vicomte et, à présent, elle était assise dans le salon d'un comte, s'apprêtant à prendre sa première leçon de piano avec son fils.

Les événements s'étaient précipités en une semaine.

Elle jeta un coup d'œil à Lydia.

— Où l'as-tu trouvé ?

— Quoi ?

Elle fit un geste en direction du cahier de ses genoux.

— Je pensais que tu l'avais perdu… euh… égaré.

— Je l'ai trouvé dans… En fait, je l'avais laissé quelque part et on me l'a restitué.

La porte s'ouvrit et un homme entra, les cheveux en bataille, la cravate de travers.

— Je suis tout à fait confus pour le retard, dit-il en s'avançant vers elles, la main tendue. Sebastian Hall, mademoiselle Kellaway. J'espère que vous n'attendez pas depuis trop longtemps.

— Pas du tout. Nous sommes un peu en avance. Je vous présente ma sœur, Jane.

— Mademoiselle Jane, enchanté, la salua Mr Hall avec un sourire décontracté. Vous avez déjà pris des cours de piano ?

Son attitude ni trop sobre ni trop convenable lui plaisait. Néanmoins, elle s'agita, doutant soudain de vouloir apprendre à jouer du piano. Mr Hall avait l'air très gentil mais cette pièce était trop grande, intimidante. Et la scène de chasse lui déplaisait au plus haut point.

— J'espère que vous les trouverez à votre goût, reprit Mr Hall. Si nous pouvions examiner le programme et votre emploi du temps, nous pourrions commencer tout de suite.

Il regarda Lydia qui hocha la tête et le suivit jusqu'au piano.

Elle leur emboîta le pas. Mr Hall ouvrait un livre et commença à expliquer sa théorie de la musique et ce qu'elle pouvait s'attendre à apprendre les premières semaines.

Elle jeta un nouveau coup d'œil à la peinture et pensa à tous les animaux qu'ils avaient vus au jardin zoologique. Pourquoi voudrait-on tuer un tigre ?

Une rangée de fenêtres s'alignait dans le mur de l'autre côté de la pièce, laissant entrer le soleil à flot. Elle était curieuse de voir si elles donnaient sur le jardin.

Laissant Lydia et Mr Hall discuter de quelles méthodes se procurer, elle traversa la pièce. À côté des fenêtres se trouvait une alcôve avec une porte ouvrant sans doute sur l'extérieur. Des plateaux de métal étaient disposés sur diverses tables, remplis de terre et débordant de jeunes plants. Elle s'approcha pour examiner les petites pousses.

La porte s'ouvrit et un homme imposant, aux épaules charpentées, entra, ses cheveux bruns saupoudrés de gris, comme d'une couche de sucre. La tête penchée, il traficotait un appareil qu'il tenait entre ses mains. Il leva les yeux vers Jane et fronça les sourcils, l'air contrarié.

Elle sursauta. C'était le comte ! Elle le savait. Son visage était austère et dur, des rides marquant les commissures de ses lèvres et le coin de ses yeux.

Elle semblait comme pétrifiée sur place, son cœur battant la chamade.

— Qui êtes-vous ? demanda le comte d'une voix grave.

— Euh… Jane Kellaway, monsieur… monsieur le comte. Je prends des cours de piano avec Mr Hall.

— Que faites-vous ici, dans ce cas ?

— Il… il s'entretient avec ma sœur.

— Prend-elle aussi des leçons de piano ? demanda-t-il d'une voix saccadée, ses mots fusant comme des balles.

— Non, mons… monsieur le comte.

— Dans ce cas, ne devrait-il pas s'entretenir avec vous ?

Jane se gratta le front, puis s'arrêta. Ce ne devait pas être poli de se gratter devant un comte.

— Je… eh bien, je suis certaine que Mr Hall sait ce qu'il fait.

Une fraction de seconde, le comte la regarda avant de se mettre à rire d'un rire qui semblait rouillé, comme s'il n'avait pas ri depuis des années.

— Vous en êtes sûre ?

Jane regarda dans la direction de Lydia et de Mr Hall. Ils étaient toujours en grande conversation. Elle haussa les épaules. Le comte fronça les sourcils. Il ressemblait au cruel chevalier qu'elle avait vu un jour dans un recueil de poèmes.

— Allez-vous-en, jeune fille ! lui intima-t-il alors. J'ai du travail.

Son ton bourru la glaça. Néanmoins, elle ne bougea pas.

— Ce sont des plantes ?

— Que voulez-vous que ce soit d'autre ?

— De quoi s'agit-il ? demanda-t-elle encore en désignant l'appareil qu'il tenait à la main.

Le comte brandit le long tube de métal avec une poignée au bout.

— Une seringue à eau. Cela sert à asperger les pousses. C'est utile quand on réussit à faire marcher le fichu engin.

Il poussa la poignée mais elle resta coincée dans le cylindre. Il jeta un regard hargneux à l'objet comme s'il l'avait profondément insulté. Jane réprima un sourire.

— C'est toujours comme ça, n'est-ce pas ? La plupart des choses sont utiles uniquement si elles marchent.

— Vraiment ? Alors dites-moi, qu'avez-vous l'intention de faire plus tard ? demanda-t-il.

Elle soupira. Elle aurait bien aimé pouvoir lui donner une réponse.

— Je ne sais pas encore.

Le comte émit un grognement et se tourna vers ses plantes. Jane le regarda un moment.

— J'aime étudier les insectes, finit-elle par dire.

Il aboya un autre de ses rires rouillés.

— Vous aimeriez étudier le fléau de mon jardin ? Trouver une façon de nous en débarrasser ? Là, vous seriez utile.

Son ton impliquait que, jusqu'à ce jour, elle ne serait rien de plus qu'un ennui. Elle se sentait peinée tout à coup, sans savoir pourquoi. Tout aristocrate qu'il soit, elle se fichait bien de ce que cet homme pensait d'elle. Papa avait toujours dit que la personnalité d'un homme était plus importante que son statut.

— Monsieur le comte, connaissez-vous les fougères ?

Il la regarda comme si elle lui avait demandé s'il savait comment être un comte.

— Bien sûr, acquiesça-t-il. Pourquoi ?

— J'ai une fougère qui part en lambeaux. Elle brunit. Je ne comprends pas ce qui ne va pas dans la façon dont je m'en occupe. Mais peut-être pourriez-vous me le dire ?

Lord Rushton grommela quelque chose dans sa barbe puis ordonna :

— Apportez-la la prochaine fois que vous viendrez.

— Jane ? appela la voix de Lydia, chargée de tension. Tu… Oh !

Elle s'interrompit et posa une main sur son épaule.

— Mon père, le comte de Rushton, dit Mr Hall.

Les doigts de Lydia se crispèrent.

— Monsieur, c'est un plaisir de vous rencontrer.

Sous ses sourcils broussailleux, le comte la foudroya du regard. Puis il lui adressa un hochement de tête bourru et se détourna. Jane essaya de se dégager de Lydia qui lui faisait mal.

— Viens ! lui intima-t-elle en l'entraînant vers le piano. J'espère que tu ne l'as pas dérangé.

— Il aboie beaucoup mais il ne mord pas, la rassura Mr Hall, d'une voix presque amusée. À part ses propres enfants. Asseyez-vous, je vous prie, mademoiselle Jane. Nous allons commencer.

Jane prit place au piano mais jeta un coup d'œil à travers l'alcôve en direction du comte. La porte sur l'extérieur se referma avec un clic alors qu'il sortait.

Elle tourna son attention vers le piano, obéissant aux instructions de Mr Hall, essayant de convaincre ses doigts de coopérer avec son cerveau. Après une heure passée à apprendre les clés et les gammes de débutants, elle se retrouva dans la rue avec Lydia, un cahier à la main et avec l'impression de ne pas avoir le moindre talent pour la musique.

— Cela prendra un peu de temps, lui assura Lydia alors que le fiacre cahotait en direction de la maison. Une fois que tu commenceras à apprendre des airs de chansons, je suis sûre que cela deviendra beaucoup plus intéressant.

— As-tu jamais pris des leçons de piano ? demanda Jane.

— Non, répondit-elle en tournant la tête vers la fenêtre. J'ai été trop occupée par d'autres choses.

Jane regarda le cahier que Lydia avait toujours sur ses genoux. Malgré tout l'amour qu'elle avait pour sa sœur, elle ne pouvait s'empêcher de se demander pourquoi Lydia ne semblait jamais rien faire d'autre que des mathématiques et lui donner des cours. Elle ne s'était jamais mariée, n'avait pas d'amis qui venaient prendre le thé, n'assistait que très rarement à des réceptions mondaines, à part quand leur grand-mère insistait. Elle n'aimait ni faire les boutiques ni aller au théâtre.

Elle savait bien pourtant qu'il y avait plus dans la vie que les nombres. En tout cas, il y avait plus dans la vie de Lydia.

— Où as-tu rencontré lord Northwood ? demanda-t-elle soudain.

Lydia lui jeta un regard surpris.

— Euh… Je ne me souviens pas. Pourquoi ?

— Son père m'a semblé un peu sévère. Lord Northwood paraît différent. Mr Hall aussi.

Lydia émit un petit murmure approbateur.

— De quoi as-tu parlé avec lord Rushton ?

— Je lui ai posé des questions sur ses pousses et lui ai demandé ce qu'il pensait être le problème avec ma fougère. Je crois qu'il a des soucis d'insectes. Il n'était pas aussi… comte que je l'aurais imaginé.

— Tu pensais qu'il serait comment ?

— Plutôt majestueux, je suppose. Comme s'il revenait tout juste d'une audience avec la reine. Mais il était plus grincheux que royal. Je suppose qu'il n'est pas souvent invité à la cour ?

— À cause de son caractère ? demanda Lydia en souriant. Papa a été reçu à la cour une fois, tu sais. Quand il a été fait chevalier. Des années avant ta naissance.

— Tu es allée à la cérémonie ?

— Non, mais maman m'a raconté. Elle m'a dit que c'était magnifique mais un peu austère. J'ai l'impression qu'elle aurait aimé dire une blague un peu osée, par exemple, juste pour voir ce qui se passerait.

Jane sourit.

— Elle aimait les blagues ?

— Elle aimait rire.

Son regard bleu s'était voilé d'une affection douce-amère. Jane savait que même si leur mère était morte voilà plus de dix ans, peu après sa naissance, Lydia l'avait perdue bien avant sa mort. Et pourtant elle évoquait rarement sa maladie. Elle ne parlait à Jane que de l'époque où elle allait bien, la façon dont ses yeux brillaient de bonheur, de son rire qui s'égrenait comme un carillon.

— Elle voulait que tout soit léger, ajouta alors Lydia. Joyeux.

— Pas comme papa, dit Jane. Ni toi.

— Non, admit Lydia en l'enlaçant d'un bras et en l'attirant contre elle. J'ai toujours été comme lui. Sérieuse, studieuse. Mais dans le fond, je voulais être plus comme elle.

— Pourquoi ?

Lydia frôla sa tempe de ses lèvres.

— Parce que je pensais que la vie serait plus facile.

— Mais sa vie n'a pas été facile du tout, dit Jane.

— Non, c'est vrai. Je me trompais.

Lydia resserra son bras autour de Jane avec une urgence soudaine et pressa sa joue contre ses cheveux. Jane résista un moment puis elle noua ses bras autour de la taille de son aînée et la serra.

— Elle te manque toujours ? demanda-t-elle.

— Tout le temps.

— J'aimerais qu'elle me manque à moi aussi, déclara Jane d'une petite voix dans laquelle transparaissait sa honte. Mais je ne la connais même pas. Je veux dire, j'aurais aimé qu'elle soit toujours vivante, mais je ne la connaissais pas du tout, je ne savais pas à quoi elle ressemblait… C'est mal qu'elle ne me manque pas ?

— Oh non. Non. Et tu la connaissais. Pas pour longtemps et pas autant que nous l'aurions souhaité, mais tu la connaissais.

— Tout serait différent si elle n'était pas morte, non ? demanda Jane. Si elle n'était pas tombée malade.

L'étreinte de Lydia se resserra. Jane entendit son cœur battre sous sa joue, un battement rapide qui lui fit lever les yeux.

— Oui, répondit-elle d'une voix tendue. Tout serait différent.

Le corps soudain raidi, Lydia regarda dehors. Jane fronça les sourcils et pressa sa main. Un sentiment étrange, inconfortable, s'éleva en elle. Elle devinait que Lydia préférait ne pas imaginer combien les choses auraient été différentes si leur mère avait vécu.

À l'intérieur de la serre, l'air était chaud, moite. Le col d'Alexander le serrait, son habit était trop lourd. Résistant à l'envie de dénouer sa cravate, il longea des rangées de plantes en fleurs jusqu'à son père occupé à examiner un pot de terre.

— Monsieur, le salua Alexander en s'arrêtant non loin de lui.

Un mélange familier l'envahit, une fierté mêlée à une sensation d'incapacité qu'il ne souhaitait en aucun cas analyser, mais qui le prenait en présence de lord Rushton depuis aussi longtemps qu'il se le rappelait. Un fait que ses fiançailles rompues rendaient encore plus perturbant.

Lord Rushton leva les yeux.

— Northwood. Qu'est-ce qui vous amène ?

— Que savez-vous des probabilités d'une guerre ?

— La même chose que vous.

— En cas de déclaration, le comte de Clarendon a insisté sur le droit de considérer quiconque habitant la Russie un ennemi, annonça Alexander. J'ai envoyé un mot à Darius, à Saint-Pétersbourg, même si je pense qu'il est déjà au courant.

Le comte repoussa son pot avec un bougonnement de contrariété et alla chercher un arrosoir. Son torse et ses épaules puissants étaient couverts d'un habit et d'un gilet d'un noir sobre, des traces de peigne étaient visibles dans ses cheveux gris. Il n'avait jamais porté grand intérêt aux vêtements. Même s'il avait toujours l'air aussi imposant, il avait minci ces deux dernières années, son visage s'était émacié, marqué de rides profondes.

— Votre frère ne changera pas ses projets, déclara-t-il.

— Je le sais. Mais si vous lui écriviez, il serait beaucoup plus incliné à considérer les conséquences.

— S'il continue à vivre à la cour, il sera moins en danger là-bas qu'ici, répliqua lord Rushton.

— Darius saura prendre soin de lui et il le fera qu'il soit à la cour ou pas. Néanmoins, je suis inquiet des effets que cela pourrait avoir sur nous.

— Par exemple ?

— Talia, pour commencer. Elle est en âge de se marier et…

— Vous aussi, répliqua son père avec un regard appuyé.

— Mais Talia est…

— Laissez votre sœur en paix, Northwood. C'est votre propre manque de perspectives qui devrait vous inquiéter. Surtout après la débâcle Chilton.

Alexander sentit la frustration le gagner. Ils avaient tous subi l'embarras qui avait suivi la rupture de ses fiançailles. Entre cela et l'abandon de sa mère, force lui était d'admettre qu'il était difficile de croire que n'importe quel Hall pouvait faire un mariage avantageux.

Incapable de contredire son père, il choisit de changer de sujet.

— Talia a exprimé le souhait de séjourner à Floreston Manor.

L'expression de Rushton s'assombrit.

— J'aurais dû me débarrasser de cet endroit il y a des années, maugréa-t-il.

— Elle ne vous pardonnerait pas si vous le faisiez.

Même si aucun d'entre eux n'était retourné à Floreston Manor depuis le départ de leur mère, Alexander savait que c'était l'endroit où Talia avait coulé des jours heureux dans son enfance.

À l'époque, sa sœur avait été un mystère pour lui. Une enfant aux cheveux dorés qui voletait à travers les couloirs du manoir familial et les jardins de Saint-Pétersbourg comme un elfe des bois.

Il réprima un soupir. Talia était encore plus mystérieuse adulte. Son côté léger, détaché du monde, était désormais enseveli sous des couches de mélancolie.

— Si vous acceptez de rouvrir le manoir, Sebastian est d'accord pour nous accompagner, reprit-il. Et nous inviterons Castleford.

Occupé à couper les feuilles mortes d'une plante, le comte ne répondit rien.

— Cela ferait du bien à Talia, insista Alexander. À vous aussi. Elle n'aime pas passer la Saison à Londres.

Lord Rushton finit par acquiescer d'un bref signe de tête.

— Très bien.

— À la bonne heure. Dans ce cas, je vous laisse le soin des arrangements ?

Il était prêt à tout pour distraire le vieil oiseau de ses satanées plantes.

Il venait de se détourner pour quitter les lieux quand la voix de son père l'arrêta.

— Et l'exposition de la Société, Northwood ?

— Le Conseil a exprimé son inquiétude concernant le lien de la Société avec la France et l'importante présence russe parmi les exposants. Néanmoins, il n'y a pas de difficultés à prévoir pour le moment.

Son père le regarda, les coins de sa bouche s'affaissant. Le « pour le moment » d'Alexander sembla résonner contre les vitres humides de la serre.

Chapitre 8

Alexander alla jusqu'à la cheminée, pivota sur ses talons, se dirigea vers la rangée de fenêtres, puis revint sur ses pas. Penché sur le piano, Sebastian regardait fixement une partition de musique, comme s'il s'agissait d'un perce-oreille.

Après son troisième aller et retour sur le tapis, Alexander s'arrêta. À travers les trois couches de tissu, il sentait le poids du médaillon pressé sur sa poitrine. Il ne l'avait pas regardé de près pendant ces trois semaines mais, pour une raison incompréhensible, il l'avait mis dans sa poche tous les matins.

Il l'en tira et examina la surface argentée, les gravures alambiquées.

— Tu n'aurais pas cet air funeste si tu t'en débarrassais, fit remarquer Sebastian.

Il secoua la tête et rangea le collier. Il avait raconté toute l'histoire à son frère dans l'espoir d'obtenir quelques conseils éclairés. Au lieu de cela, Sebastian l'avait encouragé à restituer le médaillon à Lydia.

Alexander avait été incapable d'expliquer pourquoi il savait qu'elle ne l'accepterait pas.

— Sa mère était folle, déclara-t-il à brûle-pourpoint.

— Folle ?

Repartant vers les fenêtres, il reprit :

— Elle a sombré dans la folie quand Lydia était enfant. Sir Henry a été obligé de la faire interner à plusieurs reprises. Elle est morte dans une maison spécialisée, en France, après avoir mis Jane au monde.

— Qu'est-ce que cela a à voir… Oh ! s'interrompit Sebastian, frappé d'un éclair de lucidité.

Lui tournant le dos, les épaules raidies par la tension, Alexander regardait le jardin.

— Je suppose que cela a fait du bruit à l'époque, même si personne ne semble s'en souvenir. Ou que si les gens s'en souviennent, cela leur est égal. Peut-être cela prouve-t-il à quel point les Kellaway comptent peu.

Son cadet s'éclaircit la voix.

— Dans ce cas, tu ne devrais pas te préoccuper des commérages à ton sujet, déclara-t-il. Poursuis-la.

« Poursuis-la ». Alexander n'avait jamais avoué à son frère que c'était exactement ce qu'il comptait faire. Bien que Lydia fût constamment dans ses pensées, malgré sa détermination à éclaircir sa complexité, malgré le souvenir de la saveur de sa bouche, il n'avait pas trouvé la bonne approche. Il pouvait poursuivre de ses assiduités n'importe quelle femme au monde en la couvrant d'attentions et de flatteries, mais pas Lydia. Elle ne s'y laisserait pas prendre.

Or, il n'avait pas encore réussi à déterminer ce qui pourrait la séduire.

Il s'affala dans un fauteuil et, pensif, se frotta le front. Ses réflexions furent interrompues par un coup bref à la porte. Un majordome entra dans la pièce.

— Pardon, monsieur. Une dame vous demande.

Alexander et Sebastian échangèrent un regard surpris.

— Une dame ?

— Miss Lydia Kellaway.

Sebastian laissa échapper un petit rire.

— Priez-la d'entrer, Soames, dit Alexander.

Soames fit un signe d'assentiment et s'éclipsa. Soudain impatient, Alexander attendit. Il plaqua ses cheveux en arrière, redressa son col. Puis il posa la main sur la poche de son gilet et la laissa un moment sur le médaillon.

La porte se rouvrit. Soames s'effaça devant Lydia et Alexander et Sebastian se levèrent.

Dès qu'elle apparut, Alexander sentit son corps se durcir. Dieu seul savait comment elle pouvait être aussi élégante dans ses robes à la coupe si austère. Celle-ci épousait ses formes avec une telle précision qu'une fois encore il ne put s'empêcher de se demander à quoi ressembleraient ses seins ronds, nus et frémissants sous ses mains.

Il esquissa une grimace et se balança d'un pied sur l'autre, chassant les fantasmes qui envahissaient son esprit.

— Mademoiselle Kellaway.

— Lord Northwood, déclara-t-elle avant de s'adresser à Sebastian. Monsieur Hall, c'est un plaisir de vous revoir. Jane a beaucoup apprécié sa première leçon.

Sebastian repartit dans un sourire :

— Je suis ravi de vous l'entendre dire. C'est une demoiselle charmante.

Lydia, les yeux brillants, lui rendit son sourire. Alexander eut du mal à réprimer un accès de jalousie.

Elle se tourna de nouveau vers Alexander.

— Votre majordome m'a indiqué que je vous trouverais ici, monsieur. Auriez-vous un moment à m'accorder ?

Alexander regarda ostensiblement la pendule.

— Un moment, oui. Sebastian, va voir à quelle heure la réunion de la Société commence cet après-midi.

— Soames a déjà…

— Dans ce cas, va t'assurer que John sait qu'il doit commander la voiture, l'interrompit-il.

— Mais…

Il se tourna vers son frère et, une pointe d'exaspération dans la voix, finit par lancer :

— Tu as bien quelque chose à faire ?

Sebastian décocha son plus charmant sourire à Lydia avant de traverser le salon comme s'il foulait une prairie de fleurs sauvages.

La mâchoire crispée, Alexander fit signe à Lydia de s'asseoir.

— Je ne vais pas rester longtemps, commença-t-elle en secouant la tête.

Son regard bleu était si direct que c'en était gênant.

— J'ai une nouvelle proposition pour vous, lord Northwood, ajouta-t-elle.

Son intérêt accru, il s'approcha d'elle, s'arrêtant à une courte distance.

— J'avoue que vous m'intriguez.

Elle tira une feuille de papier de son cahier et la lui tendit. Sans la quitter des yeux, Alexander la prit puis regarda le papier. Tracés d'une écriture claire et précise, les nombres et la question finale le laissèrent totalement perplexe.

« La somme de trois nombres est 6, la somme de leurs carrés est 8, la somme de leurs cubes est 5. Quelle est la somme de leurs puissances quatrièmes ? »

Perplexe, il se gratta la tête.

— Pourriez-vous m'expliquer ? De quoi s'agit-il ?

— D'un problème de mathématiques.

— Je vois. Pourquoi me l'avez-vous donné ?

— Je voudrais vous voir le résoudre.

Une lueur d'amusement dansait dans ses prunelles, un sourire taquin flottait sur ses lèvres, dévoilant un côté facétieux qu'Alexander ne lui connaissait pas encore.

— Mon problème au sujet de la femme qui vendait des œufs était trop simple pour vous. Celui-ci est plus complexe.

Alexander la dévisagea. Un poids sembla lui écraser le cœur quand il comprit qu'elle n'était pas venue pour le simple plaisir de le voir.

— Vous me demandez de résoudre ce problème en échange du médaillon ?

— Oui. Je n'aime pas mettre tous mes œufs dans le même panier.

Il partit d'un rire amer.

— Je suppose que vous voulez aussi déterminer un délai ?

— Oui. Si vous n'êtes pas capable de résoudre le problème en deux semaines, sans aucune aide, bien entendu, vous devrez me rendre immédiatement le médaillon de ma mère.

Alexander continuait à la regarder fixement. Un éclat taquin animait toujours ses prunelles qui avaient pris la teinte d'une aurore bleutée. Ce qui, il devait l'admettre, la rendait irrésistible. À part ça, elle était très sérieuse.

Son regard s'attarda de nouveau sur le problème.

— C'est vous qui l'avez rédigé ?

— Vous n'avez pas besoin de vous moquer, monsieur. Vous savez à quel point j'aime concevoir des devinettes. Celui que vous avez déjà résolu était une devinette. Celui-ci est un problème.

— Et vous pensez que je peux le résoudre ?

— Je n'ai pas dit cela.

Malgré son agacement, Alexander éprouva un nouveau picotement d'impatience, une sensation que seule cette femme surprenante parvenait à éveiller chez lui. C'était agréable, comme le goût du pain noir russe, aigre et parfumé.

— Vous l'avez insinué, dit-il. Sinon, vous ne m'auriez pas fait cette proposition.

— En fait…

Ses lèvres firent une moue, ravissante, si tentante. Il voulait poser sa bouche dessus et la sentir lui céder.

— Les insinuations ne sont peut-être pas si vagues, après tout, le taquina-t-elle.

D'un geste rageur, il jeta le papier sur la table et planta ses mains sur ses hanches. Dans sa robe couleur de charbon, avec pour seules touches de couleur ses yeux azur et sa peau empourprée, Lydia Kellaway lui rappelait un petit lapin noir.

L'espace d'un instant, à sa propre surprise, il se demanda à quoi elle ressemblerait en bleu saphir ou en vert émeraude, coiffée d'un chapeau orné de plumes d'autruches, ses joues et ses lèvres rehaussées d'un rouge aguichant.

Il s'empressa de chasser cette image de son esprit. Elle ne lui plaisait pas du tout.

Il toussota et reprit :

— Mademoiselle Kellaway, j'ai l'impression de m'être comporté de manière injuste au sujet du médaillon de votre mère. Et si jamais vous répétez à Sebastian ce que j'ai dit, je le nierai jusqu'à la fin de mes jours. Néanmoins, vous avez rendu votre désir pour ce médaillon très clair et comme je n'ai pas l'intention de vous causer plus de chagrin, je vais vous le rendre immédiatement.

Un éclair de surprise passa sur le visage de Lydia. Elle retrouva vite son sourire.

— Je ne pense pas que vous le puissiez.

— Pardon ? dit-il, surpris.

— Vous ne pensez pas pouvoir résoudre le problème.

— Vous vous trompez.

— Et je ne veux pas de pitié, monsieur.

— Je n'ai pas pitié de vous, répliqua-t-il d'un ton acide. J'essaie de me comporter en gentleman, ce que je ne trouve pas facile. Un gentleman conduit ses affaires de manière juste et équitable.

Il s'interrompit, essayant de ne pas grincer des dents.

— C'est ce que j'essaie de faire, enchaîna-t-il.

— Me rendre le médaillon de ma mère par pitié n'est ni juste ni équitable. Néanmoins, si vous souhaitez concéder la défaite, je serai heureuse d'accepter le manteau de la victoire et de revendiquer mon gain.

Alexander la dévisagea. Puis il traversa la pièce en trois enjambées et, la prenant par les épaules, la plaqua contre le mur avec une telle rapidité qu'elle étouffa un cri. Sans lui laisser une chance de résister, il inclina la tête et s'empara de sa bouche, pris d'un besoin impérieux de l'embrasser.

Le corps de Lydia se raidit sous son étreinte, et elle frappa son torse de ses poings. Il la pressa plus près, picorant ses lèvres, les forçant à s'entrouvrir. Une lave brûlante coulait dans ses veines mais les lèvres fermées ne cédèrent pas, ne s'ouvrirent pas pour lui.

Un problème mathématique, bon sang! Le seul problème qu'il voulait résoudre, était celui qu'il sentait, doux et souple dans ses bras.

Avec un grognement d'impatience, il pressa une main contre la chute de ses reins, la plaquant aussi près que possible. Son désir de sentir son corps était contrarié par un fatras de jupes et de jupons, portant sa frustration au paroxysme. De sa langue, il taquina une commissure de sa bouche et, quand enfin ses lèvres s'entrouvrirent, avec un soupir étouffé, il en envahit la chaleur moite.

Une satisfaction purement masculine monta en lui quand il la sentit s'abandonner, ses mains se relâcher, ses lèvres dociles s'attendrir. D'une main il maintint sa nuque chaude, positionnant sa tête pour pouvoir dévorer sa bouche de toute son avidité contenue.

Les paumes de Lydia s'appuyèrent sur son torse, leur chaleur le brûlant à travers sa chemise. Agrippant ses jupes d'un poing, il lutta contre l'envie pressante d'en relever toutes les couches et de sentir sa peau sous ses doigts. De lui arracher jusqu'au dernier de ses vêtements, d'exposer sa peau délicatement parfumée, ses seins ronds.

Il pressa le bas de son corps contre elle, frustré de savoir que sans la barrière de ses vêtements, elle sentirait son érection, la violence du désir qu'elle lui inspirait. Il attrapa son poignet, sentit son pouls affolé sous ses doigts alors qu'il glissait sa main sur sa chemise, plus bas, toujours plus bas…

Se faisant violence, il la relâcha et, le cœur battant, attendit qu'elle se dégage. Elle se libéra de son emprise et leva les yeux vers lui.

Les secondes s'égrenèrent. Il sentait son souffle brûlant contre ses lèvres. Un brasier dévorait ses prunelles azur. Elle plaqua alors sa main sur son ventre et la laissa glisser vers son bas-ventre.

Il déglutit, son regard enchaîné au sien alors que ses doigts frôlaient la protubérance sous son pantalon. Un soupçon d'appréhension apparut sur son visage, mais ses doigts se refermèrent avec une curiosité hésitante jusqu'à ce que son érection soit pressée contre sa paume.

Dans un soupir, elle frôla son menton de ses lèvres, sa joue frottant la sienne. Il grimaça, le désir déferlant en lui comme un torrent furieux. D'une main, il prit appui sur le mur derrière elle, en un effort surhumain pour garder le contrôle.

Lydia s'interrompit, son souffle toujours chaud contre son menton. Il attrapa de nouveau son poignet. Un instant, ils restèrent immobiles, puis elle libéra sa main.

Il recula d'un pas, s'éloignant pour leur permettre de retrouver leurs esprits. Puis, plongeant la main dans sa poche, il en sortit le collier et se retourna pour le lui tendre. Et prit conscience trop tard de son erreur.

Elle regarda le médaillon niché dans sa paume, deux taches rouges se formant sur ses pommettes. Alexander fut submergé par la honte.

— Je suis désolé, je…

— Je n'ai pas besoin de dédommagement pour les services rendus, déclara-t-elle, glaciale.

— Je ne voulais pas…

— Vous avez été très clair sur vos intentions. Et je pense que j'ai rendu les miennes tout aussi claires. Je n'accepterai pas votre charité.

Ses doigts se refermèrent autour du médaillon.

— Votre fierté vous perdra, mademoiselle Kellaway.

— Vous croyez ? Dites-moi, si vous étiez à ma place, récupéreriez-vous le médaillon simplement parce que je vous prends en pitié ?

Sans répondre, il jeta le médaillon sur la table, à côté de la feuille de papier. Ses épaules étaient toujours raidies à l'extrême, son sang brûlait d'un désir inassouvi.

— Et dois-je résoudre votre fichu problème ? demanda-t-il, les mâchoires serrées.

— Si vous y parvenez en deux semaines, vous pourrez une fois de plus déterminer ma dette.

— Et vous l'honorerez ?

Un éclair d'appréhension passant dans son regard, elle répondit :

— Tant qu'elle restera raisonnable.

— Ce qui veut dire ?

— Pas de baiser ou… quoi que ce soit d'autre de cette nature.

— Très bien.

— Vous êtes d'accord ? s'étonna-t-elle en clignant des yeux.

— Oui. Cela vous surprend ? répliqua-t-il avec une pointe d'amertume.

— Étant donné votre conduite récente, oui, je l'avoue.

— Vous êtes déçue ? ajouta-t-il d'un ton pincé.

— Sûrement pas.

— Bien. Sachez que ce ne serait pas la peine.

Il s'approcha d'elle, ses bottes silencieuses foulant l'épais tapis d'Aubusson.

Elle ne battit pas en retraite mais, sa méfiance visiblement accrue, demanda :

— Pourquoi… pourquoi pas ?

Alexander caressa ses lèvres pulpeuses de son pouce, la sensation de son souffle tiède sur sa peau ravivant son excitation.

— Parce que la prochaine fois que nous nous engagerons dans quelque chose de cette nature, il ne sera pas question de dette.

Elle déglutit, son doigt enroulant une mèche de cheveux collée à son cou moite.

— Il n'y aura pas de prochaine fois, monsieur.

— Oh si. Il y aura une prochaine fois. Pas parce que vous me devez quoi que ce soit. Parce que vous le désirez.

Sans répondre, elle tourna les talons et sortit dans le vestibule. Alexander la suivit. Après s'être assuré qu'elle était bien en sécurité dans un fiacre, il regagna le salon.

Il s'arrêta. Son père se tenait à la porte de son bureau, son visage affichant une expression indéchiffrable.

— Miss Kellaway, n'est-ce pas ?

Ne sachant que répondre, Alexander fit un signe d'assentiment. Il n'aimait pas cette impression d'avoir été surpris en train de se comporter de manière répréhensible.

Le regard de lord Rushton alla du salon à la porte d'entrée. Puis, lui tournant le dos, le comte disparut dans son bureau.

Chapitre 9

Le soleil brillait comme une boule dorée dans le ciel, dissipant les dernières brumes matinales. Une brise légère agitait les arbres. Jane, installée à côté de Lydia sur la banquette, regardait par la vitre de la voiture à cheval qui les conduisait au festival.

— C'est là ! s'exclama-t-elle en sautant presque sur place.

Lydia sourit. L'enthousiasme de Jane qui, ces dix derniers jours, n'avait parlé que du festival, la confortait dans sa conviction qu'elle avait bien fait d'accepter l'invitation de Northwood.

En descendant de la voiture, elle prit sa sœur par la main et elles avancèrent vers l'entrée au milieu d'une foule élégante et d'enfants impatients.

Des baraques d'attractions diverses avaient été dressées autour de la vaste pelouse, pleine de fleurs, de banderoles et de ballons. Une estrade parquetée attendait les danseurs et les musiciens accordaient leurs instruments. Assis devant un piano droit, Sebastian discutait d'une partition avec l'un d'entre eux.

Au moment où Lydia et Jane atteignaient l'entrée, lord Northwood s'approcha, accompagné d'une jeune femme.

Le cœur de Lydia fit un bond dans sa poitrine. Comme il était beau ! Les pointes de son col rehaussaient la beauté de son visage aux traits taillés à la serpe. Sa démarche souple avait une grâce féline, typiquement masculine. Elle aurait pu le regarder pendant des heures sans se lasser.

Arrivé à leur hauteur, il retira son chapeau. Sous la caresse de ses yeux de braise, une myriade de fourmillements parcourut sa peau.

— Bonjour, mesdemoiselles. C'est un plaisir de vous revoir.

Il fit les présentations et lady Talia les salua chaleureusement.

— Je suis heureuse de vous retrouver dans cette joyeuse atmosphère, mademoiselle Kellaway. Je suis désolée pour les circonstances… chaotiques de notre première rencontre.

Malgré ses traits plus fins, un teint plus rose, la jeune femme ressemblait à ses frères. Avec leurs yeux d'ébène et leurs pommettes hautes, les enfants du comte de Rushton avaient quelque chose d'exotique.

— Vous n'avez nul besoin de vous excuser, lady Talia, s'empressa-t-elle de la rassurer.

Ils remirent leurs tickets à l'agent de l'entrée.

— Mademoiselle Jane, je serais honoré si vous m'accompagniez aux baraques de jeux, dit Northwood, une fois sur l'aire du festival. Et il y a une exposition de dioramas que vous trouverez sûrement fascinants.

Il lui offrit sa main. Jane jeta un coup d'œil à Lydia pour lui demander la permission et, l'espace d'un instant, elle hésita à la laisser partir. Il y avait trop de monde, trop d'effervescence…

Elle devait se raisonner ! Escortée par lord Northwood, la fillette ne risquait rien. Elle acquiesça de la tête. Avec un sourire radieux à Alexander, Jane prit sa main. En les voyant se fondre dans la foule, Lydia fut incapable de réprimer son anxiété.

Talia resta près d'elle, ce dont elle lui sut gré, et elles se promenèrent ensemble. Parmi les différentes personnes qu'elles croisèrent, elles rencontrèrent lord Castleford, un homme dont la haute taille et l'imposante stature auraient pu paraître intimidantes sans la lueur chaleureuse brillant dans son regard et le grand sourire qui fendait son visage hâlé.

— Le père de Miss Kellaway était sir Henry Kellaway, lui expliqua Talia. Un universitaire de grand renom, spécialiste de l'histoire chinoise. Peut-être avez-vous entendu parler de lui ?

— Certes. J'ai eu le plaisir de le rencontrer à plusieurs reprises, mademoiselle Kellaway. Ses conférences étaient remarquables.

Lydia sourit, heureuse de l'admiration évidente de lord Castleford. Ils parlèrent du travail et des voyages de son père tout en flânant. Quand elle vit Jane revenir en compagnie de lord Northwood, elle sentit son cœur se serrer. Même dans sa robe de deuil, Jane était adorable, avec ses yeux verts brillants, son doux rire, et sa façon de gesticuler en parlant. Alexander avançait à côté d'elle, une main sur son épaule, la tête baissée pour mieux écouter son babil. Il souriait souvent, ou bien répondait, faisant de grands gestes et riant lui aussi.

Ils n'auraient pu former un contraste plus frappant. Le grand brun ténébreux et la jeune fille pâle aux cheveux châtains. Mais bizarrement, leur duo semblait couler de source : ils allaient parfaitement ensemble.

Lydia sentit une boule se former dans sa gorge. Elle n'avait pas le droit de permettre ce qui était en train d'arriver. Elle ne pouvait s'autoriser le moindre sentiment pour lord Northwood. De plus, elle ne pouvait pas laisser Jane s'attacher à un homme avec qui elle-même n'avait pas d'avenir.

D'ailleurs, elle n'avait d'avenir avec aucun homme. En dépit de ce qu'elle avait dit à Alexander, elle connaissait son futur. Elle était vouée à une vie de célibat, partagée entre son travail et l'éducation et les soins qu'elle apporterait à Jane. Et s'il était indéniable qu'elle rêvait parfois d'autre chose, elle devait se satisfaire de son destin. Il aurait pu être bien pire.

— Lydia, il faut que tu voies les dioramas ! s'exclama Jane en se ruant sur elle. Ils ont un spectacle sur les aurores boréales et un autre sur le changement des saisons à Paris. C'est ravissant. Mon préféré toutefois est celui sur l'Afrique. Avec le lever du soleil et les lions qui bougent. N'est-ce pas, lord Northwood ?

La fillette se tourna pour répondre à une question de Talia et il l'enveloppa d'un regard affectueux. Puis il jeta un coup d'œil à Lydia.

— Avez-vous résolu le problème, monsieur ? demanda-t-elle dans un effort pour se rappeler la seule chose qui l'intéressait en lui.

Il se rembrunit.

— Je doute que même Pythagore arrive à résoudre ce satané problème.

Lydia réprima un sourire.

— Ainsi, vous acceptez la défaite ?

— Jamais. J'ai encore plus d'une semaine, n'est-ce pas ?

Elle acquiesça d'un signe de tête, sans pouvoir empêcher une petite bouffée d'admiration pour sa persévérance.

— Dois-je vous donner un indice ?

— Ce ne sera pas nécessaire. Vous ne me croyez pas capable d'y arriver ? C'est bien ça ? ajouta-t-il, moqueur, en fronçant les sourcils.

— Je n'ai pas dit cela, se défendit-elle.

— Cela ne prouve en rien que vous ne le pensez pas.

Un sourire chassa son froncement de sourcils, faisant naître des ridules aux coins de ses yeux. Cela lui donnait un tel charme qu'elle sentit son cœur tambouriner dans sa poitrine.

— Peu importe, reprit-il. Je prends un malin plaisir à bousculer les idées reçues.

Il lui adressa un clin d'œil taquin et, se tournant vers Jane, demanda :

— Si nous allions montrer à votre sœur où l'on peut acheter des glaces ?

Elle hocha la tête avec vigueur et prit la main de Lydia qui, enchantée par la gentille taquinerie du vicomte, s'autorisa à se mettre au diapason avec l'enthousiasme de Jane. Il n'y avait pas de mal à s'amuser un peu. En fait, profiter de cette belle journée allait leur faire un bien fou, à toutes les deux.

Elles passèrent les deux heures suivantes avec Northwood et Talia, à jouer à diverses attractions, à regarder un groupe de jongleurs, à déguster des glaces. Les rires et les cris de joie des enfants résonnaient à travers la pelouse du festival. Jane et Talia allèrent acheter des ballons en papier de soie à l'une des baraques.

La vue de Northwood arracha un sourire à Lydia. Les cheveux ébouriffés par le vent, son pardessus froissé et sa belle chemise en lin parsemée de taches d'herbe, il jouait au cerceau avec un groupe d'enfants.

Qui était-il ? L'imposant vicomte qui s'avançait dans le monde avec une fierté teintée d'arrogance, ou cet homme d'apparence décontractée qui aimait les glaces, savait parler à une fillette de onze ans et se souvenait à merveille comment faire rouler un cerceau ?

Quel homme voulait-elle qu'il soit ? *Les deux.*

La réponse résonnait en elle comme un chuchotement de son cœur.

Un signal d'alarme retentit alors dans ses pensées. Elle décida de l'ignorer et de s'abandonner au plaisir de la journée, tenant l'occasion de dissiper son malaise constant.

Jane revint en courant les chercher pour un spectacle de marionnettes puis, après s'être munis de verres de citronnade glacée, ils se dirigèrent vers l'endroit où les musiciens avaient commencé à jouer. Les accords joyeux glissaient au-dessus des rires des adultes et des enfants qui s'étaient mis à danser.

Le vicomte se tourna vers Lydia.

— Me ferez-vous l'honneur de cette danse ?

— Danser ? Mais..., bredouilla-t-elle.

Il sourit, espiègle.

— Vous allez me dire que vous ne savez pas danser, c'est ça ?

— Bien sûr que je sais danser, lord Northwood. J'ai reçu l'éducation d'une jeune fille de mon rang, répliqua-t-elle en le défiant du menton. Simplement, cela remonte à quelques années, et j'ai un peu oublié.

— Dans ce cas, je serais ravi de vous rafraîchir la mémoire.

Il prit son poignet entre ses doigts, son pouce frôlant son pouls qui battait trop vite sous sa peau.

Quand ils montèrent sur la piste de danse, Lydia s'attendit à ce qu'il l'attire contre lui. Mais il l'entraîna au milieu des autres danseurs dans une joyeuse danse folklorique. Le tenant par la taille d'une main ferme, l'autre la brûlant à travers son gant, il l'observait d'un regard si pénétrant qu'il donnait l'impression de ne voir qu'elle.

Sentir son contact, son regard, son étreinte, le mouvement de son corps à quelques centimètres du sien, suscita en elle une réaction de pur plaisir, un plaisir que ne venait assombrir aucune culpabilité, aucune honte.

Ils se séparèrent plusieurs fois pour changer de cavaliers. Northwood dansa avec Jane, puis avec Talia, Lydia avec Sebastian, puis avec lord Castleford. Après une danse écossaise enlevée, elle fit une pause pour s'asseoir sur un banc et reprendre son souffle.

Puis Sebastian entonna une valse. Elle vit qu'Alexander la cherchait des yeux.

Elle attendit, pleine d'espoir, prête. Surprise par le bonheur qui la faisait vibrer.

Il approchait, ses yeux noirs étincelant. Elle prit la main tendue et se laissa entraîner dans une nouvelle danse. À cet instant précis, elle ne souhaitait rien d'autre au monde.

L'homme l'observait, dissimulé dans la foule. Il se rappelait la première fois qu'il l'avait vue. Elle était arrivée par le train. Pas jolie, à première vue, avec une peau pâle à force de vivre toujours à l'intérieur, une expression trop sérieuse, un front marqué par les soucis. Elle n'avait presque rien dit, laissant sa grand-mère parler pour elle. Puis, une fois chez lui, quand elle avait retiré son manteau et son chapeau, il avait remarqué ses formes sous sa robe ajustée, ses cheveux épais, ses longs cils noirs.

Dès cet instant, les premières graines du désir avaient germé en lui. Même s'il avait fallu de nombreux mois avant qu'elles portent leurs fruits.

Tant de journées passées penché sur son épaule à son bureau pour lui indiquer une erreur dans une équation, debout à côté d'elle au tableau, l'épiant pendant qu'elle était plongée dans ses devoirs, ou encore assis en face d'elle à la table du dîner, avaient abouti à cet après-midi où, rassemblant tout son courage, il lui avait fait des avances. Et elle avait répondu. Comme une chatte en chaleur.

Aujourd'hui encore, ce souvenir l'excitait. C'était cette Lydia qu'il désirait. Pas la Lydia dure, plus âgée, d'aujourd'hui, mais la jeune Lydia qui était arrivée en Allemagne, si discrète, si sérieuse. La Lydia qui, contrairement à toutes ses attentes s'était épanouie sous ses caresses avant de tout gâcher. L'idiote !

La colère le submergea. Il serra les poings convulsivement. Elle avait une dette envers lui. Elle avait intrigué pour l'empêcher d'accéder à la carrière prestigieuse qui s'ouvrait devant lui. Elle lui avait fait perdre le respect de ses pairs. Elle était responsable de son retour dans la crasse londonienne. Depuis plus de dix ans, Lydia Kellaway avait une dette envers lui. Le temps était venu pour elle de la payer.

Chapitre 10

Alexander faisait les cent pas devant le bâtiment. Un cheval passa, tirant une carriole chargée de meubles cassés, de morceaux de métal rouillés, de guenilles crasseuses. Le soleil brûlait à travers la brume jaunâtre qui flottait sur les rues de la ville.

Il ouvrit sa montre dans un clic et émit un petit grommellement d'impatience. Il avait laissé passer quatre jours depuis le festival, quatre jours pendant lesquels il était resté debout bien après minuit pour résoudre le satané problème inventé par Lydia, avant de trouver une nouvelle excuse pour rechercher sa compagnie. Quand il était passé chez elle, Mrs Boyd l'avait avisé de l'absence de sa petite-fille. Lydia avait un rendez-vous avec le comité de rédaction d'une revue de mathématiques. Mais à présent, elle devrait avoir fini.

Il recommença à faire les cent pas. Enfin, la porte s'ouvrit et Lydia sortit dans la rue, suivie d'une demi-douzaine d'hommes.

— C'est le professeur de mathématiques et de philosophie naturelle chargé du catalogue de la bibliothèque Hollis, à l'université de Harvard, grommela l'un d'eux.

— Cela ne veut pas dire qu'il a appliqué la méthode correctement, docteur Grant, répliqua Lydia en ajustant son chapeau pour se protéger du soleil. J'écrirai la lettre de rectification cette semaine et je la présenterai à notre prochaine réunion.

— Il ne va pas être content, maugréa Grant.

— Mieux vaut lui demander une révision que publier un article avec une erreur, renchérit un autre homme corpulent. Miss Kellaway a raison au sujet de l'application. Je suggère que nous la laissions régler cette affaire.

— Entendu, acquiesça un troisième homme. Nous avons aussi votre article à notre prochain ordre du jour, mademoiselle Kellaway. Si vous pouviez nous l'envoyer un peu avant la réunion, cela nous permettrait de le reprendre. C'est l'article sur l'équation Euler, n'est-ce pas ?

Lydia fit un signe d'assentiment et le petit groupe se lança dans une discussion sur Euler, un mathématicien suisse dont les recherches impliquaient nombre de calculs et de graphiques. Alexander attendit quelques minutes avant de tousser bruyamment.

Tous levèrent les yeux.

— Lord Northwood ? s'étonna Lydia.

— Votre grand-mère m'a indiqué où je pourrais vous trouver, mademoiselle Kellaway, répondit-il. Elle pensait que votre réunion était sur le point de se terminer.

— Eh bien, oui, nous venons tout juste de finir, confirma Lydia avec un geste en direction des hommes qui s'étaient rassemblés en demi-cercle derrière elle. Ce sont mes collègues du comité de rédaction.

S'écartant, elle entreprit de faire les présentations. Alexander salua les éminents mathématiciens, conscient de leurs regards soupçonneux.

— Que faites-vous ici, monsieur ? s'enquit-elle alors.

— Je vais surveiller les préparatifs de l'exposition à St Martin's Hall et j'ai pensé que vous aimeriez m'accompagner.

— L'exposition de la Société des Arts, monsieur ? demanda le docteur Grant en s'avançant. N'exposez-vous pas un certain nombre d'instruments mathématiques ? Lord Perry fait partie du comité de consultation, ajouta-t-il à l'intention de ses collègues, et il nous a dit que leur sélection est vraiment impressionnante. Et si nous allions tous vérifier la progression des installations ?

Les autres mathématiciens murmurèrent leur approbation. Alexander se rembrunit.

— Cela ne vous ennuie pas, monsieur ? demanda Lydia, une lueur amusée dans ses yeux bleus.

Se ressaisissant, il répondit :

— Eh bien… certainement. Messieurs, vos idées et vos opinions seront bienvenues, ajouta-t-il avec un hochement de tête à l'adresse des mathématiciens.

Le petit groupe soudain en effervescence, les docteurs Grant et Brown annoncèrent qu'ils monteraient dans la voiture d'Alexander avec Lydia, laissant leurs compagnons les suivre en fiacre.

Quand Alexander glissa sa main sous le coude de Lydia pour l'aider à monter dans sa voiture, il sentit le corps de la jeune femme se raidir, comme pétrifié.

— Mademoiselle Kellaway ?

Soudain livide, son ravissant visage reflétait une terreur flagrante. Il suivit son regard, de l'autre côté de la rue. Perplexe, il n'aperçut que le flot habituel des passants. Qu'est-ce qui avait bien pu provoquer une telle frayeur ?

— Lydia ! Tout va bien ? questionna-t-il.

Elle sursauta.

— Oui… je suis désolée. Je pensais avoir vu…

— Quoi ? Qui ? la pressa-t-il.

— Rien, répondit-elle en pressant une main contre son front. Nous… la salle de réunion était un peu étouffante, je crois que j'ai besoin d'air. Je vais bien maintenant, je vous remercie.

Se libérant de son emprise, elle monta dans la voiture, suivie de ses deux collègues. Alexander les rejoignit. La main sur sa gorge, le souffle saccadé, Lydia regardait par la fenêtre.

— Avez-vous une raison de vous inquiéter d'une déclaration de guerre, monsieur ? questionna le docteur Grant en scrutant Alexander à la lumière tamisée de l'intérieur de la voiture. Je crois savoir que votre mère était russe.

— En effet, docteur Grant. Mais non, je n'ai pas de raison de m'inquiéter.

Pendant le trajet, il ne quitta pas Lydia des yeux. Quand ils s'arrêtèrent devant St Martin's Hall, elle avait retrouvé ses couleurs, mais semblait toujours aussi troublée.

Une fois entrés dans le grand vestibule, Alexander resta à son côté. Les lieux résonnaient du vacarme des ordres criés, des marteaux des ouvriers qui montaient les stands, du grincement des caisses que l'on ouvrait.

— Qu'y a-t-il, que s'est-il passé ? chuchota-t-il en se penchant à son oreille.

Elle secoua la tête et serra les lèvres.

— Rien, je vous assure, monsieur. Je suis vraiment désolée. Sans doute un peu de lassitude. Maintenant, je vous en prie, expliquez-nous comment vous avez organisé votre exposition.

Respectant son désir, il n'insista pas. Mais il n'avait pas l'intention d'en rester là. Il fit faire aux mathématiciens une visite rapide de la plus grande partie de l'exposition qui contenait des objets d'éducation générale. Des papiers et des cahiers, des encriers, des alphabets gravés sur des panneaux, des tableaux noirs, des laboratoires chimiques portables, des estrades de salles de classe, des instruments de mathématiques et d'innombrables outils utilisés pour les cours. La longue galerie surplombait une section exposant des dizaines d'hémicycles, de tableaux et de mappemondes de poche.

Les subdivisions de l'exposition présentaient des prêts de pays étrangers, des modèles d'écoles suédoises et norvégiennes, des spécimens zoologiques pour enseigner l'histoire naturelle, des cartes, des catalogues de dessins, des modèles d'écriture pour les aveugles, et des instruments musicaux.

Même si Alexander avait espéré avoir Lydia pour lui tout seul cet après-midi-là, force lui était d'admettre que les réactions des mathématiciens comblaient ses attentes. Ils exprimèrent leur intérêt, leur admiration pour le contenu de l'exposition, et firent même plusieurs suggestions sur les moyens d'améliorer la présentation des objets.

— Comment avez-vous fait pour obtenir l'autorisation de faire venir tout cela ? demanda Lydia restée seule avec lui.

Ses collègues partis vers d'autres sections de l'exposition, elle regardait toute cette activité avec un soupçon d'étonnement. Alexander se rengorgea. S'il voulait que l'exposition impressionne la société londonienne, le gouvernement, le monde entier, à cet instant précis, l'admiration de cette femme se révélait plus importante que tout le reste.

— Tous les articles exposés ont été apportés hors taxe douanière, expliqua-t-il. Quand j'ai fait ma première demande pour l'exposition, j'ai supposé qu'elle ne serait pas très importante. Je savais que c'était une bonne idée mais je n'étais pas certain de la réaction des gens. Exposer des cahiers et des cartes ne suscite pas le même engouement qu'une exposition de sculptures antiques.

— Pourtant, les gens ont très bien réagi, intervint Lydia. Magnifiquement même. Vous devriez être fier, monsieur.

Il l'était. Non seulement de lui-même mais aussi de la Société, des membres qui l'avaient soutenu envers et contre tout, des gens qui avaient travaillé presque deux ans pour concrétiser l'idée.

— Seriez-vous d'accord si j'amenais Jane voir les préparatifs ? s'enquit Lydia. Je pense qu'elle apprécierait tout particulièrement les vitrines d'insectes.

— Bien sûr. Votre grand-mère aussi est la bienvenue.

— Elle sera ravie. Elle en a déjà un peu entendu parler. Votre réputation vous précède, monsieur.

Ses joues rosirent quand elle se rendit compte que son compliment pouvait être mal interprété.

— Pas toujours de manière positive, objecta Alexander en s'appuyant contre une vitrine. Qu'avez-vous entendu sur moi ? À part les rumeurs habituelles ?

— Que vous dirigez une affaire qui fait le commerce du coton et de la cire, je crois.

Il scruta son visage, remarqua la noirceur de ses cils contre ses hautes pommettes. Tout en examinant l'étalage des mappemondes de poche, elle reprit :

— Que vous avez été fiancé à la fille de lord Chilton mais qu'il a rompu vos fiançailles après le départ de votre mère.

Alexander attendit la question inévitable. Des lambeaux de chagrin et d'embarras remontèrent à la surface, mais ils étaient désormais trop lointains pour l'atteindre vraiment.

— Aimiez-vous votre fiancée ? murmura Lydia d'une voix égale.

Il croisa fermement les bras, l'air buté. Lydia ne le regardait pas. Mais il surprit l'imperceptible crispation de sa mâchoire alors qu'il laissait le silence s'éterniser au lieu de répondre par un non abrupt.

Elle posa une main sur une mappemonde et leva vers lui ses yeux bleus voilés par la méfiance.

— Je connaissais Miss Caroline Turner depuis des années quand je l'ai demandée en mariage, répondit-il. Elle était tout ce que je pensais désirer.

— Mais encore ?

— Élégante, charmante, la compagne parfaite pour un aristocrate. Aussi raffinée qu'un diamant. C'était aussi une belle personne, aimable, sans artifice. Le genre de femme dont on ne dit que du bien. Je savais qu'elle ferait une très bonne épouse.

Il marqua une pause, puis déclara d'une voix étranglée :

— Avant le scandale, oui, je l'aimais.

Jusqu'à cet instant, il ne pensait pas l'avoir jamais admis, même à lui-même. Pourtant, son seul souci était la réaction de Lydia.

Un très long moment, elle resta silencieuse, les extrémités de ses doigts posées sur la surface en verre du monde miniature.

— Vous avez dû tellement souffrir, finit-elle par dire, sa voix trahissant une émotion sincère.

Abasourdi par tant de détresse, il la regarda. Comment Lydia Kellaway pouvait-elle ressentir le chagrin de sa propre perte ? C'était la vérité, en rompant les fiançailles, lord Chilton avait meurtri son âme. Mais l'humiliation n'avait fait qu'approfondir ses autres blessures : le scandale de sa mère, la honte de son père, la disgrâce de sa famille.

— Il serait malhonnête de ma part de dire que j'ai été surpris, reprit-il. Je savais ce contre quoi j'allais devoir lutter en rentrant à Londres. J'avais d'autres projets auxquels je ne voulais pas renoncer mais j'y ai été contraint.

— Quels projets ?

— J'étais en Russie où je m'apprêtais à entreprendre un long voyage. Je le préparais depuis des années. La Sibérie, l'Oural, Vladivostok. J'avais demandé Miss Turner en mariage avant mon départ et nous étions d'accord pour nous marier à mon retour. Ce voyage était destiné à développer ma société.

Il serra les poings. Manifestement, il était toujours amer d'avoir dû renoncer à son périple.

— Et vous n'êtes jamais parti ?

— Je n'ai pas pu. Le scandale, le divorce… J'ai dû revenir et essayer de réparer les dégâts.

— Et Miss Turner ? s'enquit Lydia.

Alexander passa une main sur sa nuque raidie par la tension.

— Que voulez-vous savoir au juste ?

— Qu'arrivera-t-il si vous restaurez la réputation de votre famille ? Sera-t-elle d'accord pour reconsidérer son mariage avec vous ?

Si Lydia n'avait pas adopté un ton aussi grave, il n'aurait pu s'empêcher de rire. Il secoua la tête.

— Miss Turner a épousé le fils d'un vicomte, il y a plus d'un an. Elle lui a déjà donné une fille et ils semblent très heureux.

Le regard azur se fit plus perçant, la méfiance se dissipant.

— Est-ce que cela vous a déçu ?

— Mon Dieu ! non.

Il avait peut-être aimé cette femme à une époque mais, aujourd'hui, son inclination pour Miss Turner lui paraissait inconsidérée et peu judicieuse.

— Si ma famille n'avait pas été éclaboussée par les vagues du scandale, Miss Turner et moi aurions eu un bon mariage. Mais, étant donné la tournure qu'ont pris les événements… elle n'était pas assez forte pour supporter la laideur de la situation.

Se redressant, il s'approcha de Lydia, attiré par cette exquise odeur de papier qui n'appartenait qu'à elle.

— Et ce dernier mois m'a fait prendre conscience que je dois la plus grande gratitude à lord Chilton pour m'avoir empêché de me lier à sa fille.

Il s'arrêta devant elle et prit dans son cou une mèche de cheveux qu'il enroula autour de son index.

— Parce que si je l'avais été, poursuivit-il, le regard brûlant, il me serait impossible de faire ce que je suis en train de faire.

Les lèvres de Lydia s'entrouvrirent, comme si elle s'attendait à ce qu'il l'embrasse. Au lieu de cela, il effleura sa bouche de son pouce qui glissa sur ses lèvres douces. Les joues de la jeune femme s'empourprèrent, son haleine tiède chatouillant sa main.

Se rendant compte qu'ils pouvaient être surpris, il lutta contre son envie pressante de l'embrasser et recula d'un pas. Si elle était sa femme, ni lui ni la société n'auraient besoin de lui imposer une barrière l'empêchant de la toucher, de l'embrasser, de l'aim…

Allons ! Il devait se reprendre. Il était inutile de s'emballer.

— Nous ferions aussi bien de partir, dit-il. Le bâtiment va bientôt fermer.

Sa voix était rauque. Il s'éclaircit la gorge. Il avait dû prendre froid.

« Chère Jane,

Monosyllabe, oui. Vous êtes une jeune fille très intelligente.
Voici une nouvelle devinette :

Un mot d'une syllabe, facile et court.
Qui se lit dans les deux sens.
Il exprime les sentiments brûlants du cœur.
Et revendique surtout la beauté.

Franchement, j'arrive à la fin de mon répertoire de devinettes.
Aussi, je vais me voir obligé de vous procurer des défis plus compliqués. Peut-être pourrais-je vous envoyer des problèmes mathématiques pour tester vos compétences plus en profondeur.

Je vous souhaite bonne chance pour résoudre votre longue division. Votre grande sœur semble être un excellent professeur.

Recevez mes sincères salutations,

C. »

Absorbée par la devinette, Jane, accompagnée de Mrs Driscoll, était en route pour sa leçon de piano. *Un mot d'une syllabe.*

Elle jeta un coup d'œil de côté, surprenant un mouvement. Lord Rushton s'avançait dans une allée en direction d'une grande serre.

— Monsieur… monsieur le comte !

Elle lâcha la main de Mrs Driscoll et faillit courir pour rattraper le comte, le cœur battant de peur et d'excitation devant sa propre audace.

Il s'était retourné, l'air toujours aussi renfrogné. Lui arrivait-il de sourire ?

Non qu'elle se soit attendue à des démonstrations d'amitié de sa part.

— Je vous ai apporté quelque chose, annonça-t-elle en le regardant. Il s'agit d'un traité sur les insectes les plus nuisibles dans un jardin. Avec des images, et tout. Si vous pouvez les identifier, vous comprendrez comment en débarrasser votre jardin. Vous pouvez essayer toutes sortes de choses, l'eau de tabac ou de citron vert pour les pucerons, la fumigation, vous pouvez attraper les escargots et les limaces avec des pommes de terre crues… et il y a tout un chapitre sur les insectes qui ravagent les plantes de serre.

Elle s'interrompit pour reprendre souffle.

L'air toujours aussi bourru, le comte feuilleta le cahier.

— Pourquoi m'avez-vous apporté cela ?

— J'ai pensé que vous le trouveriez peut-être utile. Je vous ai dit que j'aimais étudier les insectes, mais vous avez peut-être oublié, ajouta-t-elle d'une voix stridente qui lui valut un regard noir. J'aime aussi les problèmes et les devinettes. J'en connais même une sur les insectes. Une partie d'arbre, si bien retournée, un insecte sera dévoilé.

— Que racontez-vous, petite ?

— C'est une devinette. Une partie d'arbre…

— Je vous ai entendue, grommela-t-il. Je trouve les devinettes stupides.

Soudain embarrassée, elle se sentit rougir.

— Euh… avez-vous pu réfléchir au problème de ma fougère, monsieur ?

— Oui. Pas assez d'humidité et peut-être trop de soleil.

— Je l'arrose tous les jours.

— Il faut la vaporiser. N'arrosez pas les racines tous les jours. Elles doivent sécher entre deux arrosages. Je garde votre fougère dans la serre. Venez la chercher après votre leçon.

— Très bien, monsieur. Merci.

Après un petit salut de la tête, elle pivota sur ses talons et se hâta le long du chemin où Miss Driscoll l'attendait.

— Mousse, appela le comte.

— Mousse ? répéta-t-elle en s'arrêtant.

— Mousse. La partie de l'arbre qui dévoile la mouche. C'est la réponse à votre devinette. Mousse donne mouche.

L'ombre d'un sourire flottait sur ses lèvres. Le comte sourirait presque !

— Sebastian me dit que votre sœur aussi aime les devinettes.

— Oh oui, monsieur. Mais celles de Lydia sont plus difficiles que les miennes. Elles ont des nombres, des additions…

Se rengorgeant, elle ajouta :

— Ma sœur est brillante, monsieur le comte. Il n'existe pas un problème au monde qu'elle ne puisse résoudre.

— Vraiment, mademoiselle Jane ? demanda-t-il, un peu sceptique. C'est ce que nous verrons…

Chapitre 11

Il était là. Il désignait le perron. Lydia agrippa le lourd rideau, essayant de se rappeler si sa grand-mère était sortie. Oui. Elle avait emmené Jane à l'une de ses ventes de charité, avec Mrs Keene.

En proie à un mélange de peur et d'impatience, elle se hâta dans l'escalier jusqu'à la porte d'entrée. Avant qu'il ait eu le temps de sonner, elle l'ouvrit.

— Lord Northwood.

Il fronça les sourcils. Il avait l'air épuisé. Des cernes noirs marquaient ses yeux, son menton était couvert d'une barbe dure et ses vêtements horriblement froissés, comme s'il portait la même tenue depuis deux jours. Sans le connaître, elle aurait pu le prendre pour son frère, Sebastian Hall, au lieu de l'impeccable lord Northwood.

Mais bien sûr, elle savait que c'était lui. Elle le savait à la manière dont sa peau s'embrasait, dont son cœur battait comme un métronome. À la manière dont il laissait son regard glisser sur elle comme un homme affamé regarde un muffin chaud et moelleux. À la manière dont tout son être était inondé de quelque chose qui ressemblait à de la joie.

Elle ébaucha un sourire. Ce qui était ridicule, elle le savait aussi. Cet homme ne lui avait apporté que des ennuis. Pourtant, elle était devant lui, incapable de nier le pur bonheur qu'elle ressentait à sa vue. Cela n'avait aucun sens mais la vie s'était chargée de lui apprendre que les émotions n'avaient pas beaucoup de sens.

Elle n'arrivait pas à cesser de sourire, ce qui ne faisait qu'accroître l'air renfrogné de lord Northwood.

— Qu'y a-t-il de si drôle ? maugréa-t-il.

— Je ne ris pas, répondit-elle en s'effaçant devant lui. Entrez, je vous en prie. J'ai l'impression qu'une bonne tasse de thé vous ferait du bien. Ou peut-être un whisky ou un cognac ? Nous avons…

— Rien, merci.

Lydia referma la porte du salon derrière eux, le regardant avec curiosité alors qu'il glissait la main dans son pardessus pour en retirer plusieurs feuilles de papier tachées et froissées. Il les lui tendit.

— Votre satané problème, mademoiselle Kellaway.

Elle haussa un sourcil étonné.

— Vous l'avez résolu ?

— Je n'en ai pas la moindre idée.

— Je ne comprends pas, dit Lydia en prenant les feuilles et en les lissant.

Sa question originale était si surchargée qu'elle était à peine reconnaissable, les autres pages remplies de nombres, de lettres gribouillés et d'innombrables ratures. De gros traits noirs barraient plusieurs des équations.

Northwood croisa les bras, son expression crispée.

— Je pense avoir la solution mais je ne peux en être certain.

Sachant à quel point il lui en coûtait d'admettre ses doutes sur ses propres compétences, elle le dévisagea et caressa les pages, imaginant qu'elles contenaient encore la chaleur de son contact, l'intensité de ses pensées. Elle reprit :

— Je… il me faudra un peu de temps pour analyser votre…

Il désigna un petit secrétaire près de la fenêtre.

— Faites-le tout de suite.

— Pardon ?

— Asseyez-vous, mademoiselle Kellaway, et dites-moi si je me suis trompé.

— Tout de suite ? répéta-t-elle d'un ton taquin qui ne fit qu'intensifier son expression contrariée.

— Oui. Vous m'avez fixé une échéance pour ce soir. J'ai l'intention de savoir qui a gagné ce pari avant.

— Très bien.

Lydia s'assit et étala les pages sur le secrétaire. Aux picotements qui parcouraient sa nuque, elle devina qu'il venait de se placer derrière elle.

Elle prit un crayon et se mit à examiner sa solution.

— Voilà la page suivante, dit-il en se penchant par-dessus son épaule pour feuilleter la liasse. C'est le problème, n'est-ce pas ? Mon équation cubique est fausse.

Quand il se releva, il la frôla de son bras. Elle réprima un frisson.

— Non, cette partie est correcte, répondit-elle en se concentrant sur la tâche. Mais vous n'aviez pas besoin de calculer a, b et c pour déterminer la somme de leurs puissances quatrièmes. Ce sont les racines de *x^3 moins $6x^2$ plus 14x moins C égale 0.*

Elle sortit une feuille blanche du tiroir et écrivit plusieurs équations, égales à zéro.

— Et il aurait été plus simple de trouver d'abord le terme constant P. Comme ceci.

Elle écrivit quelques équations supplémentaires donnant les racines des nombres.

— Ainsi, vous pouvez identifier a, b, c comme racines de ceci.

Elle écrivit $x^3 - rx^2 + ½(r^2 - s)x + [½r(3s - r^2) - t]/3 = 0$ et tapota le papier de son crayon.

Elle lui montra son calcul. Les yeux d'Alexander lancèrent des éclairs. Il était furieux contre lui-même.

— Ce n'est pas ce que j'ai fait.

— Je le vois bien. Heureusement, il y a souvent plus d'une manière de résoudre un problème.

Lydia suivit d'un doigt les gribouillis et les ratures qui constituaient son travail. Quand elle arriva à la dernière page, un cercle noir entourait la solution qu'il avait trouvée. Elle regarda le nombre zéro avec un étrange mélange de désarroi et d'allégresse.

S'appliquant à prendre un air impassible, elle se tourna vers lui. Debout derrière elle, les mains sur les hanches, il arborait une expression toujours aussi renfrognée à la vue de son brouillon.

— Eh bien ! Vous avez trouvé, dit-elle.

Il la regarda, l'air abasourdi.

— Pardon ?

— Vous avez résolu le problème, répéta Lydia en tapotant de nouveau la page de son crayon. La somme des puissances quatrièmes des nombres est égale à zéro.

— Vraiment ?

La surprise le faisait cligner des yeux.

— Oui.

— Vous êtes sûre ?

— Absolument. Félicitations.

Il secoua la tête et battit des mains pour célébrer sa victoire.

— Incroyable ! s'exclama-t-il, le visage illuminé par un sourire jusqu'aux oreilles. Vous ne vous moquez pas de moi, n'est-ce pas ?

— Bien sûr que non, répondit Lydia sans pouvoir s'empêcher de sourire, oubliant sa déception d'avoir perdu le médaillon.

Elle était fière de lui.

Northwood se mit à rire, sa satisfaction bien méritée dissipant sa fatigue. Il passa ses mains sur son visage et dans ses cheveux en bataille.

— Et vous avez inventé ce problème ? Seigneur ! Quel esprit affûté vous avez. Même si j'admets avoir cru par moments que vous m'aviez donné un problème insoluble.

— Jamais je n'aurais fait une chose pareille.

Lydia rassembla ses feuillets et les glissa dans le tiroir de son bureau. Au fond de son cœur, elle savait qu'elle les chérirait toujours.

— Je joue franc jeu, lord Northwood.

— Non seulement vous jouez franc jeu mais en plus vous jouez bien.

Elle ferma le tiroir, se leva et se tourna vers lui. Soudain pleine d'appréhension, elle se souvint, qu'encore une fois, elle avait envers lui une dette indéterminée.

Il la regarda, épiant les expressions qui défilaient sur son visage, essayant de les décrypter. Elle crispa la main sur le dossier de sa chaise.

Sous son regard insistant, elle avait l'impression d'être jaugée.

— Il est très rare pour une femme de faire des études supérieures en mathématiques, finit-il par déclarer.

— C'est exact.

— Alors pourquoi vous ?

Un nuage sombre remontant de son subconscient menaça de l'envahir. Elle le refoula, refusant qu'il vienne entacher son plaisir de la victoire de Northwood, son admiration pour ses capacités.

— Ma grand-mère, confessa-t-elle, en frottant une fêlure dans le bois, elle était… Je vous ai dit que ma mère était tombée très malade quand j'étais petite. Mais déjà, à l'époque, j'étais fascinée par les chiffres. Ma grand-mère a reconnu mon aptitude et a convaincu mon père d'engager un professeur de mathématiques, Mr Sully. Il m'a donné des cours pendant environ quatre ans, et il m'a tout appris, de l'algèbre à la géométrie en passant par les calculs de base. Puis quand l'état de ma mère s'est dégradé, mon père m'a envoyée en pension pour m'éviter d'être confrontée à sa raison déclinante.

— Avez-vous été obligée d'abandonner les mathématiques, en pension ?

— Au contraire. Cela ne faisait pas partie du cursus des filles. Mais encore une fois, ma grand-mère a insisté pour que la directrice recrute un professeur spécialement pour moi. Cette fois, il s'appelait Mr Radbourne. Il n'était pas aussi aimable que Mr Sully, mais il était brillant. Aucun d'entre eux ne m'a considérée comme une abomination – ils m'ont toujours traitée comme n'importe lequel de leurs élèves. Sans eux, sans ma grand-mère et mon père, je n'aurais jamais cherché à explorer mes capacités intellectuelles.

— Après la pension, vous avez continué avec des professeurs ?

La poitrine soudain opprimée, elle se perdit dans la contemplation des motifs alambiqués du tapis fané.

— En fait, je suis allée en Allemagne quand j'avais quinze ans. Mr Radbourne connaissait un mathématicien à l'université de Leipzig. J'ai commencé par passer plusieurs examens pour prouver ma compétence et il a accepté d'être mon professeur.

— Et votre père vous a autorisée à partir ?

— Il a montré quelque réticence, à cause de la distance, reconnut-elle.

Elle pressa une main sur son cœur qui vibrait sous sa robe.

— Mais quand ma grand-mère a insisté en soulignant le fait qu'une telle occasion ne se représenterait jamais, il a donné son accord. Elle ne m'a pas quittée avant d'avoir trouvé le chaperon adéquat.

— Votre grand-mère savait que vous possédiez un esprit exceptionnel ?

— Oui, acquiesça-t-elle, sentant soudain les larmes lui brûler les paupières, la prenant tellement au dépourvu qu'elle fut obligée de se détourner. Tout comme mon père, elle le savait. Toute mon enfance, ma grand-mère a été ma meilleure alliée. Et mon père n'a jamais essayé d'étouffer mes capacités.

Le silence se fit. Elle devina que, malgré son calme apparent, Northwood sentait que quelque chose n'allait pas. Elle pressa ses doigts contre ses paupières, refoulant ses larmes, essayant de ne pas se laisser envahir par le spectre du souvenir.

— Que s'est-il passé ? demanda-t-il d'une voix sourde.

Elle secoua la tête. Même à lui, elle ne pourrait jamais l'avouer. Jamais !

— Lydia…

Bonté divine ! il s'était rapproché. Le timbre délicieux de sa voix grave prononçant son nom répandit en elle une vague de plaisir. Il était juste derrière elle. Si elle reculait d'un pas, elle se heurterait à son torse vigoureux. Ses doigts se recroquevillèrent dans ses paumes tandis qu'elle luttait contre l'envie de le faire.

Ses mains se posèrent sur ses épaules, fermes et solides. Son corps se raidissant à leur contact, elle sentit son souffle se faire plus court.

— Quelle sera-t-elle, monsieur ? demanda-t-elle en conjurant la force de reculer et en se tournant pour le regarder.

— De quoi parlez-vous ?

— De ma dette. Vous avez résolu le problème. Maintenant, je vous dois de nouveau quelque chose.

L'air irrité, il répliqua :

— Je ne vous ferai pas payer de dette.

— J'insiste pour que vous le fassiez.

Un juron lui échappa et il plongea la main dans sa poche. Le médaillon au creux de sa paume, il le dévisagea longuement.

— J'aimerais simplement que vous le repreniez.

— Je sais, mais comme vous, j'ai ma fierté.

Elle suivit son regard. Dans sa grande main, le médaillon paraissait petit, la chaîne délicate. Elle voulait récupérer ce collier à tout prix. Et pourtant, si elle acceptait son offre, elle n'aurait plus d'excuse pour essayer de le voir. Elle n'aurait plus de raison de le revoir.

À cette simple pensée, une angoisse d'une violence qu'elle n'avait jamais éprouvée lui étreignit le cœur.

Northwood rangea le collier dans sa poche et se mit à faire les cent pas dans la pièce.

— Très bien. Alors, voici la dette. Fin juin, vous donnerez une conférence à St Martin's Hall sur le sujet de l'enseignement des mathématiques.

Abasourdie, Lydia le regarda comme s'il lui avait demandé de s'envoler pour la lune.

— Je vous demande pardon ?

— Je suis à la tête du sous-comité chargé des conférences qui accompagnent l'exposition éducative. Les conférences porteront sur les théories éducatives et la pratique. J'ai déjà la confirmation de plusieurs orateurs qui parleront des modèles éducatifs comme l'utilisation du microscope dans les écoles, la musique, l'éducation et les pauvres, les sciences économiques et botaniques.

Northwood s'arrêta de marcher et la regarda.

— Je veux que vous donniez une conférence sur l'enseignement des mathématiques dans les écoles.

— Je… je ne… vous voulez dire que les femmes vont donner des conférences ?

— Non. Du moins, cela n'a été demandé à aucune femme. Jusqu'à maintenant.

— Pourquoi moi ?

— Vous êtes la mieux à même de vous exprimer sur ce sujet.

Lydia serra le crayon qu'elle tenait toujours. Une ombre obscurcit le plaisir fugace que lui procura le compliment de Northwood.

— Je suis désolée. Je ne peux pas.

— Pourquoi pas ? demanda-t-il, surpris. D'éminents universitaires du monde entier assisteront à ces conférences.

— Je ne veux pas de ce public. Je n'ai pas donné de conférence depuis des mois. Je publie mes articles de façon irrégulière. Je consulte avec une sélection de collègues qui gardent notre collaboration secrète. Ce sont eux qui m'ont invitée à faire partie du comité de rédaction du journal. Il s'agit du premier poste professionnel que j'ai accepté.

— Pourquoi l'avez-vous accepté, dans ce cas ?

— Parce que seuls quelques mathématiciens que je considère comme des amis assistent aux réunions. Je ne prends jamais part à de grands colloques, pas plus que je ne corresponds avec des universitaires du continent.

— Mais pour quelle raison, enfin ? s'impatienta-t-il.

La véhémence de son ton la fit sursauter. Sa main serra son crayon à le briser, son cœur battant la chamade, alors qu'elle cherchait péniblement un moyen de s'expliquer.

— Être une mathématicienne, une universitaire, ce n'est pas bien pour une femme, finit-elle par dire. Vous le savez. Et si mon père et ma grand-mère ont encouragé mon éducation quand j'étais plus jeune, il est vite devenu évident que les gens me considéraient comme un phénomène, une personne à éviter, sur laquelle circulaient toutes sortes de rumeurs inquiétantes. Cette réputation faisait du tort à ma famille, surtout après les ragots concernant ma mère. Pensant avant tout à Jane, nous avons décidé d'un commun accord que le mieux serait de poursuivre mes études de manière plus anonyme.

Northwood resta silencieux un moment. Les traits durs, l'expression impassible, ses yeux sombres brillaient d'un étrange éclat, comme la surface d'un lac agitée par une violente tempête.

— C'est de la pure folie, finit-il par dire. Un esprit comme le vôtre, de…

— Non, l'interrompit Lydia en levant une main. S'il vous plaît, n'essayez pas de me convaincre d'agir autrement. C'est peine perdue.

Son regard se fit plus orageux, virant au noir de l'ébène. Pourtant, elle fut surprise de constater qu'il n'insistait pas. Bras croisés, il se contenta de hocher la tête.

— Très bien dans ce cas, dit-il, la voix chargée de tension. Mon père, Talia et moi irons passer la fin de la semaine dans notre propriété du Devon. Je n'y suis pas allé depuis un temps fou. Castleford aussi est invité. Sebastian vient parce qu'il n'a rien de mieux à faire. Vous nous accompagnerez.

— Pourquoi ?

— Parce que je serai heureux de profiter de votre compagnie. Je vous enverrai une voiture pour vous conduire à la gare jeudi après-midi.

Sur ces mots, il se dirigea vers la porte à grands pas.

— Lord Northwood !

Il s'arrêta. Le cœur battant, Lydia répéta :

— Vous serez heureux de profiter de ma compagnie ?

Une lueur amusée dans le regard, il répondit :

— Est-ce si difficile à croire ?

— Eh bien non, mais je… je ne pense vraiment pas…

Il revint vers elle et demanda, une pointe espiègle dans la voix :

— Vous avez l'intention de manquer à votre dette ? Vous, une dame si fière aux yeux de laquelle le sens de l'honneur compte plus que tout ?

Se drapant dans sa dignité, Lydia répondit :

— J'ai dit que je souhaitais que la dette reste raisonnable.

— Partir quelques jours en villégiature n'a rien de déraisonnable. Floreston Manor est un endroit agréable.

— Je n'en doute pas une seconde. Je pense simplement qu'il vaudrait mieux pour nous nous en tenir à notre relation d'affaires.

— Êtes-vous en train d'insinuer que mon invitation pourrait déboucher sur autre chose ? demanda-t-il d'une voix sourde.

Il s'avança encore, assez près pour qu'elle puisse déceler les paillettes d'or dans ses prunelles noires, qu'elle sente l'orage qui grondait en lui.

Elle déglutit.

— Je… je préférerais ne pas créer une illusion d'inconvenance.

— Très bien, dans ce cas. Nous nous dispenserons de l'illusion et nous limiterons à l'inconvenance.

Elle lui jeta un regard surpris mais, sans lui laisser le temps de prononcer un autre mot, il fit un pas vers elle. Sa main glissa derrière sa nuque et il s'empara de sa bouche qu'il dévora en un baiser aussi délicieux qu'une pomme. Elle plaqua ses paumes sur son torse, ne sachant plus si elle devait le repousser ou l'attirer contre elle.

Une chaleur diffuse l'envahit. Ses lèvres embrassaient les siennes avec insistance, attisant le désir qu'elle refoulait depuis si longtemps. Ses doigts caressaient sa nuque, s'entremêlant dans ses cheveux. Il posa son autre main sur la chute de ses reins, plaquant son corps plus près du sien.

Elle ferma les yeux. Des arcs-en-ciel d'or et de pourpre dansaient derrière ses paupières, des flammes se répandaient dans ses veines.

Vivante ! Seigneur ! Au creux de ses bras, sous sa bouche avide, elle se sentait incroyablement vivante.

Chaque battement de son cœur résonnait dans sa tête et une sensation délicieuse, diffuse, envahit tout son corps. Ses doigts glissaient sur son torse puissant, tremblant au contact de ses muscles durs sous sa chemise. Il était tendu, elle sentait chaque fibre de son corps la réclamer, sa langue effleurant sa lèvre inférieure en une caresse possessive qui la faisait vibrer de l'urgence de le sentir en elle.

Ses lèvres s'entrouvrirent sous les siennes. Avec un gémissement de satisfaction, il insinua sa langue entre ses lèvres, un grognement sourd lui échappant quand il entendit la jeune femme gémir d'aise. Elle lui rendit son baiser sans réserve. Leurs souffles se mêlèrent. Le souvenir de leur dernière rencontre, quand elle avait poussé l'audace à prendre son sexe lourd dans sa main, s'imposa à elle. Elle étouffa un petit cri et sa main descendit le long de son torse pour se poser sur son pénis en érection.

Il étouffa un juron, son corps se raidissant de volupté. Avec un sentiment de triomphe, Lydia le caressa, son cœur battant à tout rompre, au gré du ballet langoureux de leurs deux langues qui se cherchaient. Elle perçut son souffle court, sentit ses doigts se resserrer sur sa nuque moite.

Puis, dans un geste qui paraissait étrangement contradictoire avec la passion qui les embrasait, il abandonna sa bouche et déposa un baiser sur sa joue.

Quelque chose se brisa en Lydia, comme une coquille d'œuf fragile. Des souvenirs indésirables, douloureux, refirent brutalement surface, embrumant l'intensité de son plaisir. Elle baissa les paupières comme pour lutter contre le voile noir de la tristesse, déçue que ce feu d'artifices de sensations divines lui ait échappé.

Alors, elle sut. Elle sut que si elle devait laisser sa vraie nature reprendre le dessus, si elle devait accepter cette partie d'elle qu'elle prenait tant de soin à réprimer, ce serait avec Alexander Hall. Aucun autre homme ne pourrait jamais lui donner l'envie – le besoin – de s'exposer à un risque aussi dangereux qu'exaltant.

Collant ses lèvres à son oreille, des mèches échappées de sa longue chevelure glissant sur ses joues, elle chuchota, d'une voix rauque de désir :

— Je veux vous voir.

— Juste ciel ! Lydia.

Elle resserra son emprise sur son sexe tendu. Étouffant un soupir, Northwood se plaqua contre elle, plongeant sa tête dans la masse de ses cheveux. Elle sentit son sang rouler dans ses veines en un torrent furieux.

— Je ne vais pas tenir, siffla-t-il dans son oreille, sa voix crispée.

— C'est ce que je veux, répliqua-t-elle dans un souffle.

Elle recula, sa peau incandescente, son corps submergé d'un besoin si violent qu'elle craignait de ne jamais pouvoir l'assouvir.

Elle se plaqua contre son érection en ondulant des hanches et glissa une jambe entre ses cuisses.

— Mais je veux plus encore, dit-elle d'une voix haletante, je veux plus. Northwood, s'il vous plaît...

Avec un râle résigné, il prit ses jupes à pleines mains, dévoilant ses longues jambes fuselées, sa culotte de coton. Elle leva les yeux vers lui et se perdit dans son regard de braise. Il se figea, le souffle saccadé. Prenant sa main, elle la glissa entre ses jambes, dans la fente de sa culotte.

Bon sang ! Il s'était laissé aller à un simple baiser et voilà qu'un désir vorace, insatiable, s'était logé dans son bas-ventre. Elle voulait de tout son être sentir ce sexe gorgé de sève entre ses cuisses, agripper ces puissantes épaules, nouer ses jambes autour de cette taille.

— Attendez ! Je vous en prie, attendez ! supplia-t-elle.

Mordillant sa lèvre inférieure de frustration, elle baissa les yeux, se débattant pour ouvrir son pantalon de ses doigts tremblants. Sans l'aider, il la dévisagea.

— Northwood, je ne peux pas… je tremble… voilà…

Avec un petit rire triomphant, elle sentit les boutons céder. En un geste hâtif, elle fit glisser son pantalon sur ses hanches et, embrasée par le désir, planta son regard dans ses prunelles de jais.

Frémissante, elle referma sa paume autour de son sexe. Au contact de son érection, elle sentit son cœur faire un bond dans sa poitrine.

— Serrez ! lui intima-t-il en enroulant ses doigts autour des siens. Comme ça, Lydia, comme ça.

Avec une poussée de hanches, il glissa de nouveau la main dans la fente de sa culotte, écartant le tissu pour accéder à sa moiteur. Quand elle sentit ses doigts la caresser, elle étouffa un gémissement, son dos se raidissant contre le mur et ondula fiévreusement à sa rencontre.

Se penchant à son oreille, il lui murmura des paroles apaisantes, sans cesser de la caresser. Elle le caressait simultanément, laissant son pouce glisser sur toute la longueur de son membre raidi.

Le peu de pudeur qui lui restait s'évapora avec son besoin de lui faire perdre contrôle. Son corps se raidit à mesure que la pression montait, montait, pour jaillir en lui, son long râle se répercutant contre sa bouche. Elle relâcha son emprise sur lui alors que son propre orgasme la submergeait, ses jambes s'écartant, ses cuisses frémissant.

Tout en cajolant son clitoris de son pouce, il glissa un doigt en elle. Retenant un gémissement, elle le serra contre elle de toutes ses forces. Elle aspira une longue bouffée d'air et les spasmes d'un plaisir infini déferlèrent en elle, montant de son entrejambe pour se propager en longs frissons délicieux. Pantelante, elle noua les bras autour de son cou.

Vacillant sous la violence du plaisir, Northwood se retint au mur d'une main pour les empêcher de tomber. La peau embrasée, sa chair palpitante, elle nicha sa tête contre sa poitrine. Un long moment, il la tint contre lui, avant de rabaisser ses jupes. Sans la quitter du regard, il ajusta ses propres vêtements.

Lydia leva la tête. Un étrange éclat illuminait son regard grave, quelque chose à mi-chemin entre la surprise et le désir. Elle sentit son visage s'empourprer, mais elle n'éprouvait pas la moindre parcelle de regret. Comment aurait-elle pu regretter une telle félicité ? Une telle évidence ?

Il continua à la regarder. Puis il prit son menton au creux de sa paume et, de son pouce, frôla sa lèvre inférieure.

— Vous..., commença-t-il d'une voix étranglée.

Il déglutit, ses doigts se posant sur son pouls affolé sous la peau de son cou. Au bout d'un moment, il les retira, se détourna, avec une expression désorientée qui ne lui ressemblait pas.

Lydia s'adossa au mur et pressa ses mains contre ses joues en feu, dans l'espoir de voir les battements de son cœur s'apaiser. Son sang était toujours en fusion, le creux de ses cuisses brûlant.

Le silence s'éternisait entre eux. Puis le bruit de sabots de chevaux et de roues de voiture leur arriva de l'extérieur.

Lydia repoussa de fines mèches de cheveux de son visage et alla chercher le travail de Northwood dans le tiroir du secrétaire. Serrant les pages sur sa poitrine, elle le précéda dans le vestibule au moment où la porte s'ouvrait.

— Ah, Lydia ! Je suis contente que tu sois à la maison.

La mort dans l'âme, elle vit sa grand-mère entrer, suivie d'une femme blonde, aux traits fins et aux pommettes saillantes sous un chapeau à la dernière mode.

L'étoffe humide de sa culotte adhérait à ses cuisses. Elle sentait l'odeur âcre de Northwood sur son corps. Elle le regarda. Il paraissait parfaitement serein, seuls quelques plis sur sa chemise témoignaient de leurs ébats.

Sophie s'empressa de débarrasser les arrivantes de leurs manteaux.

— Bonjour, lord Northwood, le salua Mrs Boyd. Lydia, je te présente lady Montague. Elle vient d'arriver de Paris hier pour une visite. Madame, je vous présente ma petite-fille, Miss Lydia Kellaway, et le vicomte Northwood.

— Enchantée, mademoiselle Kellaway. Lord Northwood.

S'avançant vers la visiteuse, il lui baisa la main.

— Oui… oui. Moi aussi, lady Montague.

Lydia tressaillit. Seigneur ! Et si sa grand-mère et son amie étaient rentrées un quart d'heure plus tôt ? Elle réprima son envie de rire.

— Jane est restée à l'église avec Mrs Keene mais lady Montague a eu l'amabilité de venir te rencontrer, lui expliqua sa grand-mère. Tu seras bien aimable d'aller prévenir Mrs Driscoll de notre présence, puis tu te joindras à nous pour le thé.

Elle s'interrompit et lui lança un regard surpris.

— Qu'y a-t-il de si amusant ?

Lydia serra les lèvres pour réprimer un éclat de rire.

— Rien, je…

Mais déjà sa grand-mère s'était tournée vers Alexander.

— Bien sûr, monsieur, si vous souhaitez vous joindre à nous, vous êtes le bienvenu.

— J'étais sur le point de partir, madame Boyd, déclara-t-il. Miss Kellaway et moi avions diverses questions financières dont nous souhaitions nous entretenir. Et j'espérais l'inviter à venir passer le week-end prochain dans la propriété de mon père.

— Oh, fit Mrs Boyd en lançant un coup d'œil à Lydia.

Le regard de sa grand-mère brûlait d'en apprendre davantage. Lydia savait très bien que l'invitation en soi ne l'intéressait pas. Ce qui intéressait Mrs Boyd, c'était de savoir la raison pour laquelle elle avait été invitée.

— Vous me feriez plaisir en vous joignant à nous, madame Boyd, ajouta-t-il. Jane aussi.

— Oh ! merci, monsieur. C'est si généreux à vous. Toutefois, je dois décliner votre aimable invitation. Jane va commencer des leçons de danse et j'ai diverses ventes de charité auxquelles je dois moi-même assister. Mais Lydia se fera une joie d'accepter, n'est-ce pas, ma chérie ?

— Une joie.

— Une joie, répéta Mrs Boyd avec un sourire rayonnant. Merci, lord Northwood. Nous vous en sommes très reconnaissantes. Vous devez savoir que Mrs Keene parle en termes très élogieux de vous et du magnifique travail que vous accomplissez.

— En effet ! acquiesça Lydia, le regard pétillant. Lord Northwood est très généreux de ses talents. Et ils sont, indubitablement, multiples.

Northwood éclata de rire.

Chapitre 12

« Chère Jane,

Voici une autre excellente devinette. Je travaille toujours à ma réponse. J'ignorais que les vers avaient la capacité de remplacer les segments manquants à leurs corps. Quelle caractéristique étrange, même si elle est vraiment pratique. Voici un problème pour vous, puisqu'il semble que votre habileté dépasse la complexité de mes propres devinettes :

Il s'agit de trouver un nombre impair de trois chiffres différents dont la somme des chiffres est 15. La différence entre les deux premiers chiffres est égale à la différence entre les deux derniers. Le chiffre des centaines est plus grand que la somme des chiffres des dizaines et des unités.

Peut-être pourriez-vous demander à votre sœur de vous aider. Si nécessaire, bien sûr.

Recevez mes sincères salutations.

C. »

En entendant la porte s'ouvrir, Jane glissa la lettre entre les pages des partitions de musique et se tourna pour saluer Mr Hall. À sa surprise, ce fut lord Northwood qu'elle vit entrer dans l'élégant salon.

— Monsieur, le salua-t-elle en se levant de la banquette du piano pour lui faire une petite révérence. J'attends Mr Hall. Mrs Driscoll vient de sortir prendre son thé.

Lord Northwood lui sourit.

— Bonjour Jane, dit-il en fermant la porte et en s'approchant.

Il s'arrêta à côté d'elle et laissa ses doigts courir sur les touches d'une blancheur immaculée. Un fa dièse résonna.

— Sebastian l'a fait confectionner spécialement en Allemagne, reprit-il. Il a coûté une fortune. Le fabricant de pianos a effectué la livraison en personne pour s'assurer qu'il arriverait intact et bien accordé.

— Nous avons juste… nous avons un petit piano droit à la maison, expliqua Jane. Je pense que ma mère était musicienne. Mais plus personne n'en joue depuis sa mort, à part moi quelquefois, pour travailler. Récemment, nous l'avons fait accorder.

— Vous aimez les leçons de piano ? s'enquit-il.

Jane hésita, ses joues s'empourprant encore. Elle aimait beaucoup lord Northwood, mais elle n'avait pas envie de lui mentir. D'un autre côté, elle ne voulait pas donner l'impression de ne pas apprécier les cours de Mr Hall.

— J'aime bien Mr Hall, finit-elle par dire. C'est un bon professeur. Et il est gentil. Mais je ne pense pas être très douée pour la musique.

Il continua à la dévisager, ses doigts jouant distraitement sur les touches. Elle regarda ses mains.

— Et vous, jouez-vous, monsieur ?

Il esquissa un sourire.

— Non. Je sais que je n'ai pas de talent pour la musique, même si je n'oublie jamais un air.

Il s'assit, pliant les doigts pour parodier les exercices que faisait son frère avant de jouer. Avec un rire, Jane s'approcha du piano. Lord Northwood commença à jouer une version hésitante de *Greensleeves*. Puis il se retourna avec une grimace.

— C'est tout ce dont je me souviens, avoua-t-il. J'ai pris des leçons quelque temps, quand j'étais enfant, mais j'ai l'impression que mon frère a été le seul à hériter des gènes musicaux de la famille. J'ai toujours pensé que c'était injuste.

Jane sourit de nouveau. Sans pouvoir se l'expliquer, un étrange sentiment de soulagement la gagna.

— N'est-ce pas étrange, monsieur ? Que certains soient si naturellement doués pour quelque chose qui n'est pas si facile pour les autres ?

— Très étrange, en effet. Mais vous avez votre connaissance encyclopédique des insectes.

— Ce n'est pas exactement un talent toutefois. N'importe qui peut apprendre sur les insectes. Mais tout le monde ne peut pas jouer du piano comme Mr Hall. Ou résoudre des problèmes d'algèbre comme le fait Lydia. Tout le monde n'a pas en soi quelque chose à offrir.

— Tout le monde a quelque chose à offrir, mademoiselle Jane, répliqua-t-il.

— Pas moi.

Elle grimaça, soudain inquiète d'avoir l'air de se plaindre, alors qu'elle ne faisait qu'énoncer un fait. Mais lord Northwood se contenta de lui lancer un regard affable.

— Pourquoi dites-vous cela ?

— Je n'ai aucun don, comme Mr Hall ou Lydia. Ou comme mon père. Il avait un tel instinct pour ses traductions. Peu de gens possédaient sa dextérité.

— Un jour, vous approfondirez peut-être votre étude des insectes. Écrirez des livres. Donnerez des conférences. Ferez une découverte qui bouleversera le monde de l'entomologie.

Jane n'avait jamais réfléchi à cela. Un frisson d'excitation la parcourut à l'idée de découvrir quelque chose que personne au monde ne connaissait. Et à l'idée que lord Northwood l'en croyait capable. Avec un sourire ironique, elle riposta néanmoins :

— Croyez-moi, il n'est pas facile de faire des découvertes quand on apprend à danser et à tenir correctement sa fourchette. Les deux sont difficilement compatibles.

Lord Northwood se mit à rire. Il avait un rire merveilleux, profond et sonore, qui plissait son visage, faisait pétiller ses yeux.

Ils furent interrompus par l'arrivée de Mr Hall.

— Alexander ! Tu as enfin consenti à ce que, pour une fois, ce soit moi qui t'enseigne une ou deux choses, plaisanta-t-il.

Lord Northwood adressa un clin d'œil complice à Jane. Son air espiègle la fit sourire.

— Pas du tout, Bastian, rétorqua-t-il en se levant. Tu as une charmante jeune fille à qui enseigner l'art du piano. Fais attention à ne pas la faire périr d'ennui.

Il prit un pardessus jeté sur un dossier de fauteuil. Alors qu'il le secouait pour le défroisser, un bruit sourd retentit sur le tapis et un éclat de métal scintilla.

Jane se pencha en même temps que le vicomte. Il la devança et le ramassa. Mais elle avait eu le temps de reconnaître le dragon gravé sur le bijou d'argent.

Elle se redressa, en proie à la plus grande confusion. Les deux frères échangèrent des regards. L'air gêné, Mr Hall toussota.

Jane se frotta la tête, l'atmosphère subitement tendue ajoutant à son étonnement. Elle savait que le médaillon, unique en son genre, avait appartenu à sa mère, qu'il avait été le cadeau de mariage de son père. Après la mort de Theodora Kellaway, le bijou avait été rangé dans un coffret avec d'autres bijoux. D'après ce qu'elle savait, il n'en était pas sorti depuis des années.

Alors que diable faisait-il dans la poche de lord Northwood ? C'était ahurissant.

Le vicomte s'approcha d'elle et tendit la main. Reposant au creux de sa grande paume, le médaillon semblait tout petit, délicat.

Elle le prit et frotta son pouce contre la gravure. Elle ne l'avait vu, tenu entre ses doigts, qu'une ou deux fois.

— Il appartenait à ma mère, finit-elle par dire, la poitrine oppressée par une douleur inexplicable.

— Je sais, déclara la voix grave de lord Northwood qui avait l'air crispé. C'est ce que m'a dit votre sœur.

— Elle vous l'a donné ?

— Non. Je n'ai jamais eu l'intention de le garder.

— Mais comment se trouve-t-il en votre possession ? insista Jane.

— Par un étrange concours de circonstances que je préfère ne pas expliquer. J'ai tout à fait l'intention de le rendre à votre sœur.

— Je vois, murmura Jane, qui ne voyait pas du tout.

Pensive, elle regarda le *fenghuang* gravé au dos du médaillon. Il se passait quelque chose entre Lydia et le vicomte. Elle le sentait plus que jamais. Quelque chose d'inquiétant mais d'inévitable, comme la mer s'assombrissant avant un orage, les longues ombres du crépuscule enveloppant les rues, les corolles des fleurs se refermant pour la nuit. Comme un dragon déployant ses ailes.

Elle tordit la chaîne entre ses doigts et ouvrit le médaillon. Le portrait de sa ravissante maman lui souriait, le cher visage si familier de son papa arborait son expression grave. Elle sentit des larmes lui brûler les paupières.

Les voix de lord Northwood et de Mr Hall lui parvenaient comme étouffées. Elle leva les yeux.

Ils s'étaient éloignés et chuchotaient. En refermant le médaillon, elle remarqua que la coque semblait bizarrement épaisse. Trop épaisse pour ne contenir que des portraits en miniatures. Elle examina les bords du bijou.

Les charnières paraissaient tout aussi épaisses, comme si elles contenaient une double soudure. Elle rouvrit la coque, dévoilant les portraits, puis retourna le bijou pour examiner la soudure. Elle joua sur le bord de ses ongles, et ses yeux s'écarquillèrent sous le coup de la surprise quand la coque sauta, révélant un compartiment secret, protégé par le premier. Un objet tomba sur le sol.

Elle coula un regard prudent vers les deux frères. Toujours absorbés dans leur conversation, ils lui tournaient à moitié le dos. Elle se pencha vers le tapis, passant sa main sur le motif épais et ses doigts frôlèrent un morceau de métal froid. Elle le ramassa discrètement.

Il s'agissait d'une minuscule clé en bronze. Jamais elle n'en avait vu d'aussi petite. Plus petite que son auriculaire, elle était dotée d'une extrémité rectangulaire finement ouvragée, l'autre se terminant en volute. Comme une clé de petite souris. Cette pensée la fit sourire.

— Mademoiselle Jane.

Surprise par la voix du vicomte, elle sursauta et le regarda, sa main se refermant sur la clé.

— Je vous serais très reconnaissant de bien vouloir remettre ce médaillon à votre sœur, lui dit lord Northwood. Même si je dois vous prévenir qu'elle ne sera peut-être pas enchantée.

L'avertissement était sans doute lié aux circonstances dont il avait dit ne pas vouloir parler.

— Monsieur, si Lydia sait que vous êtes en possession de ce médaillon, ce n'est pas à moi de le lui rendre, objecta-t-elle en le lui tendant. Je préférerais ne pas la contrarier.

Après une longue hésitation, lord Northwood consentit à reprendre le bijou. Elle s'apprêtait à lui rendre aussi la petite clé quand elle se ravisa. Ses doigts se resserrèrent sur sa trouvaille tandis que les bords minces s'enfonçaient dans sa main.

— Bien, lança Mr Hall en frappant dans ses mains et en se dirigeant vers le piano. Nous ferions aussi bien de nous mettre à notre leçon, mademoiselle Jane. J'ai pensé que vous aimeriez apprendre une petite mélodie intitulée *Jolie abeille*.

Le médaillon dans son poing serré, lord Northwood s'inclina devant Jane.

— Nous nous reverrons bientôt.

— Merci monsieur.

Il s'éloigna et elle le suivit des yeux. La bataille en elle faisait rage. Devait-elle le rappeler ? La clé laissait une marque sur sa paume. Lord Northwood sortit et la porte se referma sur lui.

Elle sentit son cœur battre la chamade, son sang cogner à ses tempes. Elle se tourna vers Mr Hall qui feuilletait les partitions.

— Venez commencer vos gammes, mademoiselle Jane.

Docile, elle s'approcha du piano et glissa la clé dans sa poche. L'objet dérobé lui brûla la main pendant toute la leçon.

Chapitre 13

Floreston Manor était niché dans les collines du Devon, son parc s'étalant devant la maison comme un vaste océan vert. La bâtisse de briques et de pierres, couverte de lierre, s'accordait parfaitement au paysage, comme un couple marié coulant des jours heureux. Des floraisons printanières embaumaient l'air.

La voiture s'arrêta dans l'allée circulaire. Alexander en descendit à la suite de son père et s'emplit les poumons de l'air pur de la campagne.

— La jeune fille vient-elle ? Jane ?

Surpris, il regarda lord Rushton.

— Non, elle reste à Londres avec sa grand-mère.

Le comte émit un petit bruit de contrariété.

— Comment connaissez-vous Jane ? s'enquit Alexander.

— Je l'ai rencontrée quand elle est venue prendre un cours avec votre frère. Elle est agréable. Un peu fureteuse mais intelligente.

— Un peu comme sa sœur.

Son père et lui échangèrent un regard entendu, accompagné d'un petit rire complice. Alors qu'ils s'avançaient vers le manoir où une rangée de domestiques les attendait, Alexander sentit se relâcher la tension de ses muscles. Tout était fin prêt pour les accueillir.

— Lady Talia ne devait-elle pas être du voyage ? s'enquit Mrs Danvers, la gouvernante, d'un air inquiet.

— Elle arrive par le train suivant, en compagnie de Miss Kellaway, de Sebastian et de lord Castleford, expliqua Alexander. Ils seront ici pour dîner.

Il précéda le comte dans le salon. Tous les deux s'arrêtèrent devant le grand portrait de lady Rushton surplombant le manteau de la cheminée. Beauté glaciale aux sourcils arqués, elle les regardait, ses lèvres ébauchant un sourire dur.

Lord Rushton toussota et lança :

— Demandez à Weavers de le faire enlever immédiatement. Tous les autres également.

Alexander alla transmettre la requête au majordome. Quand il revint, son père versait du sherry dans deux verres sur la desserte. Sans se retourner, il demanda :

— Elle n'est pas comme elle, n'est-ce pas ? Miss Kellaway ? Elle n'est pas comme votre mère.

— Diantre ! Non, répondit-il spontanément.

Sa mère était très belle, certes, mais froide, indifférente, comme une image de vitrail posé contre un mur blanc. Aucune chaleur, aucune lumière, aucune couleur ne l'illuminait. Comme si elle n'avait rien eu d'autre à offrir que sa beauté et ses manières irréprochables.

Lydia, en revanche… toute une vie ne suffirait pas à découvrir la profondeur de sa complexité, les courants qui animaient son âme.

— Pas non plus comme la fille de Chilton ? demanda lord Rushton.

Alexander ne put réprimer un petit rire sans joie.

— Non. Pas du tout.

Devant la lueur d'intérêt qui s'alluma dans le regard du comte, Alexander sentit un frisson d'appréhension.

— Sir Henry était un homme bon, si je me souviens bien, reprit son père.

— En effet.

— Il n'avait pas de fortune mais il était très bien considéré en tant qu'universitaire. Pas de scandales dans la famille, à part la mère…

Il s'interrompit et secoua la tête.

— Brackwell se la rappelle plutôt bizarre.

Au moins, elle n'était pas partie avec un autre homme, pensa Alexander.

— La maladie de Mrs Kellaway a été un malheur, précisa-t-il. Un grand malheur pour ses deux filles.

Une image de Lydia et de sa sœur passa devant ses yeux. Leurs sourires presque identiques, l'intelligence si vive de leurs regards, leur affection si palpable. La manière dont Jane semblait tout absorber autour d'elle, sa curiosité sans limite, alors que Lydia abordait le monde avec prudence, comme si elle s'en protégeait.

Rushton saisit la carafe et remplit de nouveau son verre.

— Comment est-elle ?

— Pardon ?

— Miss Kellaway. Vous dites qu'elle ne ressemble ni à votre mère ni à la fille de Chilton. Alors comment est-elle ? Qui est-elle ?

— Elle est…, bredouilla-t-il. Je n'ai jamais rencontré personne comme elle.

Alexander ne savait même pas comment s'expliquer Lydia à lui-même, encore moins à son père. Au cours des dernières semaines, elle s'était infiltrée dans toutes les fibres de son être. Il ne pouvait s'arrêter de penser à ses yeux bleus angoissés, à la fiévreuse frustration de son baiser, à l'avidité avec laquelle elle lui répondait. Son besoin de la toucher devenait physique.

Sans parler des sentiments qu'elle suscitait en lui. Un mélange insensé de désir, de tendresse, d'affection, de fascination, un besoin de la protéger qui le submergeait presque…

Il ferma ses mains, luttant contre son besoin de se lever et de faire les cent pas.

— La trouvez-vous assez exceptionnelle pour envisager un mariage ? s'enquit son père.

Bien plus que cela. Alexander la trouvait assez exceptionnelle pour passer sa vie avec elle. Jamais il n'aurait imaginé trouver une femme qu'il épouserait pour des raisons qui n'appartiendraient qu'à lui plutôt que pour satisfaire à la tradition familiale.

Mais s'il savait en lui-même qu'il voulait épouser Lydia, il n'était pas prêt à livrer ses intentions à son père.

— Qu'est-ce qui vous fait croire que je pense au mariage ? demanda-t-il.

Lord Rushton se mit à rire. Pour Alexander, c'était un son étrange, un son qu'il avait rarement entendu au cours de sa vie.

— Je vieillis, mais je ne suis pas idiot, Northwood, répliqua-t-il.

Quand elle arriva à Floreston Manor avec Talia, Sebastian et lord Castleford, Lydia fut séduite par la beauté de la propriété et de la campagne alentour.

La pureté de l'air et cette maison lumineuse, remplie de brassées de fleurs, semblaient laver la crasse et le bruit de Londres. Elle eut l'impression qu'elles pourraient même dissiper le chagrin qui pesait sur son cœur comme une ombre maléfique.

En contemplant le vaste parc de la terrasse, elle décida que, pendant les trois prochains jours, elle s'amuserait. Elle voulait marcher le long de la rivière, cueillir des fleurs, respirer l'air parfumé, sentir le soleil réchauffer son visage.

— Lydia ! appela Talia. Avez-vous vu votre chambre ? Venez, je vais vous la montrer. Sam a déjà monté vos affaires. C'est la plus jolie chambre de la maison.

Le cœur léger, Lydia suivit Talia à l'intérieur. Cette dernière qui était un peu plus jeune qu'elle semblait ravie d'être de retour à Floreston Manor. Elle s'activait en tous sens, donnait des ordres, s'assurait que ses hôtes étaient bien installés, s'entretenait avec la gouvernante des menus du week-end.

Les hommes eurent la bonne idée de ne pas s'interposer. Lord Rushton disparut dans le jardin,

Castleford alla faire un tour aux écuries, et Sebastian partit au village avec le buggy.

Talia ayant refusé sa proposition de l'aider, Lydia s'installa sur le canapé du bureau du premier étage et prit des notes dans son cahier. L'arrivée d'Alexander l'interrompit.

— Pourquoi emportez-vous toujours ce cahier avec vous ? demanda-t-il.

Elle leva la tête et répondit, souriante.

— Parce que si je ne note pas mes idées à mesure qu'elles me viennent, j'ai peur qu'elles m'échappent.

Sans lui rendre son sourire, il fit un geste en direction du carnet.

— Qu'est-ce que c'est, cette fois ?

— Pardon ? Oh. L'un des articles sur lesquels je suis en train de travailler concerne les dimensions des racines des équations. Quand nous étions dans le train, j'ai eu l'idée que le théorème pouvait être simplifié en extirpant un lemme.

Elle étudia un instant ses notes et reprit :

— C'est-à-dire, si le lemme pouvait donner toutes les valeurs de r… il pourrait représenter les dimensions des racines.

— Je n'ai pas la moindre idée de ce dont vous parlez.

— Je sais. Et cela me fait plutôt plaisir, dit-elle en refermant son cahier. Mais je ne devrais pas travailler alors que je suis votre invitée. C'est un manque de courtoisie. Le manoir est ravissant, monsieur. Merci infiniment de m'y avoir conviée.

Il continuait à la dévisager, l'air renfrogné. Manifestement, le voyage n'avait pas adouci son caractère.

— Pourquoi êtes-vous si morose ? demanda-t-elle. Une promenade dans les jardins allégerait-elle votre humeur ?

Elle se leva et au moment où elle passait devant lui, il se tourna si vivement qu'elle recula d'un pas pour se retrouver contre le mur. Sans lui laisser le temps de faire un mouvement, il l'encadra de ses mains, la coinçant entre le mur et son corps.

Lydia étouffa un cri, et regarda la porte du bureau qui était restée entrouverte.

— Il n'y a personne, murmura Northwood.

Il se plaqua contre elle et elle sentit son pouls s'affoler.

— Néanmoins, vous devez me relâcher, dit-elle.

— Faites-moi rire, et je vous relâcherai, repartit-il, sa bouche frôlant sa tempe.

— Pardon ?

— Faites-moi rire, allégez mon humeur, et je vous relâcherai.

Le faire rire ? Malgré sa remarque, elle ne se sentait pas vraiment d'humeur hilarante.

Elle se creusa le cerveau pour trouver une anecdote amusante. Des théorèmes et des calculs savants se bousculaient dans son esprit sans qu'elle ait à fournir le moindre effort. Un bon mot ou une devinette allaient sûrement lui venir à l'esprit.

— J'attends, dit Northwood en se collant de nouveau à elle, son genou s'insinuant entre les siens.

Elle le repoussa, agrippant ses avant-bras de ses mains alors qu'elle luttait contre l'envie de se presser contre sa cuisse.

— À… à quelle heure s'est marié Adam ? balbutia-t-elle.

— Adam qui ?

— Adam. Le premier homme. Adam.

— Oh ! s'exclama-t-il en haussant un sourcil. À quelle heure s'est-il marié ?

— À l'aurore [1], dit-elle en lui adressant un faible sourire.

Il ne se dérida pas mais hocha la tête. Son genou se fit si insistant qu'il vint à bout des résistances de la jeune femme, la poussant à ouvrir les jambes. Elle frissonna en sentant l'air s'engouffrer sous ses jupons.

— Quelle…, prononça-t-elle d'une voix saccadée, quelle est la longueur convenable pour une jupe de femme ?

— Pardon ?

— Un peu au-dessus des deux pieds.

— Hum. Pas drôle. Et faux, déclara-t-il, ses mains agrippant les plis de sa jupe, ses yeux s'assombrissant. La longueur convenable est bien au-dessus du genou en ce qui me concerne.

---

1. Jeu de mots avec le « Eve » anglais qui veut dire aussi « aurore ». *(NdT)*

Bonté divine ! Il était en train de soulever sa jupe et ses jupons. Le tissu de son pantalon frôlait ses chevilles, son genou remontant entre ses cuisses. La chaleur l'inonda, les replis soyeux entre ses jambes se contractèrent, elle éprouva l'envie irrésistible de se frotter contre lui.

Elle déglutit. La voix de la raison surgit des profondeurs de son esprit. N'importe qui pouvait entrer dans le bureau.

— Qu'est-ce qui…

Elle remua, essayant d'éviter la caresse insistante de sa jambe.

— Qu'est-ce qui peut avoir raison mais jamais tort ?

— Un angle, répliqua-t-il en frôlant son front de ses lèvres.

Elle sentait des picotements partout.

— Non.

— Alors quoi ?

— Moi.

Il se mit à rire. Ses yeux se plissèrent et ses dents scintillèrent à la pâle lumière du soleil à travers les fenêtres. Son rire profond valut à la jeune femme une bouffée de plaisir.

— Vous… vous devez me relâcher maintenant, dit-elle en essayant de resserrer ses jambes, d'apaiser l'excitation que cet homme pouvait provoquer d'une simple caresse.

Le regard toujours amusé, il inclina lentement la tête, ses lèvres à présent à hauteur des siennes.

— Vous avez raison, murmura-t-il en s'emparant de sa bouche.

Malgré les mises en garde de son cerveau, elle s'abandonna à son baiser comme si rien d'autre n'avait d'importance. Et, à cet instant précis, c'était le cas. Sa langue la caressa, ses dents glissèrent contre sa lèvre inférieure. Pantelante, elle étouffa un soupir.

S'agrippant aux bras d'Alexander, elle se pressa contre sa cuisse, sentit ses doigts plonger dans les baleines de son corset. Un long frisson la parcourut. Bougeant le genou, il fit aller et venir sa cuisse contre la sienne en une délicieuse friction.

Puis, sans crier gare, il la libéra, lissa ses jupes de ses paumes, et recula vers la porte du bureau. La voix de lady Talia lui parvint vaguement tant elle était submergée par le désir.

Les mains pressées sur ses joues, elle essaya de reprendre contenance. Northwood se pencha vers elle, approchant sa bouche de son oreille, sa main glissant sous le renflement de ses seins.

— Pourquoi est-ce qu'une femme désirable me fait le même effet que la pâte à pain ? chuchota-t-il.

— Pourquoi…

— Parce que je suis tenté de la pétrir, répondit-il, frôlant son oreille de ses lèvres, avant de reculer, ses yeux noirs exprimant un mélange d'humour et de désir. Et n'ayez aucun doute. Vous êtes une femme désirable.

Lydia se dégagea si vivement que son talon s'accrocha au bord du tapis. Elle se rattrapa au dossier d'une chaise. Elle n'avait plus du tout envie de rire, soudain.

— Comme vous me l'avez dit un jour, lord Northwood, il est dangereux d'émettre de telles hypothèses.

— Ce n'était pas une hypothèse, mademoiselle Kellaway.

« Chère Jane,

Ah ! Je vous ai intriguée, n'est-ce pas ? Avez-vous demandé l'aide de votre sœur ? Même si je suppose que ce serait tricher un peu, étant donné son talent pour les chiffres.
Ne soyez pas triste de ne pas avoir les mêmes facilités que Lydia. Tout le monde n'est pas capable de comprendre facilement certains concepts. Je suppose qu'elle ne voit pas le monde des insectes à votre manière, qui est plutôt unique.

Recevez mes sincères salutations,

C. »

Jane leva la tête vers le rideau de pluie derrière la fenêtre, la rue où les passants se hâtaient, leurs parapluies ouverts comme des champignons. Sur le trottoir d'en face, un oiseau mouillé voleta au-dessus d'une grille de fer forgé.

Ses doigts se crispèrent sur la lettre. Elle était prête à jurer qu'elle n'avait jamais dévoilé le prénom de sa sœur à « C ».

Chapitre 14

Lydia considéra l'équation, incapable d'y trouver le moindre intérêt. Elle avait bien dormi, pris un copieux petit déjeuner. Pourtant une douleur lui vrillait le front, entre les yeux. Elle n'arrivait pas à se concentrer. Sans doute parce qu'un vicomte aux cheveux bruns persistait à se frayer un chemin entre ses théorèmes et ses équations.

Une femme désirable. Désirable.

Le croyait-il vraiment ? Et quand bien même cela serait le cas, est-ce que cela avait de l'importance ? Sa grand-mère avait beau avoir exprimé un intérêt calculé pour lord Northwood, Lydia savait que rien de solide ne pourrait sortir de leur association. Aussi, ne devrait-elle pas accorder la moindre importance à la façon dont il la voyait.

Et pourtant, il était clair que son opinion comptait beaucoup pour elle.

Chassant ses pensées désordonnées, elle se concentra sur son article. Un petit coup à sa porte l'interrompit.

Avec un soupir agacé, elle laissa tomber son crayon et repoussa sa chaise. Northwood se tenait sur le seuil, une… canne à pêche à la main.

— Que diable… ? s'étonna-t-elle.

Il brandit la canne à pêche, ses yeux noirs luisant d'une jubilation qu'elle n'y avait jamais vue auparavant.

— Pêche à la ligne, annonça-t-il. Vous avez déjà essayé ?

— Non.

— Alors venez. C'est très amusant, vous verrez.

Elle jeta un coup d'œil à son article laissé en plan sur le bureau. Lord Northwood eut un claquement de langue impatient.

— Je vous donne cinq minutes, Lydia, la prévint-il. Si vous voulez, vous pourrez calculer le ratio de poissons par rapport aux gouttes d'eau ou ce genre d'ânerie. Nous vous attendons dans le jardin.

Il s'éloigna vers l'escalier pour gagner le rez-de-chaussée. Lydia se rappela la promesse qu'elle s'était faite de profiter de son court séjour ici. Une agréable trépidation la gagna à la perspective de la partie de pêche, l'un des nombreux sports auxquels elle n'avait jamais pensé s'adonner un jour. Elle mit son châle, son chapeau, des gants, et regarda son reflet dans le miroir. Puis elle descendit à son tour.

Talia, Sebastian et Castleford attendaient à côté du massif de roses, Talia et Castleford chargés chacun d'un équipement de pêche, Sebastian d'un énorme panier de pique-nique.

— Ravi de voir que vous vous joignez à nous, mademoiselle Kellaway ! s'exclama Castleford. Ainsi, nous sommes certains que Northwood ne mentira pas sur la taille de sa prise.

Lydia se mit à rire. Elle imaginait mal lord Northwood mentant sur quoi que ce soit. Surtout sur la taille de sa prise. Il lui décocha un sourire si rayonnant qu'elle sentit son cœur se gonfler d'allégresse.

Les trois hommes se mirent en marche vers la rivière, discutant du vent, du temps, de la probabilité de pêcher des truites. L'ambiance était joyeuse, légère.

Toute tension évanouie, Northwood marchait à longues enjambées. Le soleil allumait des reflets dans ses cheveux bruns.

En le regardant, Lydia se sentit lâcher prise. Son mal de tête se dissipa, son cœur s'allégea. Elle aimait le voir content, souriant, écouter son rire se mêler au bruissement des feuilles des arbres. Un sentiment d'intense bien-être la gagna. Mais elle devait rester vigilante à ne pas s'y abandonner trop vite.

La voix de Talia interrompit le fil de sa pensée. Lui emboîtant le pas, la jeune femme ajusta son chapeau pour se protéger du soleil.

— Ils sont amis depuis des années, expliqua-t-elle en désignant les trois hommes d'un signe de tête. Ils étaient en pension ensemble. Mais Sebastian est son cadet de deux ans. À la fin de leurs études, Castleford est parti en voyage et a développé l'entreprise de son père. Il déborde d'énergie. Il s'est fait rare à Londres ces cinq dernières années.

Lydia lui lança un coup d'œil intrigué. Elle avait décelé une pointe de nostalgie dans la voix de sa compagne. Le regard perdu sur le ruban sinueux de la rivière, Talia enchaîna :

— Pourtant, il est revenu après… les événements. Il a toujours apporté son soutien à notre famille. En privé comme en public, sans réserve. Cela a bien facilité les choses. Nous lui devons beaucoup.

Une évidence frappa soudain Lydia. Cela ne faisait que deux ans que lady Rushton s'était enfuie pour des contrées inconnues.

— Ce n'est pas facile, n'est-ce pas ? demanda-t-elle spontanément.

— Qu'est-ce qui n'est pas facile ? demanda Talia.

— D'avoir perdu votre mère.

Talia la regarda un moment, écarquillant ses yeux verts sous le choc. Lydia déglutit, sentant ses joues la brûler sous l'énormité de sa bévue.

— Je suis navrée, je…

— Non, dit Talia en lui prenant le bras. Non, ne vous excusez pas. Vous avez raison. Ce n'est pas facile. En fait, je ne peux rien imaginer de plus horrible. Le pire étant que j'ai beau lui en vouloir affreusement, elle me manque toujours.

Elle partit d'un petit rire triste.

— C'est idiot, non ?

— Pas du tout. Ma mère me manque tous les jours.

— Que lui est-il arrivé ?

Quand elle lui raconta la maladie de Theodora Kellaway, et son issue fatale, les yeux de Talia se voilèrent de compassion.

— Cela fait presque dix ans, dit-elle, mais je ne pense pas qu'elle cessera un jour de me manquer. Dieu merci, j'ai Jane et ma grand-mère.

— Cela vous est d'un grand réconfort, n'est-ce pas ? approuva Talia. J'ai eu la chance d'avoir quelques bons amis. Ils m'ont soutenue aussi. Maintenant, si seulement mon frère me laissait en paix, je pense que j'arriverais à surmonter cette épreuve.

Elle esquissa un faible sourire. Castleford leur criait de se dépêcher. Talia prit la main de Lydia et elles hâtèrent le pas jusqu'à la rivière.

— Bien, maintenant, voilà la vôtre, annonça Northwood en tendant une canne à pêche à Lydia et en y attachant quelque chose de velu. C'est une mouche royale, expliqua-t-il. C'est censé imiter un plécoptère.

Talia prit sa canne à pêche et se mit à monter sa ligne d'une main experte. Elle sourit à Lydia.

— N'oubliez pas que j'ai grandi avec quatre frères, dit-elle. Je savais attacher une mouche avant de savoir marcher.

— Sans parler de faire rouler un cerceau, monter à cheval, grimper aux arbres, renchérit Sebastian.

— Et elle était souvent la plus rapide, ajouta Northwood. Et maintenant, Lydia, regardez parce que vous allez apprendre à lancer dos à la rivière.

Avec des gestes précis, il lui montra comment tendre sa ligne et agiter la mouche d'avant en arrière jusqu'à la positionner au bon endroit. Malgré le trouble que suscitait sa proximité, elle parvint à se concentrer suffisamment pour comprendre la tactique.

Debout derrière elle, Northwood prit son poignet dans ses doigts chauds et vigoureux pour lui faire sa démonstration. Elle savait qu'il sentait son pouls rapide. Ses hanches frôlaient les siennes. Elle avait les jambes en coton.

— Concentrez-vous ! lui ordonna-t-il, son souffle tiède caressant sa tempe.

Quand il lui parlait avec cette voix si rauque, comment pouvait-il s'attendre à ce qu'elle se concentre ?

— Je me concentre, murmura-t-elle, ramenant avec un peu trop de force sa ligne qui s'accrocha dans les roseaux.

— Vous devez prendre un certain rythme, expliqua Northwood. C'est le même rythme que quand vous respirez. En cadence. Inspirez, soufflez.

— Je n'y arrive pas avec vous si près de moi, chuchota-t-elle d'un ton irrité.

Il s'éloigna dans un bref éclat de rire. Non sans lui avoir tapoté les fesses en passant, elle en aurait juré. Elle aurait aimé qu'il recommence. À un moment plus importun.

Elle recommença et sa ligne atterrit au milieu de la rivière. Castleford, Talia et Sebastian lancèrent tous leurs lignes d'un geste expert mais n'attrapèrent que deux ou trois petites truites, qu'ils débarrassèrent de leurs hameçons avant de recommencer. Lydia s'aperçut qu'elle se plaisait beaucoup en leur compagnie. L'air printanier la comblait d'allégresse.

Au bout de deux heures sans grands résultats, ils s'installèrent sous un arbre pour déjeuner d'un délicieux pique-nique de volaille froide, fromage, fruits, pain croustillant et pâtisseries. Les hommes mangèrent de si bon appétit qu'après le déjeuner, ils s'étendirent, leurs chapeaux sur leurs visages, et firent la sieste.

Lydia et Talia échangèrent des regards amusés devant les trois longs corps allongés. De légers ronflements montaient jusqu'aux feuilles des arbres.

— On dirait des baleines échouées sur une plage, fit remarquer Talia.

Lydia sourit. Alors qu'elles rangeaient les restes du pique-nique, elle s'autorisa à regarder Northwood de temps à autre. Sa poitrine vigoureuse se soulevait au rythme d'une respiration lourde et régulière, une de ses grandes mains posée sur son estomac.

Tandis qu'elle repoussait le panier de côté, elle sentit un frôlement sur son bras. Elle se tourna vers son amie.

— Lydia, je veux juste que vous sachiez que c'est un homme bon, dit-elle rapidement, le rouge aux joues. Je… Alexander, je veux dire. Il a traversé des moments très durs avec tout ce qui s'est passé, ses fiançailles rompues. Et il a une fâcheuse tendance à vouloir tout contrôler. Mais il est soucieux de bien faire. Il est honnête. Je voulais juste que vous le sachiez.

— Je le sais.

Malgré sa conviction, elle se sentait un peu gênée. Pourquoi Talia essayait-elle de la convaincre des qualités de Northwood ?

Visiblement soulagée, la jeune femme avait sorti un cercle à broder d'un autre panier.

— Malgré ce que pense mon frère, j'apprécie les passe-temps plus féminins. Est-ce que vous brodez ?

Lydia secoua la tête en regardant l'aiguille de Talia courir sur le tissu. Elle se leva et s'épousseta les mains.

— Je pense que je vais aller faire une promenade.

— Je vais rester ici et surveiller cet inestimable trésor, répliqua Talia en levant la tête vers les hommes assoupis.

Lydia ramassa sa canne à pêche et commença à longer la rivière. L'air frais la revigorait, chassant la tension de son corps fatigué. Elle prit une profonde inspiration, savourant le travail de ses muscles, la chaleur du soleil sur son visage.

Un bruit d'éclaboussement lui fit tourner les yeux vers la rivière. Elle regarda une grosse truite sauter de l'eau avant de replonger. L'excitation et l'attrait du défi s'emparèrent d'elle.

Comme elle aimerait faire une belle prise pendant que les trois hommes ronflaient ! Elle reviendrait triomphante et, avec le concours de Talia, les taquinerait sans pitié.

Elle regarda la mouche royale. L'insecte n'avait pas l'air très appétissant. D'un autre côté, elle n'était pas dotée des instincts d'une truite. Elle décida d'offrir au poisson quelque chose qu'il ne pouvait refuser.

Au bord de la rivière se trouvait un bouquet d'arbres, l'un d'entre eux cassé et à moitié immergé dans l'eau. Elle s'accroupit à sa base et commença à creuser la terre meule. Huit vers au moins s'y tortillaient.

Elle fit une grimace. Jane aurait adoré. Sa sœur ramassait les vers dans un bocal et les rapportait à la maison pour les étudier.

Refoulant son dégoût, elle tira un ver de la terre et, essayant d'ignorer qu'il se tortillait, l'empala sur un hameçon. Après s'être essuyé les mains sur sa jupe, elle lança sa ligne. L'hameçon se prit dans les roseaux.

Elle étouffa un juron et essaya de nouveau. La ligne trop courte retomba sur l'herbe. Elle la libéra et inspecta l'hameçon. Le ver avait disparu

Elle chercha un nouveau ver et l'attacha à l'hameçon. Elle le lança de nouveau et le regarda tomber dans les roseaux.

Accorde ta cadence à ta respiration, se répéta-t-elle. Balivernes ! Ce qu'il lui fallait, c'était s'éloigner vers le milieu de la rivière, là où elle avait vu le poisson.

Elle enroula la ligne et monta sur le tronc d'arbre qui s'avançait dans l'eau. La mousse le rendait glissant mais il était assez déchiqueté pour qu'elle conserve son équilibre en coinçant ses pieds dans les cannelures d'écorce tout en s'accrochant aux branches de sa main libre.

Agrippant sa canne à pêche, elle s'avança avec précaution vers le bout du tronc. Le poisson sauta de nouveau hors de l'eau, renforçant sa détermination. Une fois l'extrémité atteinte, elle s'assit à califourchon, s'assura que le ver était toujours attaché et le lança de nouveau.

Le bouchon dansa presque tout de suite. Elle poussa un cri de joie et essaya d'enrouler la ligne. Mais elle se tendit avant qu'elle ait eu le temps de donner deux tours de moulinet. Elle l'enroula de nouveau et la lança encore une fois.

L'hameçon prit. Elle étouffa un cri de surprise et crispa les mains sur la canne à pêche. Elle devait bobiner. Le cœur battant, elle se pencha en avant et commença à tourner le tambour. Le poisson tira sur la ligne.

Elle l'avait. Il ne lui restait plus qu'à…

Son poids la déséquilibra. Elle essaya de coincer son pied dans une branche pour retrouver son équilibre, mais elle glissa sur la mousse. Horrifiée, elle sentit qu'elle était à deux doigts de la chute.

Le poisson tirait très fort sur la ligne. Elle agrippa la canne à pêche à deux mains. Si seulement elle pouvait…

Un cri lui échappa quand elle bascula en avant et tomba de la branche comme une otarie glissant sur la banquise. L'eau glacée la saisit, la trempant à travers ses vêtements. Le souffle coupé, elle s'étrangla.

Elle entendit le son étouffé de son nom avant d'être submergée par l'eau. Des algues fines glissèrent sur son visage comme des tentacules. Elle ouvrit la bouche pour hurler mais l'eau l'étouffa. Luttant pour trouver une prise, elle donna des coups de pied afin de remonter à la surface.

Oh mon Dieu ! Elle pouvait imaginer la scène. L'agent de police remplissant son rapport : « *Une mathématicienne se noie en raison d'un mauvais calcul.* »

Sa main droite se referma sur une branche immergée avant que le courant l'entraîne de nouveau vers le fond. Ses poumons se dilatèrent, sa poitrine sembla sur le point d'exploser.

Soudain, deux bras puissants se nouèrent autour de sa taille et la tirèrent vers le haut. Sa tête sortit à la surface, sa bouche s'ouvrant en un énorme halètement qui remplit ses poumons d'un air béni.

Après une nouvelle poussée, elle atterrit sur la surface dure de la berge, l'odeur forte de l'herbe affluant à ses narines, la chaleur du soleil baignant son visage.

— Lydia ! cria la voix pressante d'Alexander, à travers le bruit du courant qui lui martelait toujours les oreilles.

Elle ouvrit les yeux, s'essuya les joues, et leva les yeux. Quatre visages affolés se penchaient au-dessus d'elle.

— Tout va bien ? demanda Talia en repoussant ses cheveux mouillés de son front. Quand je vous ai entendue crier, nous avons accouru.

Lydia cligna des yeux et hocha la tête, si heureuse de pouvoir respirer qu'elle ne voulait même pas gâcher ce bonheur en parlant.

Alexander fronça les sourcils.

— Bon sang ! Que diable étiez-vous en train de faire ?

Elle essaya de se le rappeler.

— Alex, le moment est mal choisi pour te mettre en colère, le rabroua Talia en repoussant les trois hommes pour l'aider à s'asseoir.

Elle l'enroula dans la couverture du pique-nique et essaya de sécher un peu ses cheveux.

— Je calculais jusqu'où je pouvais ramper sur ce tronc, répondit-elle en claquant des dents. Je pèse cinquante-six kilos et… Ce gros galet que vous voyez là, c'est le pivot, mais j'ai mal calculé les moments d'inertie.

Tous se turent et la regardèrent, abasourdis. Hormis Alexander qui semblait avoir du mal à garder son sérieux.

— Eh bien ! L'erreur est humaine, fit remarquer Talia d'un ton enjoué. Étiez-vous…

Elle regarda les mains de Lydia qui en fit autant. Elle tenait toujours la canne à pêche dans sa main gauche et la ligne était toujours aussi tendue.

— Oh ! dit-elle d'une voix rauque, la rembobinant de ses doigts tremblants. Il y avait un poisson. Une énorme truite arc-en-ciel. De deux kilos et demi… Un plat délicieux pour le dîner. Nous pourrions peut-être la manger avec du beurre fondu. Elle s'est tellement débattue qu'elle m'a fait tomber de l'arbre. Vous ne le croirez pas…

Elle tira le reste de la ligne de l'eau et, avec un sentiment de triomphe, vit le poisson atterrir sur la berge, toujours accroché à l'hameçon. Elle en oublia qu'elle était mouillée, transie de froid.

Elle avait réussi. Elle avait pêché la truite !

Northwood se mit à rire. Un rire profond, sonore, qui lui procura une sensation très agréable au creux du ventre. Mais… quelle était la cause de son hilarité ?

Elle le dévisagea. Le soleil parsemait ses cheveux mouillés de paillettes dorées, ses joues ruisselaient d'eau.

Puis Castleford se mit à rire aussi, bientôt imité par Sebastian. Alexander se pencha pour attraper le bout de la ligne de Lydia et la releva. Un petit poisson argenté, de neuf centimètres à peine, se tortillait à l'extrémité.

— Ma chère, voici votre baleine, déclara-t-il.

Les trois hommes éclatèrent de rire de plus belle.

— On pourrait peut-être le servir en hors-d'œuvre, suggéra Sebastian.

— Ou le donner au chat, hoqueta Castleford.

— Ça suffit ! les réprimanda Talia, son regard vert pétillant d'amusement. C'est plutôt impressionnant pour la première prise de Lydia, enchaîna-t-elle en lui tapotant la main. Et maintenant, il faut qu'elle rentre avant d'attraper la mort. Alex ! Arrête de rire et aide-moi.

— J'ai déjà aidé, répliqua-t-il entre deux éclats de rire si violents qu'il dut se tenir le ventre. Souviens-toi, c'est moi qui suis allé la chercher dans les courants furieux.

Avec un haussement d'épaules exaspéré, Talia lança un regard implorant à Castleford. Toujours riant, il fit un pas en avant et, galamment, se pencha vers Lydia. Mais Alexander s'interposa.

— Attention, mon vieux, bougonna-t-il.

Le visage fendu d'un sourire radieux, il souleva Lydia et, la serrant contre lui, la soupesa comme pour évaluer son poids.

— Belle prise, certes ! chuchota-t-il pour elle seule.

Elle sentit une vague torride l'inonder. Sans grande conviction, elle repoussa son torse, si puissant, si large.

— Je peux marcher, protesta-t-elle. Vous allez être trempé.

— Je suis déjà trempé, lui rappela-t-il. J'ai plongé pour vous repêcher. C'était assez magistral.

— Venez ! appela Sebastian. Notre délicieux dîner nous attend.

Sebastian prit la canne à pêche de Lydia sur son épaule, l'infortuné poisson frétillant toujours au bout de la ligne, et se mit à marcher à grands pas, guidant le groupe jusqu'à la maison. Ils longèrent la rivière, les hommes d'humeur joyeuse, s'amusant comme des gamins, et Talia essayant de dissimuler son sourire traître chaque fois que Lydia lui lançait un regard noir.

Malgré son humiliation, elle ne pouvait nier le plaisir d'être contre Northwood, de se calquer sur ses grandes enjambées, de sentir ses bras si vigoureux noués autour d'elle.

Au bout de quelques minutes, elle s'abandonna à poser sa tête contre son torse. Ses éclats de rire vibraient en elle. Malgré l'humidité et le froid, la douce chaleur de son corps l'envahit. À chacun de ses regards, elle sentait son sang bouillonner.

Même avec son petit poisson ridicule oscillant devant elle comme pour se moquer, Lydia aurait voulu ne jamais voir cette promenade finir.

— Dehors ! Dehors ! s'exclama Talia en chassant Northwood et Castleford de la chambre de Lydia.

Après avoir refermé la porte derrière les deux hommes, elle reprit :

— Anne, faites immédiatement couler un bain chaud pour Miss Kellaway ! Puis vous descendrez lui chercher du thé chaud. Non, mieux, du cognac.

Non, les deux. Oui, les deux. Susan, aidez-moi à la déshabiller. Oh, et dites à Jim de monter du bois pour faire un feu.

Les femmes de chambre s'affairèrent en caquetant comme des poules. En un clin d'œil, Lydia était nue, se prélassant dans un bon bain. Elle se lava les cheveux, soupirant d'aise, se frottant la peau avec un savon qui sentait le miel. Une fois sèche, elle revêtit une tenue propre. Tout en démêlant les nœuds dans ses longs cheveux, elle regagna sa chambre.

— Comment vous sentez-vous ? demanda Talia, l'air inquiète. J'espère que vous n'allez pas tomber malade.

— Tout va bien, la rassura-t-elle. Vraiment. Allez. Je suis sûre que vous voulez vous changer aussi avant le dîner.

Avec un sourire, elle pressa les mains de son hôtesse dans les siennes. En fait, il y avait très longtemps qu'elle ne s'était pas sentie aussi bien.

— Je suis dans la chambre voisine. Appelez-moi si vous avez besoin de quoi que ce soit, la pressa Talia en déposant un baiser sur sa joue.

Lydia se laissa tomber dans un fauteuil à côté du feu et, malgré la chaleur extérieure, s'absorba dans la contemplation des flammes qui dansaient sur les bûches crépitantes. Ses cheveux tombant en éventail sur ses épaules, elle continua de les peigner pour les faire sécher plus vite.

Quelqu'un frappa à la porte.

— Entrez, dit-elle.

Quand elle vit Northwood, son cœur bondit dans sa poitrine. Il portait un plateau avec du thé et des biscuits. Il s'avança de deux pas et, l'air surpris par sa tenue, s'arrêta.

— Je vous en prie, entrez, l'invita-t-elle en lui désignant le fauteuil en face d'elle d'un signe de tête. Étant donné que vous avez tous bien ri à mes dépens, vous pouvez vous faire pardonner en me servant mon thé.

Laissant la porte ouverte, il obtempéra. Vêtu d'une chemise blanche immaculée, ses cheveux toujours humides de son propre bain, il était beau, propre, sentait le frais. Il continuait à la regarder avec une expression étrange.

— Qu'y a-t-il ? demanda-t-elle avec impatience. J'ai de l'herbe dans les oreilles ?

Il cligna des yeux et d'un geste, montra sa tête.

— Je ne pense pas…, dit-il d'une voix étranglée, avoir jamais vu vos cheveux comme cela.

— Comment ? Mouillés ?

— Non. Dénoués.

— Oh.

Son peigne s'était bloqué sur un nœud. Elle tira, mal à l'aise sous son regard.

Si elle y avait lu de la convoitise, elle n'aurait pas été aussi déconcertée. Ce regard intense, éloquent, persistait à l'embarrasser mais elle commençait à s'y habituer ; en fait, elle commençait à l'apprécier.

Mais, à cet instant précis, elle n'arrivait pas à analyser ce qu'il exprimait. De l'émerveillement ? De l'étonnement ?

De ses deux mains, elle repoussa en arrière sa lourde chevelure. Se hâtant vers la coiffeuse, elle la remonta dans la nuque en un chignon lâche qu'elle fixa avec des épingles.

— Ce n'est pas vraiment convenable, dit-elle avec un sourire timide, son cœur battant à tout rompre. Voir une femme aussi débraillée.

Il ne la quittait pas des yeux.

— C'est très séduisant. Le débraillé. À mes yeux, du moins.

Il versa un peu de cognac dans une tasse et traversa la pièce. Il la lui mit dans la main, ses yeux sombres toujours aussi graves. Le désir était là, flagrant, accélérant son pouls, mais il y avait autre chose, quelque chose de chaleureux, de tendre, d'affectueux.

Quelque chose qui la faisait réagir. Ce n'était pas comme toutes ces années auparavant, quand un homme avait éveillé ses sens sans jamais parvenir à émouvoir son âme. Avec Alexander, et seulement avec lui, elle avait un sentiment trépidant, comme une émotion tapie en elle qui surgissait, se libérait, naissait à la vie.

— Reposez-vous avant le dîner, lui enjoignit-il. Personne ne s'attend à vous voir en bas.

— Je ne suis vraiment pas...

— J'insiste, dit-il en repoussant une mèche humide de son visage, ses doigts s'attardant sur sa gorge.

Sans lui laisser le temps de protester, il effleura sa tempe d'un baiser.

— Jamais je n'aurais imaginé cela, vous savez.

— Quoi ? parvint-elle à murmurer d'une voix étranglée.

— Ce qui nous arrive.

Sa main glissa le long de son cou, ses lèvres se posant sur sa joue. Puis il fit un pas en arrière, lui décochant ce merveilleux sourire mêlant la désinvolture et la tendresse dont il avait le secret. Et il sortit.

Seigneur ! Ivre de bonheur, elle voguait sur un océan de félicité, pailleté d'or et d'argent. Une seule chose importait : qu'Alexander continue à lui sourire ainsi pour toujours.

À cet instant précis, elle comprit ce qu'elle ressentait en sa présence. Elle pouvait mettre un nom sur la douce pression dans son cœur, sur la légèreté qui soulageait le poids qui opprimait sa poitrine depuis toujours.

Jeune ! Avec Alexander elle se sentait de nouveau jeune.

Ou, plus exactement, avec lui, elle se sentait jeune pour la première fois de sa vie.

Chapitre 15

Quand Lydia entra dans le salon, à l'heure du dîner, lord Castleford et Sebastian Hall se précipitèrent pour l'accueillir. L'air penauds, ils se confondirent en excuses.

— Nous sommes tellement désolés, mademoiselle Kellaway… nous ne voulions vraiment pas vous offenser… Nous nous amusions, vous savez… Notre intention n'était certes pas d'insulter une invitée aussi délicieuse que vous. Veuillez accepter nos plus humbles excuses…

Lydia essaya de les interrompre. Elle aperçut alors Talia qui les surveillait, les bras fermement croisés. Après avoir amplement fait amende honorable, tous deux se tournèrent vers elle. Elle leur adressa un hochement de tête satisfait et les deux hommes parurent soulagés.

Assis au coin du feu, le comte observait le déroulement de ces événements avec un sourire en coin.

— Nous espérons sincèrement ne pas vous avoir offensée, mademoiselle Kellaway, reprit Castleford à l'intention de Lydia.

— Quand on est assez stupide pour grimper sur un tronc dans une rivière… on n'a pas le droit d'être offensée par les conséquences de ses actes, lord Castleford.

Il sourit, ses yeux bruns pétillant de malice.

— Et vous savez, en le regardant de plus près, votre poisson n'était pas si petit.

— Oui ! En le regardant au microscope, ajouta la voix grave d'Alexander, derrière elle.

Elle se retourna et le foudroya du regard. Mais son sourire eut tôt fait de l'amadouer.

— Mademoiselle, dit-il en lui offrant son bras.

Ils gagnèrent la salle à manger où ils se régalèrent d'un délicieux dîner : une soupe de queue de bœuf, des côtelettes de veau à la sauce tomate, des petits pois et des pommes de terre sautées. Le chat de la maison avait beaucoup apprécié le poisson.

Après le dîner et le café, Sebastian se mit au piano pendant que les autres jouaient aux cartes et conversaient. À la requête de lord Rushton, Lydia s'était assise à côté de lui, au coin du feu, et lui exposait l'un des derniers problèmes qu'elle avait conçus.

Tandis qu'il cherchait la solution, Lydia examina le contenu de la bibliothèque. Un boulier était posé sur une étagère. Elle s'apprêtait à faire courir ses doigts sur le cadre brillant et les billes, quand Talia s'approcha :

— Lord Castleford nous a fait ce cadeau il y a des années, expliqua-t-elle. Il l'a rapporté d'un voyage en Chine. Êtes-vous jamais allée en Chine avec votre père ?

— Non, répondit Lydia. J'aurais adoré l'accompagner mais, avec Jane… cela n'était pas possible. Pourtant, j'ai toujours eu l'envie de voyager.

Talia esquissa un sourire pensif.

— Vous, Castleford, mes frères… même mon père aimait voyager à une époque.

Intriguée, Lydia demanda :

— Et vous ?

— J'aime voyager, oui. Mais depuis… eh bien, depuis quelque temps, j'ai bien peur d'être devenue un peu casanière.

Devinant que Talia ne disait pas tout, elle se demanda si elle devait continuer la conversation. Mais, changeant de sujet, son hôtesse lui tapota le bras.

— Je suis heureuse que vous soyez venue, Lydia. C'est si agréable d'avoir une nouvelle amie !

Lydia la regarda s'éloigner, sentant une douce allégresse la gagner. Oui, c'était vraiment merveilleux d'avoir une nouvelle amie.

Elle rejoignit lord Rushton. Le comte avait scrupuleusement résolu le problème. Ils discutèrent de la solution, puis jouèrent une dernière partie de cartes avec les autres.

Il était minuit passé quand, après s'être souhaité une bonne nuit, tous regagnèrent le premier étage. Satisfaite et un peu ensommeillée, Lydia entra dans sa chambre. Avisant ses feuilles étalées sur le bureau, elle chercha son cahier et se souvint qu'elle l'avait laissé dans le salon.

Elle redescendit et le trouva, à côté de la cheminée. Après l'avoir ramassé, elle regarda de nouveau le boulier dont les boules brillaient dans un rayon de lune.

Soudain mélancolique, elle le prit et caressa le cadre de bambou de ses doigts.

La voix de Northwood s'éleva dans le silence de la pièce.

— Votre père devait être un grand connaisseur en bouliers.

Lydia se retourna. Il s'approcha et s'arrêta à côté d'elle, sa proximité éveillant de délicieux picotements sur sa peau.

— Oui, il l'était, confirma-t-elle. Et je le suis aussi. Mon père m'avait rapporté un boulier de Chine quand j'étais petite et m'avait appris à m'en servir. Jane et moi avons inventé de nombreux jeux. Cela faisait partie de ses cours. Il y a des années que nous avons cessé de jouer, et je crois que ma grand-mère a fini par le vendre.

Elle actionna les boules, écoutant leur doux cliquetis, le bruit de leur glissade sur le fil. Une image claire et nette s'imposa à son esprit. Son père, à genoux sur le sol de la salle de classe, lui offrant le boulier, puis lui expliquant son histoire et son emploi. *Cela s'appelle un* suanpan, *et on l'utilise pour indiquer les nombres, selon la position des boules…*

— C'est parce que l'on utilise les mains que le boulier fonctionne si bien, expliqua Lydia en effleurant le bois de sa paume. C'est le fait de toucher les boules polies, les fils de laiton, le cadre ciré. Cela permet de donner une dimension très concrète aux concepts abstraits.

Northwood fit un pas en avant et, de son index, suivit un rang de boules. Les mains de Lydia se crispèrent sur le cadre.

Son odeur s'infiltra en elle, délicieux mélange de terre et de grand air, rehaussé d'une légère pointe de feu de bois, qui collait à ses vêtements comme s'il était fait de ces éléments.

Gênée, elle lança un regard vers la porte ouverte.

Elle sentait la chaleur qui émanait de son corps. Sur le cadre du boulier, les mains d'Alexander s'approchaient des siennes qui tenaient toujours le cadre. Elle était isolée avec lui dans un endroit qu'elle commençait à trouver intolérablement confiné. Intime. Secret.

— Les boutiquiers russes utilisent aussi le boulier, savez-vous ? murmura Northwood.

— Vraiment ? demanda-t-elle, le souffle court.

— Oui ! En russe, cela s'appelle un *schoty*. Ils l'utilisent pour des calculs plus ou moins complexes. J'imagine que plusieurs de mes ancêtres russes étaient commerçants. Je dois avoir cela dans mon sang.

Ses mains se posèrent sur les siennes, ses doigts glissant sur ses jointures.

— Qu'est-ce qui doit être dans votre sang ? demanda-t-elle.

De ses pouces, il effleurait ses mains.

— L'efficacité de la caresse.

Elle sentit un tremblement la secouer, un frisson remonter le long de son bras. Il n'avait nul besoin d'un boulier pour le lui prouver. Ou, soupçonnait-elle, pour le prouver à n'importe quelle autre femme.

— Monsieur ! s'insurgea-t-elle en reculant.

— Alexander, murmura-t-il. Je veux que vous m'appeliez Alexander.

Elle leva les yeux vers lui.

— Pardon ?

— Alexander, répéta-t-il, son souffle agitant les mèches de cheveux sur ses tempes. Dites-le.

Elle en mourait d'envie. Elle voulait prononcer le prénom de cet homme, en écouter le son rouler dans l'air lourd. Elle voulait le dire à voix haute, avec ce X dur qui sabrait les élégantes voyelles comme on couperait un cuir aussi mou que du savon. Elle voulait entendre les consonnes aiguës contredire la souplesse du mot.

Elle aimait Alexander. Elle aimait les imperfections de ce prénom, le mélange des sons doux et durs, la façon dont il finissait en ronronnement. Elle ne pourrait jamais consentir à l'appeler par son diminutif, Alex. Elle ne voulait en aucun cas couper le ruban argenté de son prénom.

— Lydia.

Prononcé de sa voix rauque, son propre nom lui semblait un poème qu'il était le seul à savoir expliquer.

À cet instant, Lydia eut la révélation aussi étrange qu'essentielle que si elle disait son prénom, ce serait comme couper la corde qui la menait hors d'un labyrinthe. Elle resterait à l'intérieur d'un dédale complexe, avec pour seul destin les mains de lord Northwood autour des siennes, son souffle tiède sur sa peau. Elle serait incapable de retrouver son chemin. Elle ne voudrait même pas le retrouver. Elle appartiendrait à cet homme pour toujours.

Elle agrippa le boulier et il resserra ses mains sur les siennes. Quand elle leva la tête, elle surprit sa propre image réfléchie par les yeux d'ébène brillant. Alors, sa voix détachant les syllabes, elle chuchota très lentement :

— Alexander.

Chapitre 16

Par la fenêtre, Jane regarda l'homme dans la rue. Il lui rappelait vaguement quelqu'un mais elle n'aurait su dire qui.

Elle se détourna et se mit à faire les cent pas. Lydia partie, elle se trouvait désœuvrée. Sa grand-mère l'avait emmenée au parc ce matin-là, mais elle était partie faire des courses avec une amie et l'avait laissée à la garde de Mrs Driscoll.

Jane regarda de nouveau l'homme. Les mains enfoncées dans les poches de son pardessus, son chapeau baissé sur le front, il paraissait grand et mince.

Une mélancolie indéfinissable l'envahit. Elle aurait été curieuse de savoir à quoi Lydia s'occupait dans la maison de campagne de lord Rushton.

Elle glissa sa main dans sa poche, où était toujours la clé du médaillon. Elle ne l'avait encore essayée dans aucune serrure, même si elle connaissait un ou deux endroits où elle pouvait faire glisser le minuscule objet.

— Voulez-vous que je fasse servir le thé, mon enfant ? demanda Mrs Driscoll depuis le seuil de la pièce.

Elle secoua la tête et répondit qu'elle n'avait pas faim.

Puis, laissant la gouvernante, elle monta au premier étage. Inexplicablement, elle sentait croître son anxiété. Avant de perdre courage, elle gagna la porte du bureau de son père et entra.

Le coffret de cuivre était sur une étagère près de la table en bois de cèdre. Songeuse, elle effleura les enjolivures florales. Elle avait vu le coffret à maintes reprises, avait remarqué la petite serrure, mais ne s'était jamais posé de question sur le contenu. Jusqu'à ce jour.

Elle jeta un coup d'œil prudent par-dessus son épaule puis inséra la clé dans la serrure et la fit tourner. Un léger clic résonna dans la pièce. Elle souleva le couvercle et découvrit un intérieur capitonné de velours.

Contrastant avec l'élégant tissu, elle trouva une enveloppe en papier kraft, usée, aux bords élimés. Une ficelle en loques la fermait. Jane s'en empara et l'examina. L'extérieur lisse ne portait ni adresse, ni timbre.

Elle hésita. Elle n'avait pas le droit de faire cela. Il était évident qu'il s'agissait d'un pli personnel, sans quoi son père ne l'aurait pas enfermé.

Après avoir remis l'enveloppe dans le coffret, elle referma le couvercle à moitié. Elle le regarda un moment, le cœur battant.

Elle pressentait que le contenu de l'enveloppe était de la plus haute importance.

Avant d'avoir eu le temps de changer d'avis, elle reprit l'enveloppe dont la ficelle céda facilement. Les mains tremblantes, elle l'ouvrit et en tira une feuille de papier jaunie par le temps. Elle était divisée en deux cadres dont chacun contenait quelques mots.

Elle étudia la feuille, les mots griffonnés d'une écriture déliée, qui dépassait les bords des cadres. Le texte était en français.

En français. Sa mère avait vécu en France pendant des années… dans un couvent ou un établissement spécialisé, tenu par des Dominicaines. Elle y était morte aussi, il s'agissait donc peut-être d'un certificat de décès. Ou…

Elle étouffa un cri de surprise.

— Mon père a fait plusieurs séjours en Russie, invité par le tsar, déclara lord Rushton, en découpant une tranche de filet d'un seul mouvement. Il parlait toujours de ce pays avec beaucoup d'affection, et je l'y accompagnais souvent quand j'étais enfant. Il était assez content quand j'ai été nommé ambassadeur à Saint-Pétersbourg. Évidemment, cela fait bien longtemps.

Lydia aurait juré avoir décelé un soupçon de nostalgie sur le visage du comte avant qu'il ne fasse signe à un valet de verser le vin.

— Vous y retournez souvent ? demanda-t-elle en se tournant vers Sebastian qui était assis à sa droite.

L'expression de son voisin s'assombrit. Il secoua la tête et prit son verre.

— Comme papa, nous y allions souvent quand nous étions enfants, dit Talia, d'une voix un peu trop vive. C'était notre seconde patrie. Notre frère

Darius y habite toujours. C'est une très belle ville, mademoiselle Kellaway. Il faudrait que vous y alliez, un jour. Je suis sûre que vous y trouveriez un certain nombre d'universitaires comme vous.

— À quoi ressemble cette ville ? demanda Lydia.

Le silence se fit. Les deux frères et la sœur échangèrent des regards, comme si chacun attendait que l'autre parle. Comme si aucun d'eux ne savait comment répondre à cette simple question. Alexander haussa les épaules.

— Des hivers froids, répondit-il d'une voix distante, qu'elle ne lui connaissait pas. Voilà à quoi cela ressemble. Un froid mordant qui vous coupe la respiration. La neige s'empile partout, les fenêtres sont couvertes de glace, le fleuve et les canaux sont gelés sur des épaisseurs incroyables. Les vents polaires vous pénètrent comme du verre, soufflant des bourrasques de neige dans les rues. La nuit tombe au milieu de l'après-midi et le jour ne se lève pas avant la fin de la matinée. La glace ne fond pas avant le mois de mai. Parfois, on a l'impression que l'hiver ne finira jamais.

— Ce n'est pas très plaisant, n'est-ce pas ? fit remarquer Castleford. Savez-vous que je n'y suis jamais allé ?

— Vraiment ? s'étonna Talia en le regardant. Êtes-vous allé ailleurs en Russie ?

— Je préfère les climats plus chauds, lady Talia, surtout si Saint-Pétersbourg est enfoui dans la glace six mois par an.

— C'est ainsi que l'on découvre une autre façon de vivre, objecta Alexander.

Son regard se posa sur Lydia et elle eut l'impression qu'il ne parlait qu'à elle.

— En hiver, le tintement des cloches de troïka remplace les chants des oiseaux l'été. Les églises sont illuminées par les bougies et les poêles bien garnis tiennent les maisons chaudes. Les théâtres donnent des concerts, des pièces, des opéras. Il y a des courses de traîneaux sur la Neva gelée. La ville regorge de festivals de musique, de bals, de patineurs, de marionnettes, de palais de glace, de vendeurs de thé chaud et de pâtisseries. Vous pouvez vous perdre dans le musée de l'Ermitage, dans les cathédrales, dans les conservatoires. Et quand vous ne voulez pas vous perdre, vous pouvez vous retrouver dans la blanche obscurité neigeuse. Dans le silence.

Une émotion que Lydia ne reconnut pas se peignit sur son visage. Le regard soudain vide, grave, il donnait l'impression d'avoir perdu un objet de grande valeur sans savoir par où commencer à le chercher.

— Excellente description, Northwood, murmura Rushton.

— Bien, reprit Alexander avec un sourire forcé, je suppose que l'on peut trouver partout des divertissements du même genre.

— Non, dit Talia en posant sa main sur la sienne. Pas partout.

Rushton s'éclaircit la gorge et se leva, claquant dans ses mains pour dissiper la solennité de l'instant.

— Le café est servi au salon. Allons vérifier si Miss Kellaway est aussi érudite qu'elle le prétend.

Lydia jeta un regard inquiet à Alexander, mais il se contenta de hausser les épaules d'un air fataliste. Une fois qu'ils furent assis dans le salon, lord Rushton fouilla dans une pile de livres sur la table et en sortit une feuille pliée.

— Et maintenant, mademoiselle Kellaway, déclara-t-il en chaussant ses lunettes et en la regardant par-dessus la monture, votre sœur m'a informée récemment qu'il n'existait pas un problème que vous ne puissiez résoudre. J'ai donc décidé d'en trouver un d'une difficulté certaine, ce qui m'a poussé à faire bien des recherches. Je dois dire, sans contester votre intelligence, qu'il est insoluble.

Le silence se fit dans la pièce. Comme si le comte lui avait lancé un défi, Lydia sentit soudain une bouffée de fierté. Elle ne résistait pas aux défis.

— Puis-je voir ce problème, monsieur ? demanda-t-elle en tendant une main à lord Rushton.

Le comte secoua la feuille d'un geste impatient mais la lui tendit.

— Vous ne pouvez pas résoudre un problème pareil avec les mathématiques. Il y a un piège.

— Lisez-le à voix haute, mademoiselle Kellaway, suggéra Sebastian.

— Prenez un nombre de personnes n'excédant pas neuf, lut Lydia. Une fois que vous avez quitté la pièce, l'une des personnes passe une bague à son doigt. Quand vous revenez, vous devez déterminer qui porte la bague, si elle la porte à la main gauche ou à la main droite, à quel doigt et à quelle phalange.

— Je jure que c'est impossible, affirma le comte en écartant les deux mains.

Lydia étudia le problème, son esprit bouillonnant pendant plusieurs minutes, avant de lever les yeux.

— En fait, monsieur, cette application implique de trouver un nombre déterminé. L'astuce est d'utiliser les principes d'arithmétique.

— Montrez-nous, dit Alexander en se levant, une main tendue vers Talia. Pouvons-nous emprunter une bague ?

— Mes bagues n'iront à aucun de vos doigts, répliqua-t-elle.

Elle jeta un coup d'œil à la ronde et se dirigea vers un vase contenant une gerbe de fleurs printanières. Elle sortit une primevère, arracha la fleur, puis tordit la tige en anneau.

— Voilà.

— Très bien ! approuva Lydia. Vous devez tous vous asseoir dans un ordre bien particulier, et je vais vous donner des chiffres.

Tous s'installèrent aux places qu'elle leur indiqua. Lydia désigna le comte comme numéro un, lord Castleford numéro deux, Talia trois, Alexander quatre et Sebastian cinq.

— Votre main droite est aussi le numéro un, poursuivit-elle. Votre main gauche, le numéro deux. Votre pouce est le doigt numéro un, votre index le numéro deux et ainsi de suite. La phalange la plus près de votre paume est la numéro un, la suivante, la numéro deux, et la dernière, la numéro trois. Maintenant, je vais quitter la pièce pendant que vous décidez qui portera la bague.

Elle sortit du salon et ne revint qu'à l'appel de Talia, pour trouver tout le monde assis, les mains derrière le dos.

— Et maintenant, mademoiselle Kellaway, dit lord Rushton en la défiant du regard, comment allez-vous utiliser l'arithmétique pour déterminer qui porte la bague ?

— J'aurai besoin de votre aide, monsieur, dit Lydia. Sans rien me dire encore, pouvez-vous je vous prie doubler le chiffre de la personne qui porte la bague ?

— C'est fait, répondit le comte en hochant la tête.

— Puis ajoutez cinq et multipliez le résultat par cinq.

— C'est fait.

— Ajoutez dix, plus le chiffre indiquant la main portant la bague.

— Avez-vous besoin d'un crayon et d'un papier ? demanda Talia à son père d'une voix douce.

— Juste pour vous retirer de mon testament, rétorqua le comte.

Sebastian et Castleford se mirent à rire. La boutade parvint même à faire sourire Alexander.

— Qu'y a-t-il après, mademoiselle Kellaway ? demanda le comte.

— Multipliez vos résultats par dix, puis ajoutez le chiffre sur le doigt qui tient l'anneau. Maintenant, multipliez cette somme par dix et ajoutez le chiffre de la phalange.

— D'accord.

— Ajoutez encore trente-cinq et donnez-moi la somme à laquelle vous êtes arrivé.

— Sept mille six cent cinquante-sept, énonça lord Rushton.

Lydia fit un rapide calcul mental et se tourna vers Alexander. Son cœur fit un petit bond dans sa poitrine quand elle vit avec quelle intensité il la regardait.

— Lord Northwood, dit-elle, ses yeux rivés aux siens, porte l'anneau sur la seconde phalange de l'index de sa main droite.

Le silence se fit, si pesant que Lydia se demanda un instant si elle n'avait pas commis une erreur. Puis lord Rushton partit d'un grand rire qui résonna contre les murs et le plafond de l'élégante pièce.

Le visage d'Alexander se fendant d'un lent et magnifique sourire, il avança la main droite pour révéler la tige de la fleur enroulée autour de son index.

Talia lança un regard stupéfait à Lydia.

— Comment diable… ?

— C'est très simple, en vérité, si vous assignez à chaque partie du problème un nombre fixe et que vous connaissez l'équation.

Lydia rougit un peu quand elle comprit qu'ils pensaient qu'elle avait accompli une prouesse absolument stupéfiante.

— Si vous soustrayez trois mille cinq cent trente-cinq du dernier nombre donné par lord Rushton, vous avez la solution. Sept mille six cent cinquante-sept moins trois mille cinq cent trente-cinq égale quatre mille cent vingt-deux. Lord Northwood a été désigné numéro quatre. Et il portait la bague à sa main droite, sur la seconde phalange du second doigt.

— Mademoiselle Kellaway, vous êtes extraordinaire, la félicita lord Rushton en applaudissant. J'aurais juré que ce problème était insoluble.

— Vous aviez juré, lui rappela Sebastian avec un sourire à Lydia. Tout le monde s'accorde à dire qu'il est impossible d'impressionner le comte, ce qui rend cette réussite encore plus extraordinaire.

Lydia jeta un coup d'œil à Alexander. Il la regardait avec la même intensité. Comme s'il cherchait à atteindre une conclusion qui persistait à lui échapper. Puis il se leva et s'approcha d'elle d'un pas décidé.

Elle sentit des fourmillements sur sa peau à la soudaine perspective qu'il allait se passer quelque chose d'essentiel. À la fois exaltant et accablant. Sa nuque se couvrit de transpiration. Soudain, l'air de la pièce éclairée aux bougies était irrespirable, presque écœurant.

— J'ai… j'ai besoin de prendre un peu l'air. Si vous voulez bien m'excuser.

Elle recula d'un pas pour échapper à sa présence de plus en plus imposante, essayant de s'avancer vers les portes de la terrasse sans courir.

La fraîcheur nocturne apaisa sa peau moite. Son cœur battait la chamade.

Lord Northwood l'avait suivie dehors.

Il s'arrêta à côté d'elle et posa ses mains sur la balustrade. Un instant, il regarda le parc plongé dans la pénombre, comme si les fleurs et les arbres pouvaient lui donner la réponse à une question qui le taraudait.

Dans la lumière tamisée, son profil apparaissait, âpre et sombre, ses yeux brillant sous d'épais cils noirs. Une sonate de Beethoven s'élevait du piano, se mêlant au chant des insectes et aux appels des oiseaux de nuit.

— Mon père n'avait pas pris part à une telle réunion depuis très longtemps, finit-il par dire. Il a accepté de venir ce week-end uniquement à cause de Talia.

— Votre sœur est absolument charmante.

— Oui. Elle pourrait faire un très bon mariage si elle…

Il s'interrompit en secouant la tête.

La tension raidissait ses épaules, son corps. Lydia déglutit, pleine d'appréhension.

— Alexander ?

L'air grave, la mâchoire crispée, il ne répondit pas.

— Qu'y a-t-il ? demanda-t-elle, de plus en plus alarmée.

— Nous ne nous connaissons pas depuis longtemps, déclara-t-il.

— Non.

— Et, pardonnez-moi, mais ni vous ni moi ne sommes dans la fleur de l'âge.

— En effet.

Ses yeux sombres qui la considéraient avec leur franchise habituelle étaient voilés par une incertitude qui la troubla. Elle ne le connaissait pas depuis longtemps, certes, mais elle savait qu'il ne doutait jamais de rien.

— Depuis plusieurs années, mon père a exprimé son souhait que je me marie et que j'aie un héritier, reprit-il. Je ne l'ai pas fait, d'abord parce que j'ai été occupé avec ma société et mes affaires de famille. Mais aussi parce que je n'ai pas rencontré de femme que je souhaitais épouser.

Il marqua une pause.

— Jusqu'à maintenant.

Elle pressa une main sur sa poitrine. Son cœur battait à se rompre contre sa paume, comme une feuille secouée par un vent violent. Elle essaya de parler mais ne parvint à articuler le moindre mot.

— Je crois que nous sommes très assortis, poursuivit-il. Je vous trouve intéressante, un peu surprenante, et votre famille a un statut respectable. Nous sommes... disons, compatibles d'un point de vue physique, si nous nous fions aux récents événements.

Il s'éclaircit la voix et crispa les mains sur la balustrade. Elle se rendit compte avec un sursaut qu'il était plus qu'hésitant. Alexander Hall, vicomte Northwood, était nerveux.

— Mon..., commença-t-elle.

— Il se peut, bien sûr, que votre consentement suscite de nouveaux commérages au sujet de votre mère. Bien qu'ils soient de peu de conséquence pour moi, je ne souhaite pas que des rumeurs vous causent de nouveau chagrin, à votre famille ou à vous.

Contre toute attente, elle eut les larmes aux yeux.

— Néanmoins, je peux vous assurer qu'être mariée avec moi ne sera pas désagréable, reprit-il.

Il s'éloigna de quelques pas, se dirigeant vers la porte, puis revint vers elle.

— Vous serez libre de continuer à faire ce qui vous intéresse, votre travail sur les mathématiques.

— Je suis désolée, je…

— Vous pourrez tenir la maison à votre guise, proposa-t-il. Je m'engage à vous être fidèle. Je souhaiterais continuer à voyager, et je serais enchanté si vous souhaitiez m'accompagner…

— Arrêtez ! l'interrompit-elle en levant une main, les larmes jaillissant de ses yeux.

Son souffle se fit saccadé, un poids douloureux lui oppressant la poitrine.

— Je vous en prie, je vous en conjure, taisez-vous.

Il la regarda, l'inquiétude venant se substituer au doute dans son regard.

— Ce n'est certes pas une pensée aussi repoussante.

— Ce n'est pas ça… je suis désolée, dit-elle en pressant ses mains sur ses yeux.

Elle était incapable d'analyser le tourbillon d'émotions qui l'avait envahie.

— Je suis tellement désolée.

Elle sentit ses doigts chauds agripper ses poignets et retirer ses mains de son visage.

— Désolée de quoi ?

— Je ne peux pas vous épouser, répondit-elle en s'essuyant les yeux, en proie au regret et à une terreur véritable.

Alors qu'elle tentait de réprimer un sanglot, ses jambes se dérobèrent sous elle.

Il la rattrapa avant qu'elle ait eu le temps de tomber. Son souffle tiède sur son cou, la chaleur de son corps puissant se propagea au sien. Leurs deux cœurs affolés battaient au même rythme. Ses bras étaient comme deux cordes tendues, solides, l'empêchant de sombrer dans une mer de chagrin.

Éperdue, elle laissa échapper un soupir tremblant, se creusant l'esprit pour trouver une équation, un théorème, une preuve, mais rien ne lui venait, pas même une simple somme. Le simple contact d'Alexander embrumait ses idées. Elle perdait toute capacité de se raccrocher aux chiffres.

Elle poussa un nouveau soupir et d'une pression de ses mains, le pressa de la relâcher. Il obtempéra, non sans réticence, ses paumes glissant jusqu'à son nombril.

Elle sortit du cercle de ses bras. Elle avait froid soudain, privée de la chaleur de son corps contre le sien. Les poings serrés, il la regarda s'éloigner.

— Lord Northwood, je voudrais vous présenter mes excuses, murmura-t-elle d'une voix mal assurée, en enroulant machinalement une mèche de cheveux autour d'un index. Je ne peux pas vous fournir d'explications détaillées, mais…

L'air soudain vaincue, ses épaules si droites s'affaissèrent, ses yeux se mirent à briller de larmes.

Il lutta contre le besoin de la reprendre dans ses bras. D'un ton adouci, il lui assura :

— Vous n'avez pas besoin de vous excuser, croyez-moi. Je ne suis pas digne d'une telle détresse.

Une ombre de sourire apparut à travers ses larmes. Elle s'essuya les yeux d'un revers de main et le regarda.

— Vous devez comprendre. Je ne peux pas vous épouser parce que je ne me marierai jamais avec personne. Jamais. Mais sachez que je suis profondément honorée par votre demande.

— Vous avez une bien étrange façon de le montrer, mademoiselle Kellaway.

Elle eut un petit rire sans joie.

— L'étrangeté semble être ma particularité, lord Northwood.

Il s'avança d'un pas, levant une main pour caresser ses cheveux. Elle eut un mouvement de recul puis, s'immobilisant, le laissa faire. Après avoir dégagé quelques mèches de son visage, il la contempla.

Son sourire disparu, elle reprit :

— Je vous dois plus qu'une explication, je le sais. Hélas, je ne peux pas vous en dire davantage.

— Je ne le crois pas.

— Je suis désolée.

L'air entre eux se fit plus dense. Elle recula d'un pas. Il l'agrippa par les épaules.

Elle planta son regard dans le sien sans ciller et il se noya dans ces yeux bleu azur. Glissant une main sur sa nuque, il l'attira à lui, frôlant ses lèvres d'un baiser qui les fit tous les deux frissonner. Sa bouche s'empara de sa lèvre inférieure, puis il se retira, sentant son désir pour elle dans la moindre parcelle de son être.

Elle leva une main tremblante jusqu'à sa bouche et avec une sensualité extrême fit glisser son doigt sur ses lèvres. Quelque chose parut s'ouvrir en elle, un flot de lumière, une certitude fatidique.

— Je ne peux pas vous épouser, chuchota-t-elle. Je vous en prie, ne me le demandez plus jamais. Mais je peux… je veux être votre maîtresse.

Alexander sentit son cœur tambouriner dans sa poitrine.

— Jamais je ne vous compromettrai, affirma-t-il.

— Ce ne sera pas le cas.

La confusion l'envahit. Son besoin constant de comprendre cette femme l'exaspérait.

— Pourquoi ? demanda-t-il en serrant ses mains sur ses épaules. Pourquoi vous engager dans une liaison scandaleuse alors qu'un mariage simplifierait les choses ? Si vous voulez…

— Non. Ne me demandez pas de nouveau.

Elle pressa ses lèvres contre sa joue, sa main glissant sur son torse, son corps s'imbriquant dans le sien.

— Prenez ce que je vous offre, Alexander, je vous en prie.

Il lutta un court instant avec sa conscience. Jamais une femme ne lui avait inspiré un désir d'une telle violence. Pourtant, il connaissait le prix du scandale. Un prix qu'il ne voulait jamais la voir payer.

Il força ses doigts à se détacher de ses épaules, à la libérer.

— Regagnez votre chambre, lui intima-t-il, la voix crispée par la tension qui envahissait son corps et son esprit. Je partirai à Londres demain, à l'aube.

Un instant, elle le dévisagea puis, pivotant sur ses talons, rentra dans le salon.

Chapitre 17

Lydia voulait respirer, aspirer de grandes goulées d'air pur, sentir son corps se remplir, ses côtes s'écarter, son sang déferler dans ses veines. Elle voulait aussi exhaler, se relâcher, se laisser tomber dans un fauteuil, assouvie. Puis elle voulait recommencer, inspirer, expirer, inspirer, expirer. Recommencer et recommencer. Elle ferma les yeux. Une heure avait passé depuis qu'elle avait quitté Alexander sur la terrasse. Elle craignait qu'il ne regagne jamais sa chambre, qu'il ait même décidé de rentrer à Londres dès ce soir-là.

— Juste ciel !

Le chuchotement la fit se retourner. Sur le seuil de sa chambre, Alexander la contemplait. Elle était en corset et jupon, sa robe et ses premiers jupons formant un tas froissé sur le sol. Le sang se mit à battre à ses tempes, la peur et la nervosité lui nouant l'estomac.

— Je vous avais demandé de rejoindre votre chambre, dit-il d'une voix mal assurée.

Lydia secoua la tête. Même s'il n'avait pas accepté son offre, elle savait qu'il la désirait. Il ne résisterait pas à son invitation flagrante. Il ne le pouvait pas.

Un instant, terrifiée, elle attendit. Comment allait-il réagir en la voyant à moitié déshabillée ? Son visage n'indiquait aucun signe d'aversion. Juste un désir si profond, si brûlant, qu'elle en eut le souffle coupé.

Elle peinait même à parler.

— Vous… vous allez vraiment partir demain ? À cause de moi ?

Elle fit un pas hésitant vers lui mais, d'une main levée, il l'arrêta.

— Non.

— Mais…

— Vous semblez… le feu derrière vous. C'est comme si vous étiez habitée par la lumière.

Par la lumière ? Certainement pas.

Peut-être autrefois, il y avait bien des années, quand elle avait escaladé les tas de galets des plages de Brighton. Quand sa mère allait bien et qu'elle riait avec son père alors que le vent salé leur piquait le visage et que la mer montait à leur rencontre. À cette époque, elle aussi allait bien. À cette époque, elle était habitée par une lumière assez brillante pour illuminer la plus sombre des cavernes.

— Le feu… Je… je commençais à avoir froid.

Sa voix lui paraissait rauque, pas naturelle. Elle se força à sourire, repoussant d'une main tremblante une mèche de cheveux derrière son oreille. Elle avait la chair de poule.

Alexander ferma la porte et traversa la pièce sans un bruit. À chaque pas qui la rapprochait de lui, elle se recroquevillait sur elle-même, frottant ses bras nus de ses mains.

Elle s'était attendue à ce qu'il la prenne par les épaules et l'attire dans ses bras. Mais au lieu de cela, il s'arrêta à quelques centimètres d'elle et la contempla, son regard embrasé s'attardant sur la naissance de ses seins voluptueux emprisonnés dans leur carcan, avant de se poser sur son visage. Lydia s'agita, son corset frottant son buste, la proximité d'Alexander allumant un brasier entre ses cuisses. Elle le regarda, un peu méfiante, se demandant une fois de plus si son audace était très sage.

— Vous me mettez dans l'impossibilité de vous résister, déclara-t-il.

— C'était bien mon intention, répliqua-t-elle en esquissant un sourire. Rappelez-vous : vous avez dit un jour que je devrais me montrer audacieuse plus souvent.

— Il semble que j'aie eu raison.

Malgré son aveu, elle se sentait tendue à l'extrême. Elle recula vers le feu, la chaleur irradiant à travers sa chemise et sa culotte.

— Alexander, je…

Incapable de soutenir son regard, elle baissa les yeux sur les boutons de sa chemise. Comment pourrait-elle jamais lui avouer le sordide secret de sa jeunesse, et le prix qu'elle avait dû payer ?

Peut-être n'était-elle pas contrainte de procéder à ces aveux. C'était son passé, imprimé dans son âme comme un fossile, mais Alexander n'avait pas à connaître toute la vérité. Elle n'accepterait jamais de l'épouser. Peut-être seraient-ils amants un temps, mais leur relation n'irait pas au-delà. Elle ne lui devait rien, hormis la loyauté à un amant.

Au moins, cette fois, elle connaissait les termes de l'accord.

— Je l'ai déjà fait, murmura-t-elle d'une voix presque inaudible, même pour ses propres oreilles.

— Je sais.

Surprise, elle leva vivement les yeux vers lui.

— Vous savez ?

Il hocha la tête, la sondant toujours de son regard impassible.

— Aucune femme ne réagit aussi vite aux caresses d'un homme, à la passion de la chair, sans en avoir déjà fait l'expérience.

Lydia sentit les larmes lui brouiller la vue un instant.

Ce n'était pas juste une caresse d'homme, voulait-elle hurler. *Pas une passion sans nom. C'est vous. Vous, vous, vous.*

Il s'approcha d'un pas, et la prenant par les bras, l'attira loin du feu.

— J'aimerais vous voir vous consumer de désir sous ma caresse.

Sa peau la brûlait soudain. D'un doigt sous son menton, Alexander la força à le regarder. L'air agacé, il essuya une larme de sa joue.

— Je ne suis pas si horrible que ça, dit-il.

Elle parvint à sourire.

— Je n'ai jamais pensé que vous l'étiez. Plutôt le contraire, à vrai dire, rétorqua-t-elle en posant ses mains sur ses joues couvertes d'une barbe naissante.

De son pouce, elle suivit l'ourlet de sa bouche, sentit les petites crevasses de ses lèvres, son souffle sur ses doigts.

— Embrassez-moi, murmura-t-elle.

Son regard s'assombrit. Il glissa une main dans sa nuque et l'attira à lui, sa bouche voletant au-dessus de la sienne pendant un instant avant de s'en emparer. Elle ferma les yeux et s'abandonna à ses sensations divines, entrouvrant les lèvres alors qu'il caressait sa bouche de sa langue.

Une chaleur diffuse l'envahit, chassant les dernières traces de froid en elle. Jamais elle ne pourrait avoir froid dans les bras d'Alexander. Jamais elle ne se sentirait glacée, pas même au plus profond de son âme. Pas tant qu'il la serrerait au creux de sa chaleur.

Il inclina la tête, leurs langues, leurs souffles se mêlant, tandis que ses dents mordillaient sa lèvre inférieure. Elle sentit tout son corps s'embraser. Plaquant ses paumes sur sa chemise, elle éprouva les panneaux durs de son torse à travers le lin, les battements affolés de son cœur.

Ses mains puissantes s'attardèrent dans son dos avant de descendre jusqu'à ses fesses qu'il prit en coupe pour les soulever contre lui. Elle sentait la protubérance de son pantalon contre sa cuisse, ce qui décupla encore son désir. Elle ondula contre lui, le souffle court, et fit glisser ses lèvres de sa joue à son oreille avec un gémissement. La bouche dans ses cheveux, Alexander murmura quelque chose, écartant de ses doigts ses fesses qui s'ouvrirent sur sa cuisse durcie.

Avec un cri étouffé, elle se mit à onduler des hanches, avide de laisser éclater la tempête de feu qui faisait rage dans son bas-ventre. S'arc-boutant à lui, elle allait d'avant en arrière. Alexander accentua son mouvement de ses doigts habiles, avant de laisser échapper un rire rauque et de la relâcher.

— Lydia, ma douce, tu vas me tuer ! déclara-t-il d'une voix sourde, crispée. Un destin que je serais heureux de revivre mille fois.

La faisant pivoter, il entreprit de déboutonner son jupon. Des flammes de plus en plus ardentes s'allumèrent en elle, ses tétons durcissant à vue d'œil, comme deux perles contre son corset.

— Aidez-moi à me dégrafer, chuchota-t-elle d'une voix rauque, ses mains s'affairant vainement sur le devant. Je vous en supplie, Alexander, retirez-le-moi !

Il se débattit avec les dentelles, cherchant à détendre les lacets de ses gros doigts maladroits. Il poussa quelques jurons mais finit par en venir à bout, puis la fit pivoter vers lui pour dégrafer le devant.

Avec un gémissement de soulagement, elle le vit balancer le corset de côté. Il dévorait sa poitrine du regard, libérant de leur carcan ses tétons protubérants.

Un délicieux frisson la parcourut quand il les caressa, les palpa de ses paumes chaudes, ses doigts glissant sous leur renflement. Elle poussa un long soupir d'aise, offrant sa poitrine gonflée aux mains expertes d'Alexander. Brûlante de désir, elle pressa les jambes. Elle était en feu. Prête à mourir pour qu'enfin il la délivre.

—Je veux te voir, chuchota-t-il d'une voix râpeuse. Tout de suite.

Les mains tremblantes, elle attrapa sa chemise et la tira par-dessus sa tête, offrant son buste nu à ses yeux. Avec un grognement presque animal, ses mains désormais brutales, il l'attira contre lui et écrasa sa bouche de la sienne. Sa langue l'envahit et elle lui répondit avec la même avidité. Prise par l'urgence de leur passion, elle frotta ses seins contre son torse, étouffant un cri quand elle sentit ses mains puissantes sous ses fesses la soulever.

D'instinct, elle enroula les jambes autour de sa taille, l'ouverture dans sa culotte s'écartant. Elle refréna son besoin de se tortiller, ne souhaitant qu'une chose, que cette délicieuse torture ne s'arrête pas, jusqu'à ce que son monde bascule dans cette exquise volupté, à l'infini.

—Alexander, touche-moi, je t'en prie, le supplia-t-elle.

La cascade de sensations divines qui la traversaient lui coupait presque la parole. Chaque parcelle de sa peau réclamait ses mains, ses lèvres, la sensation moite de sa peau contre la sienne.

—Je savais que tu serais aussi belle, aussi douce. Je le savais, chuchota-t-il.

Il l'allongea sur le lit et déposa un baiser plein de tendresse sur la courbe de son épaule. Ses lèvres descendirent sur sa gorge, léchant le creux humide, avant de s'aventurer plus bas.

Il happa la pointe tendue de l'un de ses seins et, les hanches arquées, elle s'agrippa à ses cheveux bruns avec la sensation de se liquéfier entre ses bras. Un tourbillon enivrant la transportait aux confins du paradis. Quand sa bouche s'empara de son autre sein et entreprit de lui infliger la même torture délicieuse, tout en le caressant, elle ferma les yeux sur un flot de larmes inattendues. Jusqu'à cet instant, jusqu'à Alexander, elle ne savait pas qu'elle pouvait ressentir autant de plaisir.

Il leva la tête vers elle, le regard embrasé. Humectant ses lèvres desséchées de sa langue, elle écarta les jambes. Son regard toujours enchaîné au sien, il laissa sa main glisser le long de son buste dénudé jusqu'à la fente dans sa culotte.

— Oh ! fit-elle, se cambrant davantage au contact de ses longs doigts. Oh Alexander, oui…

S'allongeant sur elle, il baissa la tête pour l'embrasser. Elle tressaillit, un lent frisson l'électrisant, vibra comme une corde de violon, alors qu'il plongeait sa langue dans sa bouche et ses doigts dans son sexe.

— Jouis, Lydia ! lui intima-t-il d'une voix tendue. Jouis pour moi, maintenant.

Elle s'exécuta, s'abandonnant à la pression intolérable de son pouce qui caressait le point sensible où se concentrait toute l'acuité de son désir. Il étouffa son cri de sa bouche. Une vague d'une sensualité intense ondoyait en elle, faisant bouillir son sang, alors qu'elle se frémissait de plaisir sous ses doigts experts.

Toujours grisée, elle ouvrit gauchement son pantalon, le souffle court.

— Laisse-moi te voir, haleta-t-elle.

Il se pencha pour retirer ses bottes, puis défit son pantalon et le retira. Secouée d'un nouveau délicieux tremblement, elle prit son sexe dur comme la pierre dans sa main, sa chaleur irradiant contre sa paume. Elle brûlait d'être comblée par cette érection, de se presser contre les muscles de son sexe de la façon la plus intime possible.

— Lydia ! gémit-il en l'attrapant par le poignet.

À la hâte, elle défit les lacets de sa culotte et la laissa tomber à terre. Sans rougir de sa nudité, se délectant du regard brûlant d'Alexander, elle écarta les cuisses et attrapa les pans de sa chemise humide pour l'attirer à elle.

— Je te veux en moi, chuchota-t-elle, picorant de ses lèvres son menton, son cou, son épaule, ses mains caressant son torse à travers sa chemise. Remplis-moi.

Un grondement s'échappa de sa bouche. Debout sur le côté du lit, il se positionna face à elle ; puis s'avançant entre ses jambes, il s'immisça en elle d'un puissant coup de reins avec une fougue qui trahissait la force de leur désir.

S'ouvrant comme une fleur, elle agrippa ses bras, ses hanches ondulant à sa rencontre, étouffant un cri quand elle sentit son pénis lourd, dur, ouvrir les lèvres de sa féminité. Il s'écarta un peu pour regarder leurs deux sexes réunis d'un regard embrasé. Encore quelques centimètres et il serait tout entier en elle.

Il recommença avec une frénésie nouvelle et enfin la remplit tout entière. Elle s'attendait à ce qu'il prenne sa bouche, leurs langues se poursuivant au même tempo que cette extase qui allait les emporter mais, posant ses mains sur ses genoux repliés, il la regarda.

Elle sentit sa peau embrasée rougir encore. Elle ne s'était jamais attendue à voir un homme la regarder avec une telle intensité en lui faisant l'amour, regarder ses seins frémissants, les soubresauts de son corps, le roulement de ses hanches. La regarder comme s'il ne voulait rien manquer du plaisir qui se lisait sur son visage.

Baisant ses paupières, elle pressa ses mains sur son visage, ses nerfs tendus comme des cordes, son esprit envahi par un tourbillon de sensations indescriptibles. D'un geste ferme, Alexander écarta encore ses genoux. Le bruit du frottement de leurs peaux, de leurs souffles saccadés, de leurs gémissements mêlés envahissait ses oreilles. Elle avait si chaud que des gouttes de transpiration ruisselaient sur son cou, ses seins, ses cuisses.

Il l'attrapa de nouveau par les poignets, retira ses mains de son visage, la forçant à le regarder. Il frôlait le point de non-retour, elle le savait, le voyait à ses traits durcis, le sentait à la tension qui vibrait en lui. Et pourtant, il continuait de s'enfoncer en elle, d'aller et venir, de l'envahir de son sexe, comme s'il sentait son orgasme monter et qu'il voulait qu'il l'entraîne avec lui.

Les yeux dans les yeux, ils continuèrent encore, prolongeant cette félicité indicible. Il se retirait, puis s'immobilisait quelques secondes, à la limite de l'orgasme. Jusqu'au moment où elle céda à l'extase et, un long cri lui échappant, se sentit vibrer follement autour de son sexe. Dans un spasme, elle écarta encore les cuisses et l'enserra en même temps, l'entraînant dans le plaisir. Pantelante, elle sentit ses doigts se presser sur la perle de son sexe pour prolonger les ultimes pulsions de jouissance.

Mais, dans la brume ouatée de volupté qui les enveloppait, le souvenir revint, insidieux.

— Alexander, dit-elle, sa voix se brisant.

Elle devait lui parler, elle aurait dû lui dire avant…

En dépit du plaisir persistant, la panique l'envahit.

— Vous ne pouvez pas…

Avec ce qui dut être un effort surhumain, il s'écarta d'elle avant de s'abandonner à sa propre délivrance. Elle sentit son corps se relâcher en le regardant chevaucher la vague des derniers spasmes finals. Son cœur continua à cogner fort, résonnant à ses oreilles. Puis, fourbu, il s'écroula sur le lit à côté d'elle, lui prit la main et l'attira contre lui.

Elle se blottit dans le creux chaleureux de son épaule, essayant de repousser l'incertitude, la tension, les doutes qui commençaient à envahir sa conscience comme des insectes.

Sa main glissa dans son dos en une caresse chaude. Paupières closes, elle posa sa joue contre son torse et laissa échapper un long soupir.

Chapitre 18

Il était endormi, si beau dans son sommeil que Lydia sentit son cœur se serrer. Ses cheveux bruns se détachaient nettement sur l'oreiller d'un blanc immaculé. Sa poitrine se soulevait en respirations profondes. Et même si dans son sommeil, ses traits restaient durs, une douceur imperceptible allégeait les angles de son menton et de ses pommettes. Si elle restait à le contempler assez longtemps, elle parviendrait à déceler la vulnérabilité qu'il prenait grand soin de dissimuler à tous.

Elle détourna son regard de son visage et prit sa chemise. Les braises rougeoyaient, émettant des petits nuages de fumée et un peu de chaleur. Au moment où elle mettait la main sur son corset, il l'appela.

— Lydia.

Sa voix de baryton roula dans le froid de la pièce. Elle s'arrêta, et se tourna vers lui avec un frisson d'appréhension. Le souffle lui manqua à la vue de son corps nu, brillant dans la pâle lumière. Toute trace de douceur évanouie, il s'assit sur le lit.

Une bouffée de désir monta en elle en le voyant tirer son pantalon sur ses hanches, ses muscles jouant, aussi lisses qu'une coulée de crème sous sa peau tendue. Ses doigts la picotèrent du besoin de glisser de nouveau ses mains sur ses épaules, de sentir la flexion de son corps, la tension gracieuse qui accompagnait chacun de ses mouvements.

— Où allez-vous ? demanda-t-il.

— Je retourne dans ma chambre.

Un éclair de colère traversant son regard, il alla nourrir le feu, y remua les bûches avec des gestes qui ressemblaient à une vengeance. Brandissant le tisonnier, il les frappait si fort qu'elles se fendirent dans une gerbe d'étincelles.

— Vous n'irez nulle part jusqu'à ce que nous ayons réglé cette affaire, déclara-t-il en reposant le tisonnier sur son support d'un claquement sec.

Il s'avança vers le lit, puis revint, passant une main dans ses cheveux emmêlés.

— Le risque d'une liaison est trop grand. Je ne le tolérerai pas.

Piquée au vif par son ton irrité, elle répliqua :

— Vous sembliez très bien le tolérer, il y a quelques heures.

Il la foudroya du regard, sans pouvoir dissimuler le désir qui y brûlait.

— Aucun homme ne pourrait résister à une femme à moitié déshabillée comme vous l'étiez.

Elle sentit son estomac se nouer. Elle en savait assez sur la question pour espérer cette réaction, non qu'elle puisse le blâmer.

— Si vous pensez que c'était une erreur…

— Ce n'était pas une erreur, l'interrompit Alexander. C'était inévitable. À la minute même où je vous ai vue, j'ai su que nous ferions l'amour.

Son cœur s'emballa, résonnant si fort dans sa tête qu'elle fut incapable de s'avouer qu'elle aussi l'avait su dès le premier instant.

Sans lui laisser le temps de réagir, il traversa la pièce et lui prit les poignets.

— Mais cela doit cesser tout de suite, reprit-il. Je vous donne deux semaines.

— Je vous demande pardon ?

— Deux semaines, répéta Alexander. Si d'ici là vous n'avez pas accepté de m'épouser, ce sera la fin de notre relation.

Le cœur de Lydia se remit à battre la chamade.

— Est-ce une menace ?

— C'est une décision. Je ne prendrai pas le risque d'une liaison.

— Pourquoi deux semaines, dans ce cas ? Pourquoi ne pas me poser l'ultimatum tout de suite ?

Elle luttait pour garder une voix ferme.

— Parce que deux semaines vous laissent le temps de vous préparer.

Elle le dévisagea avec surprise.

— Vous pensez que je vais être d'accord ?

— Bien sûr que vous allez être d'accord, bon sang ! ragea Alexander, un muscle tressautant dans son menton. Vous serez ma femme.

— Non !

La colère et le désespoir vinrent aussitôt assombrir le visage d'Alexander.

— Pour l'amour du ciel, je suis l'héritier d'un comte, idiote !

— J'en suis bien consciente.

— Nous avons essuyé des scandales, certes, mais je suis à la tête d'une fortune considérable.

— Cela n'est pas un argument suffisant pour vous épouser.

— Je vous ai dit que vous auriez toute la liberté que vous voudrez, de l'argent, du temps. Vous continuerez votre travail, vous ferez tout ce qui vous plaira pendant la journée.

Il s'approcha plus près, le regard embrasé, plein des souvenirs de leurs ébats passionnés... et des promesses de beaucoup plus. Son souffle chaud frôla ses lèvres.

— Et le soir, ajouta-t-il, d'une voix qui ressemblait à un grognement, vous m'appartiendrez. Sans restriction.

Le désir de Lydia s'intensifia dangereusement entre ses jambes. Ses joues s'empourprèrent, sa poitrine se souleva au rythme de sa respiration saccadée.

— Je ne voudrais pas laisser entendre que cela paraît inacceptable...

L'espace d'un instant, Northwood sembla s'amuser.

— Bien sûr, ce n'est pas inacceptable. C'est le paradis, nom d'un chien !

Même si sa réponse manquait de poésie, un profond bonheur s'épanouissait en lui. Il croyait, il avait la certitude, qu'un mariage entre eux serait une glorieuse réussite.

Lydia observa la forte colonne de son cou, la petite cavité humide où elle avait goûté sa peau. Elle posa une main tremblante sur son torse, sentit contre sa paume les battements de son cœur qui se répercutaient dans son bras. Les doigts d'Alexander se refermèrent autour de son poignet.

Tous ses espoirs, ses rêves, ses souhaits déferlèrent dans son esprit. Les objectifs atteints, les occasions manquées, les risques pris. Cet étrange mélange de bonheur et de désespoir qui coulait dans ses veines.

La profonde certitude qu'elle ne changerait rien à sa vie, rien ! Pas même si cela signifiait la liberté d'accepter sa demande, de s'octroyer tous les merveilleux avantages liés à un mariage avec Alexander Hall.

— Si je devais me marier, dit-elle, je ne souhaiterais aucun autre mari que vous.

— Alors, dites oui.

Devant son silence, il sentit l'exaspération monter en lui. Il resserra son emprise sur son poignet jusqu'à ce qu'à sa grimace, il vit qu'il lui faisait mal.

Étouffant un juron, il la relâcha et fit un pas en arrière. Il sentit son regard sur lui. Il lutta contre le besoin de faire les cent pas et reprit le tisonnier pour frapper les bûches qui se consumaient. Il refoula sa colère, sachant que ce n'était pas vraiment le meilleur moyen de la convaincre d'accepter.

Lydia se laissa tomber dans le fauteuil au coin de l'âtre, enserrant ses genoux de ses bras.

Le silence s'installa entre eux. Au bout d'un long moment, elle parla.

— C'est ce que l'on attend de vous, n'est-ce pas ? Que vous fassiez un beau mariage ? Je comprends mieux pourquoi la fille d'un baron aurait été un excellent parti pour vous.

Alexander resserra son poing sur le tisonnier.

— Elle n'était rien de tel, rétorqua-t-il. Et vous n'êtes pas la fille d'un baron mais je veux quand même…

— Exactement, l'interrompit Lydia.

— Quoi, exactement ?

— Il y a une grande différence entre votre ex-fiancée et moi.

Elle passa sa main sur le bras du fauteuil et étudia le motif du tissu qui le recouvrait.

— Je ne sais rien de la haute société, Alexander. Je n'ai pas la moindre notion du style des robes à la mode, ni d'une réception pour un thé, l'après-midi.

— Talia peut vous aider avec ce genre de chose, si c'est ce qui vous inquiète.

— Mais ce n'est pas tout, poursuivit-elle en levant la tête pour le regarder. Je ne serais un atout ni pour vous ni pour votre titre de comte. N'en êtes-vous pas conscient ?

— Vous vous trompez. Vous êtes très estimée, Lydia, tout comme l'était votre père avant vous. Je l'ai appris peu de temps après vous avoir rencontrée. Votre talent pour les mathématiques est une cause de fascination plutôt que de désapprobation.

Il fit un pas vers elle, comme pour appuyer la sincérité de ses paroles.

— Et vous seriez un atout pour moi. Oui, j'ai le devoir de bien me marier, mais au-delà de cela nous sommes indéniablement assortis. Je n'ai jamais rencontré une femme comme vous. Une femme avec laquelle j'ai envie de passer ma vie.

Une peine insoutenable obscurcit le regard de Lydia. Une peine qu'il avait déjà vue. Dont il ne comprenait pas la cause.

De son index, elle dessinait les feuilles du tissu, jusqu'à la fleur ouverte. Sa tête penchée, ses cils baissés, la cascade de ses longs cheveux masquait partiellement ses traits.

— Des fonctions mutuellement inversées, murmura-t-elle comme pour elle-même.

— Pardon ?

— C'est ce à quoi tout mariage devrait ressembler, dit-elle à haute voix. Des fonctions mutuellement inversées. Supposez qu'une fonction voyage de A à B. Une fonction inverse voyage dans la direction opposée, de B à A, avec l'idée que chaque élément revient à lui-même, aussi si vous deviez…

— Arrêtez !

Elle leva sur lui ses yeux ombrés de cils noirs.

— C'est une façon mathématique de…

Alexander s'approcha d'elle et la prit par les épaules, la faisant se lever de son fauteuil pour la serrer contre lui.

— Non. Il n'y a pas de mathématiques là-dedans, Lydia.

Ses seins bombés se pressèrent contre lui, mettant ses nerfs à vif, aiguisant de nouveau son désir. Il prit les plis de sa chemise et les remonta, exposant ses jambes, ses hanches voluptueuses. Elle s'alanguit, les paumes plaquées contre son torse, le souffle court.

— Vous ne pouvez pas formuler une équation pour expliquer cela, chuchota-t-il, sa main glissant le long de sa taille, de la courbe d'une hanche jusqu'à la moiteur entre ses cuisses. Vous ne pouvez pas trouver de schéma pour l'amour, pour le désir. Vous ne pouvez pas calculer ce qui pousse un homme à vouloir une femme. Vous ne pouvez quantifier ni l'attirance ni la passion. Tout ce que vous pouvez faire, c'est les sentir.

Lydia étouffa un cri alors que ses doigts exploraient les plis humides de son intimité. Le bleu de ses yeux s'assombrit, ses mains se crispant sur ses épaules.

— Je voulais juste dire que si vous…

— Vous le sentez, Lydia ? demanda-t-il en prenant son menton au creux de sa paume.

— Oui, chuchota-t-elle, son corps s'imbriquant docilement au sien, aussi gracieux qu'une tige de fleur. Oh oui…

Une impatience brûlante envahit le sang d'Alexander, alimentant la conscience grandissante que cette femme avait comblé en lui un vide dont il ne soupçonnait même pas l'existence.

Et quand elle fut sous lui, son corps voluptueux et souple abandonné au sien, ses petits cris dans son oreille, il lutta contre le besoin de réclamer de nouveau sa soumission, lutta contre la compulsion de lui faire admettre qu'elle lui appartenait, qu'elle ne pourrait être qu'à lui, à jamais.

Chapitre 19

Des bruits étouffés de marteaux et de scies résonnaient à travers St Martin's Hall et contre les murs de la salle de réunion de la Société des Arts. Cinq hommes étaient assis en face d'Alexander, à la table du Conseil, examinant leurs papiers, les annotant de temps à autre.

Alexander n'avait aucune envie d'être ici. D'être rentré à Londres. Une semaine après son retour du Devon, il avait reçu un avis pour une réunion urgente de la Société des Arts. Et il craignait de connaître déjà le motif de cette convocation.

Les poings crispés sur ses genoux, il écouta le marquis de Hadley prendre la parole.

— Hélas, lord Northwood, nos raisons de nous inquiéter ne cessent de croître, déclara-t-il, l'air sinistre, en levant les yeux de son papier. Vos deux frères habitent toujours Saint-Pétersbourg, si je ne m'abuse ?

Alexander ignorait où se trouvait Nicholas. Il ne se rappelait même pas la date de sa dernière lettre. Se composant un visage de marbre pour ne rien montrer de son anxiété, il répondit d'une voix égale :

— L'un d'eux, je crois. Mais je ne vois pas le rapport avec l'exposition.

— Dans ce cas, vous feriez bien de vous pencher sur la question, dit sir George Cooke en tapotant la table d'un doigt grassouillet. Votre frère est considéré comme un ennemi de l'État.

— Mon frère est un soldat, il ne fait pas de politique, protesta-t-il.

— Croyez-vous que ses activités intéressent quiconque ? s'enquit lord Hadley. Nous avons déjà reçu de nombreuses objections concernant la section russe de l'exposition, alors que, pour la plupart, les objets prêtés ne sont pas encore arrivés.

Lord Wiltshire toussa.

— Et pardonnez-moi, lord Northwood, mais personne n'a oublié les circonstances malheureuses du divorce de vos parents. Ni le scandale lié à votre mère. En raison de votre soutien et de l'ardeur de votre travail pour la Société, nous avons souhaité l'ignorer jusqu'à maintenant, mais j'ai peur que les hostilités croissantes avec l'Empire russe nous obligent à en tenir compte de nouveau.

— Quel rapport y a-t-il avec ma mère ? siffla Alexander entre ses dents serrées.

— Lord Northwood, je vous en prie, dit sir George en levant une main conciliante. Vous n'êtes pas devant un tribunal. Nous ne vous demandons pas de vous défendre ni de défendre votre famille. Nous énonçons simplement les faits et j'oserai hasarder que vous ne pourrez en aucune façon contester cela.

Northwood s'adossa à son fauteuil, détestant le sentiment d'impuissance qui le gagnait.

— En France, l'opinion publique est de plus en plus hostile à la Russie, enchaîna sir George. Une hostilité qui commence à gagner l'Angleterre. Nous n'osons pas prendre le risque de causer des tensions avec les Français et d'autres commissaires étrangers à l'exposition, en laissant supposer que nous sympathisons avec le tsar.

— Un despote, de la pire espèce, renchérit lord Wiltshire. Nous devons nous unir à nos alliés contre lui, Northwood, dans tous les domaines de la société. C'est vraiment le nœud de l'affaire.

— Et votre propre société de négoce avec la Russie, de textile, entre autres, est également un problème, lord Northwood, reprit sir George. Ce n'est pas illégal en soi mais nous ne pouvons écarter la possibilité que cela le devienne bientôt. Ou, du moins, que cela éveille un ressentiment général.

— Que voulez-vous que je fasse ? fulmina Alexander. Retirer la section russe de l'exposition ? Limiter mon commerce avec…

— Lord Northwood, je crains que cela ne serve à rien, répondit Hadley, une ombre de compassion passant dans son regard.

Après avoir échangé un coup d'œil avec sir George, il reprit :

— Nous devons… en fait, nous allons avoir besoin du soutien des représentants du syndicat et devons respecter certains arrêtés. Mais je suggère que vous vous prépariez à cette éventualité.

Alexander serra encore les poings.

— Quelle éventualité ?

— Je crains que nous n'ayons d'autre choix que de vous remplacer comme directeur de l'exposition.

Alexander sortit en trombe de la pièce. Tout le travail qu'il avait accompli pour la Société, pour l'exposition, pour la famille, pour son entreprise… lui glissait entre les doigts comme du sable. La porte de la salle d'exposition de St Martin's Hall claqua derrière lui.

Les travailleurs grouillaient dans l'immense salle comme des insectes sur un champ. Le hall d'exposition, les escaliers, les galeries, les passages, étaient encombrés de tables, d'étagères, de caisses et de cloisons, ces dernières pour démarquer les divers stands. L'air retentissait de cris, du bruit des marteaux, des caisses qu'on transportait en les cognant ou les frottant.

Lui, et lui seul, était à l'origine de cette effervescence. S'il n'avait pas été là, rien de tout cela n'aurait été possible. Et à présent, ils pourraient le priver de ses fonctions comme si…

Il s'arrêta devant la section consacrée aux pays d'Asie. Lydia se tenait devant l'exposition sur la Chine, observant une étagère de livres, la tête penchée. La joie soudaine qui gonfla le cœur d'Alexander dissipa sa colère.

Malgré toute la frustration qu'elle lui avait causée, il ne pouvait nier le pur plaisir qu'il prenait à simplement la regarder. Son besoin ne tarissait pas d'entendre sa voix, de sentir son regard sur lui, de se réchauffer à la chaleur de son sourire.

L'évidence le frappa alors de plein fouet, lui ouvrant enfin les yeux.

Il l'aimait. Il voulait épouser Lydia parce qu'il l'aimait. Il avait besoin de l'épouser. Il avait besoin d'elle.

Il inspira profondément, à plusieurs reprises, dans l'espoir de se calmer, puis s'approcha d'elle. Talia et Castleford étaient là aussi, absorbés dans une conversation.

— Bonjour, Northwood, le salua Castleford en agitant une main. Nous étions en train de passer en revue les derniers détails.

Alexander gardait son regard rivé sur Lydia. Une image de son corps nu sous le sien, de son visage empourpré, lui traversa l'esprit. Il inspira une nouvelle bouffée d'air et, s'appliquant à garder une voix neutre, déclara :

— Enchanté de vous voir, mademoiselle Kellaway.

Elle lui décocha l'un de ces radieux sourires dont elle avait le secret. Ignorant ses sens soudain surchauffés, il lui offrit un visage bienveillant.

— Comment allez-vous, monsieur ? J'ai été avisée de l'arrivée de plusieurs textes mathématiques. Vous vouliez mon opinion pour les inclure dans l'exposition ?

Bon sang ! Il ne savait même plus pendant combien de temps encore il allait pouvoir prendre des décisions. Il lui adressa un petit signe de la tête.

— Accepteriez-vous de venir avec moi ? demanda-t-il.

Lydia sortit du stand et lui emboîta le pas. Il se dirigea vers les bureaux, à l'extrémité du hall.

— Mademoiselle Kellaway ? Est-ce bien vous ? les interrompit une voix masculine.

Alexander étouffa un juron. Lydia se retourna vers les deux hommes qui approchaient. Sourcils froncés, il se redressa bien droit, prenant son air le plus intimidant. Manifestement impressionnés, ils s'arrêtèrent à une certaine distance, hésitants, leurs yeux allant de Lydia à Alexander.

Un sourire enchanté aux lèvres, elle s'avança vers eux.

— Lord Perry, docteur Sigley, quelle merveilleuse surprise de vous trouver ici !

Encouragés par son enthousiasme, ils s'approchèrent, les mains tendues, ce geste étant leur seul point commun. Le premier était petit et alerte, avec un regard inquisiteur qui rappelait Dash, le dernier épagneul de la reine Victoria. Son compagnon à la carrure massive, traînait les pieds. Il arborait des oreilles en feuilles de chou et une expression apathique que démentaient des yeux noirs, très vifs.

— Et notre plaisir est immense, mademoiselle Kellaway, déclara Dash l'Épagneul, en serrant chaleureusement les mains de Lydia.

— Oui, cela fait bien trop longtemps que nous n'avons pas eu la chance d'égaler nos intelligences, renchérit Oreilles-de-Chou en se glissant entre son compagnon et Lydia pour faire de même.

Alexander s'éclaircit la gorge et elle se tourna vers lui avec un nouveau sourire.

— Lord Northwood, ces messieurs sont des mathématiciens de renom, dit-elle avec un geste en direction de Dash. Je vous présente le docteur Sigley, membre de la *Royal Society* de Londres et rédacteur en chef du *Cambridge and Dublin Mathematical Journal*. Et lord Perry est professeur au King's College, et son élection à la *Society* est attendue ce mois-ci. N'est-ce pas exact, monsieur ?

— On ne peut plus exact, mademoiselle Kellaway. Merci de vous en être souvenue.

— C'est tout naturel. Mais dites-moi, que faites-vous donc ici, tous les deux ?

— Le Comité chargé de réunir des instruments mathématiques et scientifiques nous a demandé d'être conseillers, expliqua lord Perry en la scrutant avec la même intensité qu'un bijoutier examinant une pierre rare. Nous espérions venir vous voir pour vous demander votre aide mais, sachant que vous préférez… euh ! à quel point vous tenez à préserver votre vie privée… je veux dire…

— Nous savons que vous aimez mieux passer inaperçue, intervint le docteur Sigley.

— Oui, approuva Perry. Et pourtant, nous souhaiterions beaucoup vous voir en pleine lumière, chère mademoiselle Kellaway.

Les deux savants restèrent silencieux un moment, l'enveloppant de regards pleins d'admiration respectueuse. Alexander toussa.

— Je vous prie de m'excuser messieurs, dit Lydia en se tournant vers Alexander, je vous présente Alexander Hall, vicomte Northwood. Le directeur de l'exposition.

La bouche pincée, Alexander les salua d'un bref hochement de tête.

— Messieurs.

— Monsieur, répondit Perry en claquant des talons, avec un coup d'œil à son compagnon. Mademoiselle Kellaway, êtes-vous impliquée dans l'exposition ?

— Non. Je suis juste là pour donner mon opinion au vicomte Northwood au sujet de plusieurs textes mathématiques.

— Et assisterez-vous aux colloques qui doivent se tenir la semaine prochaine ?

Sigley demanda :

— J'ai reçu un article que vous avez soumis. L'article sur la rotation d'un corps autour d'un point fixe. Vous affirmez qu'elle peut être résolue par six fonctions méromorphes du temps ?

— Oui, pourvu que toutes les six aient un rayon de convergence positif et vérifient également l'équation d'Euler.

— C'est du génie, murmura Perry en prenant les mains de Lydia.

Sans la quitter un instant des yeux, il déclara à l'intention d'Alexander :

— Lord Northwood, vous avez la plus extraordinaire… Nous admirons infiniment Miss Kellaway. Infiniment.

Sigley tira Perry de côté pour libérer Lydia qui semblait plus amusée que choquée par la dévotion évidente de cet homme.

— Votre article contient plusieurs idées fascinantes, approuva Sigley.

— J'aurais quelques questions sur les intégrales mais je dois continuer à travailler sur les équations. Nous pourrons peut-être en discuter plus longuement au colloque ?

— Bien sûr. Je m'en réjouis d'avance.

— Moi aussi, renchérit Sigley. Ravi de vous avoir revue et de vous avoir rencontré, monsieur.

— Oui, et nous espérons que vous serez plus… plus disponible pour nous à l'avenir, renchérit Perry avec une courbette gauche.

Puis Sigley et lui s'éloignèrent vers l'exposition d'instruments mathématiques.

Alexander l'entraîna vers un bureau au fond du bâtiment.

— Quel colloque ? demanda-t-il.

— Oh ! dit-elle en agitant une main distraite. Un colloque sur les études récentes en mathématiques. J'ai reçu une invitation le mois dernier, et je l'ai acceptée.

Je ne suis pas allée à un colloque depuis longtemps. J'ai pensé que j'aimerais connaître les dernières théories.

Après l'avoir précédé dans le bureau, elle prit quelques ouvrages sur la table de travail et fit mine de ressortir. S'interposant entre elle et la porte, il la ferma.

Elle s'arrêta.

— Alexander ? s'étonna-t-elle.

— Pourquoi n'avez-vous pas assisté à des colloques récemment ? demanda-t-il.

— Je ne…

— Et comment ces deux hommes vous connaissent-ils si bien ?

— Simplement parce que j'ai la réputation de préférer faire mes travaux en privé. Cela ne veut rien dire, Alexander. C'est simplement la façon dont je travaille. Dont j'ai toujours travaillé.

— Pourquoi ?

— Que voulez-vous dire ?

— Pourquoi une femme douée d'un esprit que même Euclide envierait serait-elle si déterminée à rester anonyme ?

Il fulminait intérieurement en songeant que ses talents avaient été cachés et qu'il en ignorait la raison.

— Et ne prenez pas Jane comme excuse. Pourquoi avez-vous passé tant d'années à étudier les mathématiques si vous n'aviez plus l'intention d'utiliser vos talents ?

Lydia pinça les lèvres, son regard trahissant un mélange d'exaspération et de tristesse.

— Je n'ai jamais eu l'intention de cesser d'utiliser mes talents. En ce qui concerne les mathématiques, j'ai toujours voulu contribuer à ce fonds de connaissances, voir publier mon travail et en débattre, écrire des livres, étudier les identités et les équations. Je n'ai jamais souhaité autre chose.

— Alors, prouvez-le ! l'exhorta-t-il.

— Pardon ?

Il s'avança d'un pas, poussé par une exigence pressante. Il détestait savoir que Lydia si brillante, si belle, s'était cloîtrée pendant tant d'années, qu'elle avait été seule face à ses réflexions, fermée à une communauté d'universitaires qui souhaitaient utiliser ses théories, ses idées, son intelligence.

— Donnez une conférence dans le cadre de la série des présentations de l'exposition éducative, enchaîna-t-il. Vous choisirez le sujet. L'instruction pratique dans les écoles, l'utilisation du boulier, les mathématiques et les sciences… ça m'est égal. Ce que vous voudrez. Quand vous voudrez. Mais faites-le !

Seul son silence lui répondit. L'air autour d'elle semblait s'être figé. Elle joignit les mains, son regard bleu prudent.

— Je…

— Donnez une conférence, l'interrompit Alexander, et vous récupérerez enfin le médaillon.

Elle ébaucha un sourire.

— Un nouveau défi.

— Pas un défi. Un accord tacite. Vous paierez votre médaillon par une conférence. C'est ma dernière offre.

— Mais Alexander, je…

— Pas de mais ! l'interrompit-il.

Il fit un pas en avant et l'agrippa par les épaules.

— Ne me dites pas que vous n'en êtes pas capable. Ce serait un mensonge. Et nous n'avons pas de place pour les mensonges.

À sa stupéfaction, il vit des larmes embuer ses yeux alors que ses doigts se refermaient sur ses bras. Il relâcha son emprise, prêt à reculer, mais elle s'accrocha à lui.

— Attendez ! lança-t-elle en s'essuyant les yeux de sa manche. Attendez, Alexander. Je suis désolée, tellement désolée…

— Inutile de l'être, Lydia. Vous devez simplement faire ce pour quoi vous avez été envoyée sur cette terre.

— Vous… vous le croyez vraiment ?

— Bien sûr que je le crois. Vous étiez censée transmettre vos connaissances, Lydia. C'est la raison pour laquelle vous avez reçu une pareille intelligence. Même si votre intelligence exceptionnelle est tombée en panne quand vous avez rejeté ma demande en mariage, ajouta-t-il avec une grimace.

Lydia eut un petit rire de gorge, un peu forcé. Elle s'approcha plus près, le serrant si fort que la chaleur de ses doigts, ses paumes, le brûlait à travers son pardessus et sa chemise.

— Je suis désolée Alexander. Je vous en prie, ce n'est pas… Je n'ai pas refusé parce que je ne vous aime pas.

Alexander cessa de respirer. Il regarda Lydia, ses yeux bleus limpides et francs, ses joues rosies, ses cils encore humides. Il entendait battre son propre cœur, un son étrange, discordant, qui résonnait de tout ce qu'elle était, sa présence aussi exaspérante que délicieuse dans sa vie, son corps nu abandonné, son parfum vif et pimpant.

— Alors pourquoi ? demanda-t-il d'un ton mordant.

Pour toute réponse, elle secoua la tête.

De plus en plus irrité, il déclara :

— Je ne le tolérerai pas, Lydia. Vous avez encore une semaine.

— Ce n'est pas comme de résoudre un problème mathématique, Alexander, murmura-t-elle.

— Ah non ? N'étudiez-vous pas ce genre de chose ? Concevoir des équations pour expliquer les émotions ? Amour plus amour égale mariage, non ?

Elle prit une longue inspiration. Elle tremblait de tous ses membres. Il resserra son étreinte, inhalant le parfum de sa chevelure luxuriante.

— Dites-moi oui, chuchota-t-il, ignorant s'il faisait référence à sa demande en mariage, à la conférence, ou aux deux à la fois.

Il la sentit se raidir dans ses bras, ses doigts s'agrippant aux pans de son pardessus.

— Non.

Au son de ce simple mot, quelque chose en lui se brisa. Les paroles de son frère, plusieurs semaines auparavant, résonnèrent dans sa tête.

« Fais ce qui te rendra heureux. Oh non, j'oubliais, tu en es incapable... Tu ne feras jamais que ton devoir. »

Pourtant, Alexander avait essayé. Dieu sait qu'il avait tout tenté.

Lydia s'écarta de lui et il la libéra. Elle mit ses livres sous son bras. Il regarda son profil, la courbe gracieuse de sa nuque, la mèche rebelle sur son cou.

Une détermination sans faille enfla de nouveau en lui. Il n'avait pas dit son dernier mot. Si Lydia refusait toujours de reconnaître qu'ils étaient faits pour vivre ensemble, il trouverait un autre moyen de la convaincre. Il lui fallait trouver un allié.

Chapitre 20

Son cahier était plein de signes, de notes au crayon, d'équations griffonnées. Elle les parcourut, essayant de rassembler le désir de suivre ses idées, de prouver qu'Alexander se trompait. Elle pouvait quantifier l'amour. Elle pouvait expliquer l'attirance à travers différentes équations, elle pouvait établir des schémas de l'intimité.

Simplement, elle n'en éprouvait plus l'envie.

Elle regarda toutes ses notes sur Roméo et Juliette, sur Tristan et Yseult, sur Lancelot et Guenièvre, sur Hélène et Pâris, sur Pétrarque et Laure. Ses équations n'avaient jamais pu dégager l'élément commun à toutes ces relations, à savoir que toutes se soldaient par un échec. En dépit de la violence de leur passion, de leurs sentiments, de leur désir, aucun de ces couples n'avait mené une vie heureuse, épanouie.

Aussi, $dr/dt = a_{11}r + a_{12}j$ n'avait aucune espèce d'importance puisque, le résultat final était la souffrance. Sans parler, souvent, d'une mort prématurée.

« Je propose, mademoiselle Kellaway, de jeter votre satané cahier au feu et de me laisser en paix. »

Elle esquissa un sourire, ferma le cahier d'un coup sec. Un instant, elle contempla le feu, puis, d'un geste vif, jeta ses travaux dans les flammes.

Il s'ouvrit en tombant, la chaleur faisant voleter les pages avant qu'elles ne prennent feu et se mettent à brûler. Son écriture, ses chiffres, ses équations, noircirent et se tordirent dans les flammes.

Elle le regarda se transformer en cendres et se sentit soudain libérée. Elle en achèterait un autre. Après tout, elle avait les mathématiques dans le sang. Mais elle ne consacrerait plus son temps ni son intelligence à une relation fictive qui finissait en tragédie.

La vie était trop précieuse, l'amour trop inestimable, pour être mesurés.

Se détournant, elle essuya une larme furtive. Le jour où, bien des semaines auparavant, Alexander lui avait ouvert sa porte, jamais elle n'aurait pensé que tant d'autres s'ouvriraient par la suite. Sans lui, elle n'aurait jamais osé prendre de nouveaux risques. Dans les mathématiques. Dans la vie. Sûrement pas en amour.

Elle essaya d'imaginer qu'elle acceptait sa proposition, qu'elle présentait ses idées à un public composé de ses propres collègues. Son théorème sur les nombres premiers ou le lemme de…

Oh Lydia ! Arrête tes bêtises. Que n'as-tu cessé de répéter à Alexander ?

Bien déterminée à rester campée sur sa position, elle lissa sa jupe et monta à la salle d'étude. Un objet en métal dans une main, Jane s'affairait à sa fougère, près de la fenêtre. Leur grand-mère était occupée à ranger les livres.

Lydia s'arrêta devant la plante verte qui s'était développée étonnamment vite ces dernières semaines.

— Elle est superbe. Comment as-tu fait ?

— Je vaporise les feuilles d'eau. Lord Rushton m'a appris à m'en occuper.

La fillette recouvrit la plante de la cloche de verre et se retourna.

— Que fais-tu ici ?

— J'ai pensé que nous pourrions revoir nos divisions.

D'un geste rageur, Jane posa la seringue à eau sur l'appui de la fenêtre.

— J'ai autre chose à faire, riposta-t-elle en quittant la pièce.

Lydia jeta un coup d'œil anxieux à sa grand-mère.

— Elle va bien ?

— Je pense que oui, la rassura Mrs Boyd. Pourquoi ?

— Je l'ai à peine vue depuis que je suis rentrée de Floreston Manor, révéla-t-elle, préoccupée. Vous ne pensez pas qu'elle soit fâchée de n'être pas venue ?

— Non, je ne crois pas, répondit Mrs Boyd en se redressant et en s'essuyant les mains. Je lui ai dit qu'elle pourrait t'accompagner la prochaine fois.

Le cœur de Lydia fit un bond dans sa poitrine.

— Pourquoi ? Qu'est-ce qui vous fait croire qu'il y aura une prochaine fois ?

Sa grand-mère posa une pile de livres sur la table, puis se pencha pour ramasser des feuilles pliées tombées par terre.

— Naturellement, il y aura une prochaine fois. Lord Northwood ne t'a pas invitée dans sa maison de campagne parce qu'il souhaite mettre un terme à votre relation. Ou bien, est-ce le cas ? demanda-t-elle, le regard inquisiteur.

La gorge soudain nouée, Lydia secoua la tête.

— Bien, dit Mrs Boyd, en rangeant les papiers sur l'étagère. Je dois dire, Lydia, que jamais je n'aurais imaginé voir les choses évoluer de cette façon quand tu es allée chercher le médaillon. À propos, l'as-tu récupéré ?

— Pas encore.

— Bien. Une autre bonne raison de continuer à voir lord Northwood. Si j'avais su ce qui allait arriver, ajouta-t-elle avec un sourire en coin, il y a des années que j'aurais déposé ce satané bijou chez le prêteur sur gages.

Sur ces mots, elle quitta la pièce, les bras chargés de livres. Lydia alla à la fenêtre et se perdit dans la contemplation du flot de carrioles et de piétons dans la rue.

Elle n'arrivait pas à s'indigner de l'attitude de sa grand-mère. Malgré ses manipulations, Mrs Boyd n'avait toujours voulu pour elle que ce qu'il y avait de mieux. À l'instar d'Alexander, son père et elle avaient toujours cru à ses capacités, à son intelligence. Ils avaient eu la certitude qu'elle avait quelque chose d'important à transmettre au monde.

Avec Alexander, la différence était qu'il voulait aussi qu'elle croie en elle. Parce qu'il l'aimait. Il l'aimait comme jamais elle n'avait été aimée auparavant, d'un amour inconditionnel. Elle ne savait même pas qu'un tel amour puisse exister.

Une sensation de manque s'infiltra en elle, transperçant l'épaisse carapace de sa résistance. Elle ne pouvait s'empêcher d'imaginer ce que serait sa vie si ses souhaits se réalisaient.

Elle se laissa tomber sur une chaise devant la fenêtre, le front entre ses mains. Elle voulait être la femme d'Alexander, elle voulait se tenir debout devant une salle de conférence bondée pour expliquer ses théories, elle voulait dévoiler son cœur à Jane et lui donner tout ce qu'elle n'avait jamais eu. Elle voulait être libre. Que son corps, son esprit, son âme soient libres.

Peut-être un jour…

Ce que lui murmurait son cœur lui fit monter les larmes aux yeux. Mais sa raison lui souffla que cela ne serait jamais. Jamais.

Assez !

Alexander plia les doigts dans un effort pour apaiser la tension de tous ses muscles. Il s'épuisait sur tous les fronts : la Société, l'exposition, sa famille, son entreprise. Et tout échappait à son contrôle. Il ne laisserait pas la même chose arriver avec Lydia.

Avec une résolution inébranlable, il descendit de sa voiture sur East Street. La gouvernante lui ouvrit la porte, les yeux écarquillés de surprise à sa vue.

— Lord Northwood ! Nous n'attendions pas votre…

— Cela n'a pas d'importance, madame Driscoll. Mrs Boyd est-elle à la maison ?

— Oui, monsieur. Elle est dans le petit salon.

— Bien. Merci de bien vouloir l'aviser de ma présence.

— Un instant, je vous prie, monsieur. Miss Kellaway est…

— À St Martin's Hall. Je sais.

— Un instant, dans ce cas, milord, dit Mrs Driscoll en se hâtant.

Alexander attendit impatiemment. Quelques minutes plus tard, la gouvernante était de retour et le faisait entrer dans le petit salon. Mrs Boyd se leva et s'approcha, lissant les plis de sa jupe. Il admirait son attitude impériale et avait la ferme intention d'utiliser à son avantage l'intérêt calculé qu'elle lui portait.

— Lord Northwood. Que me vaut cet honneur ?

— Madame Boyd, Lydia vous a-t-elle entretenue de mes intentions ?

— Vos intentions ? répéta-t-elle, une lueur d'intérêt dans les yeux. Non, monsieur. Puis-je les connaître ?

— Lors de son séjour à Floreston Manor, j'ai demandé sa main.

— Oh ! s'exclama Mrs Boyd, les yeux agrandis par la stupéfaction, portant une main à sa gorge. Oh, lord Northwood, je n'en avais pas la moindre idée. Lydia ne m'en a pas soufflé mot.

Il alla à la fenêtre et revint sur ses pas.

— Peut-être parce qu'elle a refusé ma demande.

— Elle a refusé ?

— Oui, mais elle n'a su justifier ce refus d'aucune raison valable.

— Vous m'en voyez navrée, monsieur, déplora Mrs Boyd en repoussant d'une main légèrement tremblante une mèche de cheveux blancs de son front. Je ne vois pas ce que je pourrais vous répondre, si ce n'est qu'à l'évidence, la conduite de ma petite-fille est stupide.

— C'est plutôt contraire à sa nature habituelle, acquiesça Alexander. J'ai même précisé à Lydia qu'elle pourrait continuer à travailler et qu'elle ne manquerait de rien. Par ailleurs, Jane et vous seriez également sous ma protection.

— Je vous en suis fort reconnaissante, monsieur… Puis-je vous demander si cette offre est toujours valable ?

— Oui, elle le sera encore une semaine. Hélas, Lydia ne donne aucun signe de vouloir changer d'avis.

— C'est la raison pour laquelle vous êtes venu me trouver ?

— Dans l'espoir de lui faire entendre raison, en effet.

— Monsieur, je vous en prie, soyez patient. Lydia est… différente, vous savez. Elle l'a toujours été. Elle n'a pas eu une enfance normale. Cependant, il est certain qu'elle ferait une excellente épouse et ne ferait rien pour…

D'une main levée, il l'interrompit.

— Vous n'avez pas besoin de répondre de Lydia, madame Boyd. Je suis tout à fait conscient de ses qualités.

Il marqua une pause, soudain frappé par la vérité de sa phrase. Tout en Lydia le complétait : son intelligence, son esprit, sa passion. Même son entêtement allait avec son caractère, comme si cela avait été un écho de sa propre inflexibilité. Et sa bonté sincère, sa gentillesse, lui rappelaient avec chaque battement de cœur l'homme qu'il devrait faire son possible pour devenir.

— Lydia possède de nombreuses qualités que j'admire profondément, reprit-il. Néanmoins, mon offre expirera bientôt.

— Certainement pas. Je vais parler à Lydia sans attendre, monsieur. Merci du fond du cœur. Vous honorez notre famille de votre considération.

Il prit congé et ressortit dans le vestibule. Tandis qu'il enfilait son pardessus, il se figea. Debout sur la dernière marche de l'escalier, une main autour du pilastre, Jane le dévisageait. Il se redressa et la considéra.

D'une voix tremblante, elle demanda :

— Vous êtes sérieux, monsieur ? Vous voulez vraiment épouser Lydia ?

Avec un signe d'assentiment, il s'approcha d'elle. Mais les yeux verts brillants de larmes de l'enfant le prirent au dépourvu.

— L'idée qu'elle se marie avec moi vous déplaît-elle ? demanda-t-il, ne sachant que faire.

Les larmes ruisselant sur ses joues, Jane secoua la tête.

— Alors qu'y a-t-il ?

Avec un sanglot, elle s'essuya les joues d'un revers de main. De plus en plus déconcerté, Alexander tapota gauchement son épaule dans un geste qui se voulait réconfortant. Sans doute Jane ne supportait-elle pas l'idée que quelqu'un la sépare de Lydia, cela devait lui briser le cœur.

— Vous pourrez continuer à voir Lydia aussi souvent que vous le souhaiterez, la rassura-t-il.

Elle renifla.

Plongeant une main dans sa poche intérieure, il en sortit le médaillon. Il prit la main de Jane et le plaça au creux de sa paume. Ses petits doigts se refermèrent autour du bijou.

— Il vous appartient. Lydia a toujours souhaité qu'il soit à vous. Si elle accepte mon offre, je serai très heureux de vous avoir pour belle-sœur.

Un nouveau flot de larmes inonda ses joues pâles.

— Ce n'est pas que je n'aime pas l'idée que vous épousiez Lydia, hoqueta-t-elle d'une voix étranglée. C'est que je ne veux pas qu'elle vous épouse.

Sur ces mots, elle pivota sur ses talons et s'élança à vive allure dans l'escalier. Pétrifié de stupeur, Alexander la suivit des yeux.

Chapitre 21

— Il m'a dit que tu avais refusé, dit sa grand-mère d'une voix tremblante de colère. Pourquoi as-tu fait une chose pareille ?

Debout près d'une fenêtre du salon, elle agrippait le pommeau de sa canne.

Lydia froissa convulsivement les plis de sa jupe. Elle venait de rentrer d'une courte réunion avec Talia à St Martin's Hall. Mrs Boyd l'attendait. Quand elle avait découvert qu'Alexander était allé trouver sa grand-mère à son insu, son cœur s'était serré. Pourtant, elle ne pouvait nier une certaine excitation devant l'évidence de sa persistance.

Il tenait vraiment à l'avoir pour épouse.

— Vous savez parfaitement pourquoi j'ai refusé, répliqua-t-elle.

— Cela n'a plus d'importance, Lydia. As-tu oublié ta position dans la vie ? Que tu es seule responsable d'avoir gâché ton avenir ? Que le jour où Jane quittera cette maison pour vivre sa propre vie, tu n'auras rien ?

— Je ne pouvais pas accepter son offre sans lui dire la vérité, dit-elle d'une voix étranglée, refoulant les larmes qui l'étouffaient. Il a… une réputation.

Je sais. Sa famille également. Mais c'est un homme bon. Il a un grand cœur. Et s'il devait se marier avec une femme qui…

— Une femme qui quoi ? Qui est un génie des mathématiques ? Il est évident qu'il considère cela comme un avantage plutôt qu'un inconvénient. Et as-tu réfléchi à ce que cela pourrait nous apporter ? enchaîna Mrs Boyd en s'approchant d'elle. Toutes les personnes avec qui j'ai parlé se sont montrées bienveillantes à son égard. Plusieurs ont fait référence au scandale, bien sûr, mais vraiment, lord Northwood n'est en rien à blâmer. Sa propre réputation demeure intacte, aussi longtemps que personne ne le punira pour les péchés de ses parents. Ce que je n'ai pas l'intention de faire.

— Et que faites-vous de ma réputation ?

— Tu n'as pas de réputation, Lydia. Pas dans des cercles aussi élevés. C'est la raison pour laquelle lord Northwood t'a choisie. Il ne veut pas d'une femme portant un titre, qui craindrait que le scandale rejaillisse sur sa famille. Avec toi, il aurait une épouse respectable, admirée pour son intelligence et qui se révélerait une bonne et honorable compagne.

— Je ne suis pas honorable.

— Tu peux l'être, affirma sa grand-mère en frappant le sol de sa canne. Idiote ! C'est ta seule chance, Lydia, de sortir de ta vie désolante. Tu n'as même plus ton travail, n'est-ce pas ? Pas le travail que tu aimerais. Veux-tu passer tes vingt prochaines années à te cacher, à te morfondre dans l'oisiveté ?

— Qu'est-ce qui vous fait croire qu'épouser Northwood m'en empêcherait ?

— Au moins, tu aurais une vie agréable, Lydia, fit valoir Mrs Boyd. Certes, il a des problèmes, mais il y a deux mois, te serais-tu jamais imaginée dans cette position ? Il est vicomte ! Il possède une fortune. Imagine ce que tu pourrais faire s'il t'y autorisait.

Le plus horrible, c'était qu'elle l'imaginait parfaitement. Elle n'avait presque pensé qu'à cela depuis la première demande en mariage d'Alexander.

Elle se voyait travaillant avec Talia sur les programmes éducatifs pour les enfants pauvres, aider à concevoir des cursus de mathématiques pour les écoles de filles. Elle se voyait enseignant aux institutrices la meilleure façon d'aborder les mathématiques avec leurs élèves, organisant des colloques, des conférences. Elle se voyait même assister Alexander pour la Société des Arts, l'exposition d'inventions, les programmes de récompenses, les jurys.

Et, bien sûr, elle imaginait leurs conversations, leurs caresses, leurs baisers, ses mains sur son corps et son regard brûlant sur son visage.

Quand elle le voudrait. Pour toujours. Sans restriction. Être avec lui.

Imaginer son avenir lié à celui d'Alexander fit naître en elle un désir si violent, si profond, qu'elle en eut presque le souffle coupé.

— Voulais-tu vraiment lui dire non ? murmura la voix de sa grand-mère, tout près d'elle.

Lydia se tourna pour plonger son regard dans les yeux de la même teinte indigo que ceux de Theodora, que ses propres yeux. Se radoucissant soudain, Mrs Boyd demanda d'une voix pleine de regret, en effleurant sa joue de sa main :

— Espérais-tu vraiment voir ta vie prendre cette direction ?

Lydia déglutit, un étau lui broyant la poitrine.

— Si j'acceptais sa proposition, que feriez-vous concernant Jane ?

— Oh Lydia ! s'exclama Mrs Boyd, ses yeux embués de larmes, en lui caressant le visage. Nous serons là. Nous serons toujours là. Tu verras Jane autant qu'aujourd'hui, si ce n'est plus. Penses-tu que ton mariage à lord Northwood changerait ses sentiments pour toi ?

Lydia sentit un flot de larmes ruisseler sur ses joues, donnant à ses lèvres un goût de sel. Elle posa sa main sur celle de sa grand-mère et murmura :

— Comment puis-je ne pas le lui dire ?

— Parce que tu ne le peux pas ! Étant donné que jamais personne ne saura.

Une réponse si simple et pourtant si complexe, si malhonnête.

— Tout va changer, chuchota Lydia.

— En mieux.

— J'ai déjà refusé.

Elle luttait pour se tenir à sa résolution mais déjà elle la sentait se craqueler, la lueur de la possibilité d'un avenir neuf s'infiltrant à travers les fentes. Les ombres la poursuivraient toujours mais peut-être la lumière allait-elle enfin vaincre.

Si elle l'autorisait.

— Lord Northwood m'a dit que son offre était encore valable une semaine, reprit Mrs Boyd. Il veut t'épouser, Lydia. Sinon, il ne me l'aurait pas demandé. Tu ne dois pas laisser passer cette occasion. Pour Jane, s'il n'y a aucune autre raison. Fais pour elle ce que tes parents n'ont pas été capables de faire pour toi.

S'éclairant à la pâle lueur d'une bougie, Lydia traversa la chambre obscure pour s'approcher du lit où Jane était allongée sous les couvertures, contemplant les ombres au plafond.

Elle s'arrêta et la regarda. Elle ne voyait aucune ressemblance avec Theodora Kellaway dans les traits encore poupins de l'enfant, sa bouche pulpeuse, ses sourcils sombres. Et même si elle aurait tout donné pour épargner ce destin tragique à sa mère, elle était heureuse – infiniment heureuse – que Jane ne présente aucun point commun avec une femme dont l'esprit s'était obscurci.

Elle s'assit sur le bord du lit et prit la petite main. La fillette se raidit et essaya de se dégager.

— Jane ?

Jane tourna la tête, l'examinant avec une intensité étrange, comme si c'était la première fois qu'elle la voyait dans la lumière.

— Qu'a dit grand-mère ? demanda-t-elle. Est-ce qu'elle t'a dit que lord Northwood était venu la voir pour l'aviser de sa demande en mariage ?

— Tu le savais ?

— J'ai surpris leur conversation.

— Que penses-tu de cette idée ?

Lydia attendit, espérant la voir manifester une lueur d'intérêt, ou quelque sentiment. Mais l'enfant lui opposa un visage aussi indéchiffrable qu'une plaque chinoise.

— Est-ce que cela te contrarie ?

Jane haussa les épaules.

— Fais comme tu voudras. De toute façon, je ne serai plus ici très longtemps. Du moins une fois que grand-mère aura pris ses dispositions pour m'envoyer à Paris, finit-elle, une pointe d'accusation dans la voix.

Lydia resserra son étreinte sur sa main.

— Je serai contente d'aller à Paris, reprit l'enfant. Et j'aime bien lady Montague.

Avec un sentiment de malaise, Lydia répliqua, le cœur serré :

— Elle paraît gentille, c'est vrai. Certainement très… raffinée.

— Grand-mère a raison, tu sais. Mon éducation comporte des lacunes. Je devrais apprendre le français, et bien d'autres disciplines.

Avec un sourire forcé, Lydia la rassura :

— Dans ce cas, Paris est l'endroit idéal.

Jane se redressa si vivement que Lydia lâcha sa main. La flamme de la bougie éclaira ses traits pâles.

— C'est tout ? lança-t-elle, cassante. Tu te moques que je m'en aille ?

— Bien sûr que non, Jane ! Tu vas terriblement me manquer.

— C'est faux. Tu seras contente d'être débarrassée de moi, n'est-ce pas ? Maintenant que tu as lord Northwood.

Pétrifiée, Lydia vit un flot de larmes jaillir de ses yeux.

— Jane…

Elle essaya de prendre ses mains dans les siennes.

— Non, dit Jane en la repoussant. Laisse-moi seule. C'est pour cela que tu lui as donné le médaillon ? Pour qu'il te demande de l'épouser ?

— Le médaillon ? Jane, comment… Comment savais-tu qu'il était en possession du médaillon ?

— Je l'ai vu quand je suis allée prendre une leçon de piano. Puis il… tout à l'heure, quand il était… oh, ça n'a pas d'importance.

La défiant du menton, elle ajouta avec un entêtement de rebelle :

— C'est pour cela qu'il l'a ? Parce que tu voulais l'épouser ?

Lydia pressa une main sur sa gorge. Que diable cherchait à lui dire Jane ?

— Non, dit-elle. Non. Le médaillon… Oh, c'est une longue histoire, mais c'est vrai. Lord Northwood n'a jamais eu l'intention de le garder. Il a toujours été entendu qu'il serait pour toi un jour.

— Je m'en fiche. Je n'en veux pas.

— Pourquoi dis-tu une chose pareille ? Et qu'est-ce qui te fait penser que j'échangerais le médaillon contre le mariage ?

— Pour échapper à l'ennui de cette vie, répondit Jane avec un grand geste du bras. Pour vivre une vie de vicomtesse. Pour ne plus avoir à obéir à grand-mère. Pour que je ne te dérange plus.

— Qu'est-ce qui te fait croire que tu m'as jamais dérangée ? demanda-t-elle en tentant de prendre sa main encore une fois.

Mais roulant sur le côté opposé, Jane se mit en boule.

— Je t'aime Jane, j'aime notre vie. Si j'épousais lord Northwood, ce ne serait pas parce que je veux m'échapper.

Sentant l'épuisement la gagner, Lydia frotta ses yeux qui la brûlaient. Elle essaya de passer un bras autour de Jane et, ignorant son mouvement de recul, se pencha pour effleurer son crâne d'un baiser.

— Je suis désolée, murmura-t-elle. Rien de tout cela n'était destiné à te faire de la peine. Bien au contraire. Je n'ai jamais voulu qu'une chose, te protéger.

— De quoi ? demanda Jane d'une voix dont l'oreiller n'étouffa pas la tristesse.

— De… de vivre une vie que tu ne voulais pas. D'être malheureuse.

— Comme tu l'es ?

Un nœud dans la gorge, Lydia murmura :

— Tu crois que je suis malheureuse ?

— Ce n'est pas vrai ?

— Non, pas quand je suis avec toi. Jamais.

— Mais à d'autres moments ? Tu semblais l'être. Tout au moins, jusqu'à ta rencontre avec lord Northwood, précisa Jane en la regardant par-dessus son épaule. Pourquoi ?

Lydia sentit son cœur se déchirer. Elle pensa à lui, à cet homme magnifique avec ses cheveux bruns chatoyant au soleil, ses traits nobles, sa carrure impressionnante, témoignant de la force d'un millier d'ancêtres.

Elle resserra son bras autour de Jane.

— Parce que, ma chérie, chuchota-t-elle, son aveu aussi doux qu'une ondée d'été sur les feuilles, je l'aime.

Chapitre 22

« Cher C,

Comment avez-vous fait la connaissance de Lydia Kellaway ?

Recevez mes sincères salutations,

Jane. »

Alexander était immobile. Il regardait Lydia, qui, blanche comme un linge, se tenait debout sur le seuil de son salon, les mains crispées. Son regard azur était orageux.

Il s'éclaircit la voix.

— Pardon ?

— J'ai dit que j'allais accepter votre proposition, monsieur, répéta Lydia. Je vais vous épouser… si vous… si vous souhaitez toujours cette union.

« Je vais vous épouser. » C'étaient les mots qu'il avait rêvé d'entendre depuis le soir où il lui avait fait sa demande. Un espoir ténu naquit en lui.

Il s'approcha d'elle, le tapis étouffant le bruit de ses pas. Elle recula vers la porte.

— À quoi est dû ce revirement ? s'enquit-il.

— Vous avez parlé à ma grand-mère, répondit-elle d'un ton accusateur.

— Parce que je savais qu'elle verrait le côté raisonnable de mon offre.

— Eh bien, dans ce cas, vous avez ce que vous vouliez, lâcha-t-elle d'un ton cassant. N'ai-je pas dit que j'allais vous épouser ?

Alexander passa une main dans ses cheveux. Elle venait de prononcer les mots qu'il avait désespérément souhaité entendre, pourtant, il était en proie à un indéfinissable malaise. Il avait voulu que Mrs Boyd parvienne à convaincre Lydia de l'épouser, certes. Néanmoins quelque chose ne collait pas. Il n'avait pas la moindre idée de ce que cela pouvait être.

— Pourquoi ? demanda-t-il.

— Je ne veux pas que notre relation suscite le moindre soupçon d'inconvenance. J'en assume toute la responsabilité puisque c'est moi qui l'ai… initiée. Pour cette raison, je dois faire mon possible pour rectifier la situation.

— Ainsi, vous m'épousez pour étouffer un scandale dont il n'existe aucune preuve ?

Elle le regarda sans ciller.

— Je ne dirai pas que c'est ma seule motivation. Toutefois, vous comprendrez que nous devons à tout prix éviter les commérages.

Alexander resta silencieux. Il l'observa un moment, essayant de percer la surface de son apparence aussi froide que calme.

— Il y a quinze jours, vous affirmiez sans contestation possible que vous ne vous marieriez jamais, dit-il. Aujourd'hui, parce que j'ai parlé à votre grand-mère, vous venez me dire que non seulement vous m'accordez votre main mais que, de surcroît, vous acceptez par mesure de protection.

— J'ai… j'ai refusé, bredouilla-t-elle, avant de savoir que les rumeurs étaient…

— Vous avez refusé parce que vous ne vouliez pas vous marier, l'interrompit Alexander. Comment votre grand-mère a-t-elle réussi à vous faire changer d'avis ?

— Je me suis rendu compte que nous serions sans doute l'objet de rumeurs préjudiciables.

— Ce n'était pas assez pour vous dissuader de me prendre pour amant.

Le rouge monta aux joues de Lydia.

— Je… j'ai bien peur de m'être comportée de façon irrationnelle. Je vous prie de m'excuser. J'aurais dû rester décente.

Comblant la distance entre eux en deux enjambées, il l'adossa à la porte. Il prit son visage au creux de sa paume et l'attira à lui, la frôlant presque. Elle persistait à fuir son regard.

— Vous pensez, que ce que nous avons fait est indécent ? questionna-t-il d'une voix dangereusement sourde.

Il sentit la crispation de sa mâchoire contre sa paume.

— Une femme respectable n'a pas de liaison, fit-elle valoir.

— Cela ne répond pas à ma question.

Sa main remonta le long de son cou, et son pouce vint se poser sur le pouls qui cognait juste sous la surface de sa peau, trahissant son émoi beaucoup plus clairement que ses paroles. Décidé à lui rappeler leur première rencontre, ici même, dans cette pièce, il caressa très lentement sa gorge de son pouce.

Lydia déglutit. Un tremblement la parcourut. Il s'avança encore plus près, si près que leurs corps se frôlaient. Si près qu'il sentit son parfum exquis s'infiltrer dans ses narines.

Il déposa un baiser sur sa tempe et sentit son pouls s'accélérer contre sa paume. Prenant appui contre la porte de son autre main, sa bouche glissa sur sa joue, puis sur son oreille.

— Vous pensez que c'était indécent, Lydia ? chuchota-t-il. Que vous ne vous êtes pas comportée en femme respectable ? En frémissant, nue, dans mon lit ? En me laissant embrasser votre peau nue ? Toucher votre…

— Alexander, protesta-t-elle d'une voix étranglée.

Il inhala l'odeur de sa peau, effleurant son cou satiné de ses lèvres.

— Pourquoi n'avez-vous pas accepté ma première proposition ?

— J'aurais… j'aurais dû.

S'écartant, il la regarda et demanda, le souffle court :

— Pourquoi ne l'avez-vous pas fait ?

Quelque chose parut se durcir en elle. Elle faisait un choix, prenait une décision. Il plongea son regard dans le sien, hypnotisé par le tourbillon de pensées qui agitait ses magnifiques yeux bleus. Il avait l'impression d'observer une pendule, sachant que tous les engrenages, poids et ressorts fonctionnaient en parfaite harmonie, sans avoir la moindre idée de la façon dont chacun des éléments s'imbriquait dans un autre.

— Nos finances sont en mauvais état, dit-elle d'une voix égale, sans le quitter des yeux, comme si elle avait répété son discours. Elles diminuent depuis quelque temps. Ma grand-mère a tenu à des traitements très onéreux pour ma mère, à des médecins privés, des voyages dans des villes de cure et des institutions, partout en Europe. Les frais ont épuisé les fonds de mon père.

Elle reprit sa respiration et enchaîna :

— Ma carrière dans les mathématiques n'a pas été très rentable. Et le mari de ma grand-mère n'a laissé qu'un maigre héritage. Aussi, ces dernières années, avons-nous connu plus de bas que de hauts, financièrement parlant. Dernièrement, la situation s'est détériorée.

Intrigué, il demanda :

— C'est la raison pour laquelle vous avez refusé mon offre ?

— Oui.

— Cela n'a aucun sens.

— Monsieur, vous avez prouvé que vous étiez… généreux. Je savais que, avant de nous marier, je devrais vous révéler nos difficultés financières. Comme je savais que vous m'offririez toute l'aide que vous pourriez.

Et je… je ne voulais pas que vous pensiez que je vous épousais pour votre argent. Voilà pourquoi j'ai décliné votre proposition initiale.

Elle marqua une pause, leva la tête, une lueur de soulagement dans ses prunelles comme si elle était convaincue de lui avoir donné une explication plus que satisfaisante.

Pour Alexander, néanmoins, elle n'était même pas plausible. Il réfléchit, essayant de se rappeler leur conversation sur la terrasse de Floreston Manor.

— Pourquoi avez-vous dit que vous n'épouseriez jamais personne ?

— Parce que ma grand-mère n'aurait pas permis une union qui n'apporterait rien à ma famille sur le plan financier, répondit-elle. Et je ne souhaitais pas m'imposer à un homme pour sa fortune.

— Dans ce cas, qu'est-ce qui a changé ? insista-t-il.

— Comme je vous l'ai dit, j'accepte votre proposition afin que nous évitions tous les deux le scandale. Et je dois compter sur votre… foi en moi quand je vous dis que je suis honnête, qu'il ne s'agit en rien d'améliorer le train de ma famille ni sa position sociale.

— Même si les deux facteurs sont une conséquence inévitable de notre union, fit-il remarquer.

— Et que, je dois l'admettre, ils combleront ma grand-mère de joie.

— Mais pas vous.

Devant son silence, il sentit l'anxiété le gagner. Le raisonnement de Lydia se défendait d'un point de vue intellectuel. Il savait bien que sa fierté ne lui permettrait jamais de révéler le point faible de sa famille. Néanmoins, il y avait autre chose. Quelque chose qu'il devinait derrière son discours et ses explications. Quelque chose qu'elle lui cachait.

Il recula, à bonne distance, sans savoir si c'était pour son bien à elle, ou à lui. Après avoir passé une main lasse dans ses cheveux, il se tourna vers elle.

Figée, droite comme un I, elle ressemblait à un oiseau silencieux. Avec ses yeux aux bleus aussi changeants que ceux de l'océan, son esprit aussi complexe que la navigation dans les étoiles, sa sensualité débridée qui, jusqu'à son dernier souffle, attiserait en lui un désir douloureux, cette femme l'envoûtait.

— Très bien, dit-il. Avant la fin du mois, nous serons mari et femme.

— Tu fais une bonne alliance.

Alexander se tourna pour voir Talia à côté de lui. Dans sa robe bleu indigo, des perles tressées dans ses cheveux, elle resplendissait des couleurs de la mer et du ciel. Il scruta son visage, en quête d'une trace d'ironie, de suffisance, mais ne put y lire que de l'approbation.

Il suivit son regard en direction de Lydia, assise avec Jane à une table à côté de la fenêtre. L'enfant était absorbée par la collection des huit volumes de l'Entomologie britannique de John Curtis qu'Alexander lui avait offerte après l'annonce de ses fiançailles avec Lydia.

— Ce n'est pas l'alliance à laquelle je m'attendais quand je l'ai rencontrée pour la première fois, reconnut-il.

— Mais c'est l'alliance que tu voulais, affirma-t-elle. Sebastian l'aime beaucoup. Papa aussi. Et je sais qu'il en ira de même pour Darius et Nicholas.

— Et toi ? demanda Alexander.

Talia ne répondit pas immédiatement. Devant son silence, il eut un moment de frayeur. Jamais il ne se serait douté que l'avis de sa sœur comptait autant pour lui.

— Je ne te souhaiterais aucune autre femme, dit-elle enfin en posant une main sur son bras. Tu ne pourrais pas rêver mieux que Lydia. Je sais que notre mère serait d'accord.

Une image de lady Rushton passa dans son esprit, suivie par une vague de chagrin qui faillit l'anéantir. Sa colère envers sa mère l'avait absorbé si longtemps qu'il avait comme occulté la profonde tristesse causée par son abandon et le divorce de ses parents. C'étaient ce chagrin, cette sensation de perte, qui avaient tant fait souffrir Talia. Ce qui la rendait cassante en même temps que fragile.

Il se tourna vers sa sœur mais elle s'éloignait, se hâtant vers leur père. Il regarda alors Lydia.

Malgré son malaise persistant quant à la raison qui avait amené sa fiancée à changer d'avis, et même s'il aurait aimé la voir accepter plus spontanément, il était heureux qu'elle ait dit oui. Il voulait l'épouser. Il savait au plus profond de son âme qu'ils étaient bien assortis, qu'il chérirait toujours son intelligence, sa présence attentive, qu'elle rehausserait la respectabilité de sa famille. Il savait qu'il l'aimerait toujours.

Il posa son verre et se dirigea vers Lydia et Jane, s'attendant à les entendre papoter. Au lieu de cela, il les trouva silencieuses. Jane avait les yeux rivés à une gravure de scarabée, sous le regard scrutateur de Lydia, qui semblait chercher la solution d'un problème. Il s'arrêta, pris au dépourvu par la tension inhabituelle qu'il sentait entre les deux sœurs.

Jane leva les yeux du livre et, souriante, lui dit:

— Jamais je ne vous remercierai assez, monsieur. Je ne pensais pas posséder un jour une telle collection.

— C'était l'idée de Lydia, précisa-t-il. Je voulais vous faire un cadeau utile et elle m'a suggéré ces livres. Vous êtes l'une des rares personnes que je connaisse qui en fera bon usage au lieu de les laisser dormir sur une étagère.

Jane lança un coup d'œil à sa sœur. Lydia lui serra l'épaule avant de se lever. Sans prendre la peine de s'excuser, elle se dirigea vers Talia et lord Rushton.

Avec un geste de la tête en direction des livres, Alexander reprit:

— La seule condition attachée à ce cadeau est que vous vous appliquiez à les étudier.

— Vous pouvez compter sur moi, promit Jane. Je connais des passages du livre sur les lépidoptères, mais rien des autres volumes.

Alexander la regarda un moment, puis posa une main sur la table et se pencha à son niveau.

— Vous n'avez pas idée de ce que vous pouvez apporter au monde, Jane. N'en doutez jamais. Ne doutez jamais de vous.

À sa grande surprise, il vit les beaux yeux verts se remplir de larmes. Sa gorge se noua devant sa détresse et il se rappela sa réaction à son projet d'épouser Lydia.

Il commençait à s'éloigner quand elle l'appela.

— Lord Northwood ?

— Oui ?

— Et Lydia ? Quand elle sera lady Northwood, pourra-t-elle encore étudier les mathématiques et écrire des articles ? Pourra-t-elle encore travailler dans les écoles des pauvres ?

— Mais bien sûr. Je n'ai jamais eu l'intention de l'empêcher de continuer ses recherches. Vous pensiez que ce serait le cas ?

— Non, monsieur, dit-elle en regardant de nouveau la gravure du scarabée. Je veux dire, j'espérais que non. Elle a besoin de travailler comme de respirer.

Il ne sut quoi répondre. La pointe d'amertume dans la voix de Jane et la tristesse accrue de son regard le laissaient perplexe. Une émotion gênante l'envahit, le sentiment que la fillette attendait de lui quelque chose qu'il était incapable d'analyser.

— Vous connaissez bien votre sœur, finit-il par dire.

D'un geste lent, elle tourna la page du livre.

— Non, monsieur. En fait, je ne la connais pas du tout.

Chapitre 23

Dans le salon silencieux d'Alexander, flottaient encore des odeurs de café et de gâteaux. Assise à côté du feu, Lydia parcourait un livre d'énigmes.

Au bruit de la porte qui s'ouvrait, elle se retourna et, son cœur s'emballant soudain, le vit s'avancer vers elle. Il s'arrêta près de son fauteuil, son corps irradiant sa chaleur, ses intentions aussi claires que s'il les avait exposées à haute voix.

— N'est-ce pas un peu coquin pour des fiancés ? murmura-t-elle.

Avec un frisson, elle sentit sa grande main chaude se poser sur sa nuque.

— Terriblement.

D'une voix grave, il lui chuchota à l'oreille :

— Que diriez-vous d'alimenter la rumeur au sujet de nos mœurs dépravées ?

Un désir fulgurant monta en elle. Elle baissa les yeux sur son livre. Après la réception de fiançailles, sa grand-mère avait emmené Jane à sa leçon de danse, les laissant achever une partie de cartes avec Talia, Rushton et Sebastian. Puis ils avaient pris congé à leur tour.

Un peu ostensiblement, n'avait-elle pu s'empêcher de remarquer.

D'un autre côté, ce qu'ils pensaient lui était bien égal. Elle aussi devrait partir.

Ses doigts se crispèrent sur le livre.

— Alexander, je… J'ai du travail qui m'attend.

— Hum. Moi aussi.

— Je dois remettre mon article avant la fin de… oh…

Les lèvres d'Alexander se posaient sur sa nuque.

— Un article sur l'art de mettre l'amour en équation ?

— Non. Je travaille sur une méthode pour représenter les courbes.

— Vous le faites déjà très bien, murmura-t-il en prenant ses seins au creux de ses paumes.

Ses mains remontèrent jusqu'à ses cheveux et retirèrent les épingles.

— Alexander, je…, protesta-t-elle faiblement.

Il continua à défaire son chignon, laissant tomber les épingles sur le sol, avant de passer les doigts dans ses longues mèches. Elle sentit un frisson de plaisir parcourir son dos.

— Dans ce cas, je vous écoute. Expliquez-moi votre méthode, lui enjoignit-il.

— Eh bien, cela s'appelle des coordonnées tangentielles polaires qui diffèrent d'un système de coordonnées polaires ordinaires quand la position… oh.

Il avait capturé le lobe de son oreille entre ses dents. Son souffle tiède caressait son cou. Ses doigts effleuraient sa nuque. Elle se sentit fondre sous la sensation exquise.

— Alexander, je dois vraiment…

— Non, vous ne devez rien du tout, répliqua-t-il.

Il lui retira le livre des mains et la fit pivoter vers lui. La lueur dangereuse qui brillait dans ses yeux fit bondir son cœur dans sa poitrine.

— À part venir à moi avec un abandon et un enthousiasme sans limites, enchaîna-t-il.

Le feu courant dans ses veines, Lydia étouffa un cri. Sans lui laisser le temps de répliquer, Alexander passa un bras autour de sa taille et l'embrassa avec une telle ferveur qu'elle perdit toute faculté de penser.

— Alors ? dit-il, tout en l'entraînant vers sa chambre. Les coordonnées polaires ordinaires ?

— Vous écoutiez ?

— Et j'ai trouvé cela assez excitant.

Elle se mit à rire.

— Lord Northwood, j'ignorais que mes théories vous excitaient.

— Tout ce qui vous concerne m'excite, rétorqua-t-il, tout particulièrement vos théories.

Elle glissa une main sous sa chemise pour palper la preuve de son excitation.

— Eh bien, dans cette théorie, le pôle est un point qui détermine une certaine position…

Tandis que ses mains s'affairaient avec les barrettes dans ses cheveux, il picorait son cou de baisers.

— Fascinant ! Déshabillez-vous, lui intima-t-il.

Sans l'écouter, elle déboutonna les boutons de son pantalon.

— Et une ligne donnée à travers un pôle et le radius premier…

— Et les courbes ?

— Elles sont le lieu d'un assemblage de points.

— Déshabillez-vous, répéta-t-il.

Robe, jupons et corset se volatilisèrent et, avec un sourire gourmand, elle se blottit dans ses bras. Paupières closes, elle se fondit contre lui, pressa sa joue contre son plastron de chemise et inhala son odeur, attisant le brasier qui couvait entre eux, et sentit son corps vigoureux se détendre. Elle s'enivra de ses caresses, de son torse dur, de la sensation délicieuse de ses seins contre lui. L'alchimie entre eux était totale. Chaque fois qu'ils se frôlaient, leurs corps s'embrasaient.

Il s'écarta pour la dévisager, repoussant quelques mèches de son front. Surprenant une ombre dans son regard noir – des questions, de l'incertitude, du doute – elle sentit son cœur tambouriner.

— Je vous aime, chuchota-t-elle en caressant sa joue rugueuse, avant de s'emparer de sa nuque. Je vous en prie, vous devez me croire, je vous aime.

L'attirant à elle, elle l'embrassa avec ferveur. Au moins, en ça, elle pouvait être honnête. Elle pouvait l'aimer de chaque parcelle de son corps, sachant pertinemment que son désir insatiable pour lui était sincère.

Il agrippa sa chemise, la tira vers le haut. La chaleur du feu dans l'âtre réchauffa ses fesses nues. Étouffant un juron, il laissa ses doigts voguer sur sa peau tendue et redescendre pour entrouvrir ses cuisses. Un frisson la parcourut.

Avec un éclat de rire rauque, il déposa sur son ventre une pluie de baisers d'une douceur infinie. Elle gémit, embrassa son cou rugueux, léchant la délicieuse cavité où battait son pouls. Elle voulait se liquéfier en lui, sentir la chaleur de son corps se fondre à la sienne, son cœur battre contre ses seins.

Elle déboutonna sa chemise de ses doigts tremblants, promena ses mains avides sur son buste nu. Elle aimait toutes les textures de sa peau, sa toison soyeuse, sa peau veloutée, son torse musclé.

— Assieds-toi, chuchota-t-elle.

La passion s'alluma au fond de ses prunelles. Après avoir retiré son pantalon, il s'assit dans un fauteuil près du feu. La lueur des flammes caressait son corps nu comme une amante, le balayant de longues ombres qui intensifiaient le désir dans ses yeux, et rehaussait sa peau d'un léger hâle.

Elle le regarda, le souffle coupé et sentit une douleur violente prendre son cœur en étau. Un frisson la glaça, lui donnant la chair de poule, une plainte s'échappant de sa gorge. Ivre de désir, elle s'agenouilla devant lui et posa les mains sur ses cuisses. Il passa une main dans sa longue chevelure qui flottait librement sur ses épaules, l'attirant à lui avec une insistance à la fois ferme et douce.

Les yeux fermés, elle sentit la poigne d'Alexander se resserrer sur ses cheveux, ses cuisses se tendre sous ses mains, alors qu'elle faisait courir sa langue le long de son sexe. Puis elle le prit dans sa bouche, ses mains se refermant à la base pour le caresser en même temps. Sa langue roulait, ses mains s'activaient. Son goût inonda ses veines.

Une bûche craqua dans une gerbe d'étincelles sur l'âtre de marbre, les flammes dansant, de plus en plus hautes. Le corps en fusion, la peau mate, elle serra les cuisses pour juguler le désir vorace qui s'était logé dans son bas-ventre.

— Complètement, dit Alexander d'une voix rauque et pressante. Prends-moi complètement.

Il s'accrocha à ses cheveux. Ses hanches commencèrent à aller et venir au rythme de ses caresses. Elle aspira avidement ce dont elle s'était emparée.

De ses mains, elle caressa ses cuisses et les posa sur son ventre plat. Puis elle recula, le libéra et laissa échapper un cri. Il l'enveloppait d'un regard flamboyant de passion. Tous ses sens embrasés, elle avait le souffle saccadé : il aurait pu l'envoyer au septième ciel d'un simple frôlement de doigt. Elle se releva et, d'un mouvement, retira sa chemise et s'offrit nue à ses yeux.

Son regard étincelant de convoitise glissa sur ses seins nus, sur ses hanches voluptueuses. Il se leva pour l'attirer à lui mais elle le repoussa d'une main sur son torse.

Il esquissa une grimace. Les flammes créaient un jeu d'ombres et de lumières sur son visage luisant de transpiration.

— Attends, lui intima-t-elle d'une voix rauque et sensuelle.

— Je ne peux pas attendre beaucoup plus, murmura-t-il, haletant.

Elle lui tourna le dos et, l'agrippant par les hanches, l'attira à elle. Reculant vers lui, elle écarta les jambes, le laissa insérer son pénis entre ses cuisses et l'accueillit en elle. Paupières closes, elle sentit ses muscles se resserrer autour de sa délicieuse érection.

— Arrête.

— Pardon ? demanda-t-elle, surprise.

— Je veux te voir.

Elle se mordit la lèvre inférieure, sentant les battements furieux de son cœur résonner à ses tempes. Une fraction de seconde, elle hésita. Pouvait-elle lui faire face, affronter son envoûtant regard noir comme la nuit ?

Les doigts d'Alexander se resserrèrent sur sa taille et il la repoussa. Elle se tourna, reconnaissante pour sa longue chevelure qui voilait son visage, cascadant sur ses épaules.

Elle posa les mains sur les bras d'Alexander et le ceintura de ses cuisses.

— Soulève-les, lui demanda-t-il.

Sentant de chaudes vibrations la parcourir, s'attardant aux points les plus sensibles de son corps, elle prit ses seins en coupe et les lui offrit. Il captura une pointe tendue entre ses lèvres, la suçant avec vigueur, sa langue dessinant des arabesques sur sa peau rougie. Frissonnant de désir, elle le sentit prendre son autre sein dans sa main, sentit la chaleur de son souffle contre la perle durcie de son mamelon, le glissement de ses longs doigts sous le renflement des deux globes, secouant tout son corps de divins frissons.

Elle se positionna sur lui, puis ouvrit le brasier vivant qu'était sa féminité à son sexe lourd et majestueux, exhalant un long gémissement alors qu'il la remplissait avec une pression inexorable, exquise. Ses cuisses se resserrèrent sous ses fesses, ses mains glissant sur sa taille.

— Jouis, exigea-t-il, sur un ton sans appel.

Elle oscilla des hanches, en un lent va-et-vient, terrassée par le plaisir, adoptant un tempo qui les conduirait inéluctablement aux confins du paradis. Il poussa des grognements alors qu'elle l'accueillait encore et encore, ses mouvements s'accélérant. Chaque assaut se réverbérait en Lydia en de longues sensations qui la secouaient de la tête aux pieds.

Resserrant la pression de ses mains sur sa taille, Alexander murmura un autre juron et s'aventura plus loin, accentuant la pression à chaque aller, provoquant une friction d'une telle volupté qu'éperdue, tous ses sens embrasés, elle se contracta autour de lui. Elle agrippa ses épaules luisantes et se livra à la douce torture qu'il lui infligeait en retenant son orgasme qui menaçait d'exploser.

— Je vais…

— Maintenant.

Sa vision se brouilla, son souffle se précipita. Inondée par les sensations de ses mains sur ses seins, de son corps en elle, elle laissa échapper un cri. Sentant la pulsation s'intensifier dans son ventre, annonçant l'explosion finale, elle se cramponna à lui, se calquant sur son rythme, et ils chaloupèrent ensemble entraînés en un tourbillon de plus en plus rapide et puissant. L'orgasme la submergea, la secouant de tremblements alors qu'Alexander la rejoignait dans l'extase. Elle se raidit, chevauchant les vagues de volupté qui déferlaient, et se retira. Elle s'empara de son sexe durci alors que son râle déchirait l'air.

Le long frisson qui l'électrisa lorsqu'il s'abandonna à sa propre délivrance, rejaillit sur elle par vagues, en une myriade d'étincelles crépitant dans une explosion de joie. Quand elle le sentit se détendre, elle se rassit sur ses cuisses et le regarda, envoûtée par la manière dont sa peau moite luisait à la lueur dansante des flammes, par la plénitude absolue qu'exprimait son regard.

Son futur mari.

Une violente vague d'amour monta en elle. D'amour et de pur étonnement que cet homme ait pu percer la carapace qu'elle avait mis tant de soin à construire. Qu'elle lui ait ouvert son cœur, lui ait permis de l'envahir tout entière.

D'une main, il repoussa des mèches de cheveux de son visage, puis, la scrutant, prit son menton au creux de sa paume. S'abandonnant, elle ferma les yeux, languide. Quel bonheur inouï de savoir qu'elle allait passer le reste de sa vie avec cet homme si complexe qui avait le pouvoir d'embraser son cœur et de la faire vibrer de toutes les fibres de son être.

Un espoir ténu naquit en elle.

Était-il possible que leur mariage se fasse sous le signe du bonheur ? Pourrait-elle être une bonne épouse tout en continuant à satisfaire tous les désirs de Jane ? Pourrait-elle continuer à travailler sans vivre sans cesse dans la peur ?

Pourrait-elle être vraiment heureuse ?

Elle ouvrit les yeux. Il la regardait toujours. Son cœur se mit à battre d'impatience. Elle prit une inspiration et demanda :

— Est-il trop tard pour accepter votre autre proposition ? La conférence à l'exposition. Je la donnerai pour vous.

Son expression s'assombrit soudainement, comme si ses inquiétudes le rattrapaient.

— Je veux que vous la donniez pour vous-même.

— D'accord, promit-elle en lui prenant les mains. Peut-être pourrai-je même divulguer mes idées sur l'amour et les équations différentielles, au risque de choquer mes estimés collègues.

— Vos collègues peuvent encaisser un ou deux chocs.

Avec un sourire, elle pressa ses lèvres sur les siennes.

— Me restituerez-vous mon médaillon maintenant ou après la conférence ?

— Je ne l'ai plus.

— Où est-il ? s'étonna-t-elle.

— Je l'ai donné à Jane.

Prise d'une subite terreur, elle sentit son sang se glacer.

— Comment ? s'exclama-t-elle en se dégageant.

— Je le lui ai donné le jour où je suis allé parler à votre grand-mère, répondit-il, visiblement surpris. Quel est le problème ? Ne m'aviez-vous pas dit qu'il lui était destiné ?

— Oui, mais un jour. Pas maintenant, pas avant…

Elle s'interrompit, l'angoisse lui broyant la poitrine, et se rhabilla maladroitement. L'attitude étrange, distante, de Jane le soir où elle avait évoqué son mariage, lui revenait soudain en mémoire.

— Lydia ? demanda-t-il en se dirigeant vers elle, le front barré d'un pli soucieux.

Elle laçait son corset quand elle se figea. Les paroles de Jane résonnaient dans sa tête.

« Tu seras contente d'être débarrassée de moi. »

— Seigneur, Alexander ! Qu'avez-vous fait ?

Chapitre 24

Lydia traversa en trombe le vestibule de la maison de sa grand-mère, le cœur serré par une angoisse qui menaçait de la suffoquer.

— Madame Driscoll ?

La gouvernante sortit de la cuisine.

— Oui, mademoiselle ?

— Jane est-elle à la maison ?

— Oui, votre grand-mère et elle viennent de rentrer après avoir pris le thé chez lady Montague. Je crois qu'elles sont dans la salle d'étude.

Morte d'inquiétude, Lydia gagna le bureau de son père. Le coffret était à sa place habituelle, sous la fenêtre. Le cuivre terni miroitait dans un pâle rayon de soleil. Elle le prit et le secoua. Le cœur battant à se rompre, elle n'entendit pas le bruit sourd de l'enveloppe à l'intérieur. Elle tordit la serrure mais découvrit que celle-ci était fermée.

Instinctivement, elle leva le coffret et le cogna violemment sur le rebord de la fenêtre.

Dans le vestibule, Mrs Driscoll laissa échapper un cri de surprise.

Lydia essaya encore, gauchement, d'ouvrir la serrure puis le frappa à plusieurs reprises contre l'appui de la fenêtre avec une telle violence que des sillons apparurent dans le bois.

La serrure céda enfin. Elle souleva le couvercle. Malgré son pressentiment, un gémissement lui échappa devant l'intérieur capitonné de velours. Il était vide. Elle laissa tomber le coffret à terre.

— Lydia !

La voix de Mrs Boyd résonna, dure et tranchante. Soudain secouée de tremblements, elle se força à lever la tête et vit sa grand-mère balayer la pièce des yeux. Il était clair qu'elle avait saisi tout ce qu'impliquaient sa détresse flagrante, la serrure cassée, le coffret vide.

Un pesant silence se fit. Comme sur un désert assoiffé de pluie.

— Elle... il lui a donné le médaillon. J'avais caché la clé à l'intérieur il y a des mois, murmura Lydia, la voix rocailleuse, la gorge sèche.

Elle se couvrit le visage de ses mains tremblantes.

— Est-ce qu'elle t'a dit quoi que ce soit ? reprit-elle.

— Non, répondit sa grand-mère avec un coup d'œil à la gouvernante qui se tenait sur le seuil, hésitante, la mine aussi perplexe qu'anxieuse. Vous pouvez retourner à vos affaires, madame Driscoll.

— Bien, madame.

Sans demander son reste, elle ferma la porte derrière elle et s'éloigna dans le couloir.

Lydia regarda le coffret sur lequel se projetait l'ombre de sa grand-mère.

— Où est-elle ?

— En haut, répondit Mrs Boyd en ouvrant le couvercle du bout de sa canne. Où est le papier ?

— Elle doit l'avoir.

— Si elle n'en a parlé à personne, nous avons peut-être encore une chance de nous en sortir. Va la trouver, ajouta Mrs Boyd en faisant un signe de tête en direction de la porte.

— Si Alexander arrive, occupez-le.

Sur ces mots, Lydia ramassa le coffret cassé et monta l'escalier, redoutant ce qui l'attendait. La porte de la salle d'étude était entrebâillée. Elle frappa avant de l'ouvrir complètement.

Jane se tenait debout devant la fenêtre, une main appuyée sur une vitre.

— Jane ?

L'enfant se retourna et ses yeux se posèrent sur la boîte vide. Lydia s'avança, serrant le coffret avec une telle force que les bords en cuivre s'incrustaient dans ses mains.

— Comment… était-ce, le thé chez lady Montague ? demanda-t-elle d'une voix tremblante.

— Très convenable, bien sûr, répondit Jane, le menton levé, en se retournant vers la fenêtre, ses fines épaules raidies. Délicieux. Elle nous a offert des meringues, des macarons. Du pain d'épice, comme elle l'appelle en français. De Reims. Avec de l'eau de fleur d'oranger et de l'anis.

— Ce devait être charmant.

— Tout, chez lady Montague, est charmant.

— C'est exact, approuva Lydia en s'approchant prudemment, avant de s'arrêter au milieu de la pièce. Jane ?

La fillette se retourna si vivement que ses cheveux volèrent sur ses épaules. Elle serrait les lèvres et ses yeux verts étincelaient de colère. Elle éclata :

— Je te déteste, Lydia ! Je te déteste !

— Non, lâcha Lydia, terrifiée.

D'une main tremblante, elle posa le coffret sur la table.

— Je t'en prie, laisse-moi t'expliquer.

— Tu m'as menti. Tout ce temps, tu m'as menti.

— Je sais, mais…

— Pourquoi ? Pourquoi me l'as-tu caché ? J'avais parfaitement le droit de connaître la vérité !

Elle repoussa une pile de papiers sur le bureau et s'empara de la feuille qui était restée enfermée dans le coffret pendant tant d'années.

— Personne ne connaissait la vérité, Jane, lui assura-t-elle. Personne, hormis papa et grand-mère.

Les larmes aux yeux, elle tenta de la prendre dans ses bras mais, se libérant de son étreinte, la fillette se dirigea vers la porte.

— Pourquoi pas moi, dans ce cas ? demanda-t-elle d'une voix aussi dure qu'un silex.

— Tu nous aurais été retirée, répondit Lydia.

Elle s'essuya les yeux. Elle détestait lire une telle hostilité dans le regard de Jane. Pourtant, elle ne pouvait blâmer ni son père ni sa grand-mère. Ils avaient pris les décisions qu'ils avaient estimées les meilleures. Ils avaient tout fait pour s'assurer que Jane reste avec eux.

— Nous ne pouvions pas te le dire, nous ne voulions pas te le dire.

— Vous auriez pu, rétorqua Jane. Vous n'avez pas voulu parce que vous saviez que je ferais de votre vie un enfer. Si lord Northwood l'apprenait, jamais il ne t'épouserait. Mais tu as gardé le secret pour obtenir tout ce que tu voulais, et me laisser sans rien.

Le cœur gros, Lydia répliqua :

— Oh, Jane. Tu sais bien que tu n'aurais jamais été lésée. Tu le sais. Je n'ai pas caché mon secret à Northwood parce que je voulais qu'il m'épouse. Mais parce que personne ne doit l'apprendre.

— Pourquoi ? Pourquoi devais-tu en faire un tel mystère ?

— C'était… c'était trop dangereux.

Elle regarda Jane. Des fragments de souvenirs traversèrent sa mémoire. Un visage aux traits sculptés, des yeux froids comme le marbre, la silhouette d'un homme mince et blond de l'autre côté de la rue, le sentiment étrange de se sentir épiée.

La terreur la saisit de nouveau, lui serrant la gorge comme des griffes.

— Jane, si quoi que ce soit…

— Je sais pourquoi tu n'en as parlé à personne, Lydia, et cela n'a rien à voir avec moi. C'est parce que ta vie s'effilocherait en lambeaux si quelqu'un apprenait la vérité.

Elle pivota sur ses talons et sortit, furieuse. Les joues baignées de larmes, Lydia étouffa un cri de désespoir. Elle s'effondra dans un fauteuil et se prit le visage dans les mains.

L'évidence venait de la frapper de plein fouet : il allait lui falloir choisir entre Alexander et Jane. Et, pour finir, elle n'aurait même pas le choix.

« Cher C,

Si Lydia était l'une de vos élèves, pourquoi avoir entamé une correspondance avec moi et non avec elle ? J'avoue avoir découvert un document qui me pousse à me poser de nombreuses questions qui restent sans réponse.
Je n'ai pas cherché à les obtenir de Lydia. J'aimerais d'abord vous parler. Aussi, je voudrais vous proposer un rendez-vous dès que possible. J'ai l'intention de me rendre à St Martin's Hall mardi. Je ne veux pas demander quoi que ce soit à Lydia. Ceux qui dissimulent la vérité ne méritent pas la vérité. Ne partagez-vous pas cet avis ?

Recevez mes sincères salutations,

Jane. »

Chapitre 25

Le sinus de deux thêtas est égal à deux fois le sinus de thêta multiplié par le cosinus de thêta.

La pensée s'évanouit comme le sel se dissolvant dans l'eau bouillante.

Acceptant la main du chauffeur, Lydia descendit de la voiture dans la rue animée. Tout en se dirigeant vers la salle de conférences, elle essaya de se concentrer de nouveau sur la formule mais elle ne mettait pas tout son cœur dans son effort. Son esprit était trop encombré pour penser aux sinus, cosinus, polynômes ou racines carrées.

— J'ai reçu votre lettre.

Le son familier de la voix caverneuse la fit pivoter. À quelques mètres d'elle, Alexander l'enveloppait d'un regard grave, étincelant d'une colère refoulée.

Elle déglutit, ses doigts se serrant convulsivement sur son porte-documents. Elle savait qu'elle avait été lâche de rompre par lettre mais le lui dire en personne… avait été au-dessus de ses forces.

— Je suis désolée, murmura-t-elle, éperdue.

— Les bans ont été publiés la semaine dernière, déclara-t-il d'un ton sec. Je ne supporterai pas de voir mes fiançailles brisées une seconde fois.

— Vous ne pouvez pas m'épouser, Alexander, dit-elle, les mots s'étranglant dans sa gorge. Croyez-moi quand je vous dis qu'il est dans votre intérêt de rompre nos fiançailles.

Il s'avança et agrippa son bras, ses yeux lançant des éclairs.

— Pourquoi ? siffla-t-il en inclinant la tête vers elle. Pourquoi avez-vous refusé de me voir depuis trois jours ? Que diable se passe-t-il ?

— Tout va bien, mademoiselle ? s'inquiétèrent deux passants, leurs regards allant de Lydia à Alexander.

Étouffant un juron, Alexander relâcha son bras et s'éloigna d'elle. Lydia adressa un bref salut de la tête aux deux hommes, puis se hâta vers la façade gréco-romaine de la salle de conférences. La poitrine oppressée, elle entendit Alexander lui emboîter le pas.

— Où allez-vous ? fulmina-t-il.

— Là où se tient le colloque de mathématiques.

— Je vous accompagne. Ainsi, nous pourrons reprendre notre petite conversation, ajouta-t-il en la débarrassant de son porte-documents.

— Alexander, je…

Son cœur se serra devant son expression de défi. Elle comprit qu'à cet instant, elle n'avait aucune chance de lui échapper.

Ils entrèrent dans l'auditorium qui résonnait du brouhaha des voix masculines, du froissement des papiers, du grincement des chaises. Lydia parcourut la foule du regard et, soulagée, aperçut le docteur Sigley dans un groupe. Il la salua d'un signe et se dirigea vers elle.

— Mademoiselle Kellaway, vous êtes arrivée ! s'exclama-t-il en prenant ses mains gantées. Lord Northwood, c'est un plaisir de vous revoir.

D'un geste, il leur indiqua la direction de la salle principale. Une fois assise, Lydia reprit son porte-documents et en tira une liasse de papiers. Elle essaya de se concentrer sur ce qu'elle voulait dire au professeur, sachant qu'elle devait offrir un visage serein, paraître posée, compétente, même si chacune de ses inspirations faisait voler son cœur en éclats.

— Voilà... voilà ma réponse à votre question sur les intégrales, déclara-t-elle en tendant ses feuillets au docteur Sigley qui les étala et chaussa ses lunettes. Les systèmes généraux n'en ont que trois. Il doit y en avoir une quatrième. Et si vous normalisez les unités, puis choisissez les axes dans lesquels tous les moments d'inertie sont égaux, vous finissez cette unité. Aussi, la quatrième intégrale peut être écrite en une forme complexe comme celle-ci.

— Très bien ! approuva le professeur d'une voix satisfaite. C'est parfaitement clair. J'espère que vous avez l'intention de publier vos recherches, peut-être même de donner une conférence à ce sujet.

— Non, il n'en est plus question.

La lumière des lampes à gaz se tamisa. Le coordinateur du colloque frappa le pupitre de sa baguette de bois pour attirer l'attention des assistants. S'adossant à sa chaise, Lydia l'écouta annoncer la série de conférences, la première commençant par un discours sur la logique symbolique et la théorie. Tandis que l'orateur classait ses notes, elle chercha un crayon et ouvrit un cahier sur ses genoux.

Elle écouta aussi attentivement qu'elle le put, prenant nombre de notes pour les examiner, plus tard, à tête reposée, et chuchotant ses impressions au docteur Sigley.

Néanmoins, la présence d'Alexander à côté d'elle la plongeait dans un trouble profond. À la tension de son corps, elle devinait sa frustration et sa colère.

Quelle idiote elle avait été de croire, même un instant, qu'ils avaient un avenir ensemble. Qu'ils pourraient être heureux. Elle avait visé trop haut... et à présent, la chute était d'autant plus brutale.

À 13 heures, la première partie du colloque prit fin. Le coordinateur invita les participants à rejoindre une salle adjacente pour le déjeuner, avant la session de l'après-midi.

— Vous joindrez-vous à nous pour le déjeuner, mademoiselle Kellaway ? demanda le docteur Sigley, en se frottant l'estomac d'un geste distrait. Lord Northwood ?

— Non, je n'avais pas prévu de rester cet après-midi, admit Lydia, alors qu'ils suivaient le flot des participants vers la sortie. Mais il faudra que Mrs Sigley et vous veniez dîner bientôt.

— Entendu. J'ai été enchanté de vous revoir. Je viendrai vous trouver une fois que j'aurai étudié votre article.

Il lui serra délicatement la main et, après un petit salut de la tête à Alexander, rejoignit ses collègues dans la salle à manger où un buffet était dressé.

— Vous rentrez avec moi ! lui intima Alexander.

Irritée par son ton autoritaire, elle chuchota :

— Alexander, si vous n'aviez pas dévoilé vos intentions à ma grand-mère, nous ne serions pas dans cette situation. Si vous m'aviez écoutée quand j'ai décliné votre proposition la première fois et…

Un tremblement secoua soudain son corps de la tête aux pieds.

— Lydia ? demanda Northwood en s'arrêtant, surpris par son silence subit. Qu'y a-t-il ?

Quelqu'un la heurta, la forçant à avancer, et la dépassa. Elle sembla incapable de détacher ses yeux du dos d'un homme blond, aux cheveux coupés court sur une nuque élégante, aux épaules étroites emprisonnées dans un pardessus noir.

Quand il se retourna, l'air manqua à ses poumons, et elle se sentit suffoquer.

— Lydia ? répéta Alexander en l'agrippant par le bras.

L'entraînant, il se fraya un passage dans la foule. Au moment où ils atteignirent le hall d'entrée, il l'attira de côté, à l'abri de la horde d'hommes qui continuaient à émerger par la porte.

— Lydia ? Que se passe-t-il ? Vous êtes blanche comme un linge.

La gorge desséchée, elle déglutit, survolant la foule du regard. Il était parti, ses traits sculptés avalés par la marée humaine qui se pressait vers la salle contiguë.

— Alexander, bredouilla-t-elle, pourriez-vous… Pourriez-vous m'apporter un verre d'eau ? Je ne me sens pas très bien.

Il la dévisageait, l'air anxieux. Il ne semblait pas disposé à la laisser seule.

— Venez avec moi.

— Tout va bien, le rassura-t-elle en s'appuyant des mains contre le mur. Je vous en prie… Dépêchez-vous.

Lâchant son bras à contrecœur, il s'éloigna. Dès qu'il fut parti, elle regarda les portes.

Il fallait qu'elle s'en aille. Même si son imagination lui avait joué un tour… Il fallait qu'elle parte immédiatement. Il n'y avait pas une seconde à perdre. Puisant tout son courage dans une longue inspiration, elle se retourna et s'avança dans le hall.

— *Guten tag, Lydia.*[1]

Elle réprima un hurlement.

— *Bitte setzen Sie sich.*[2]

Il tira une chaise contre un mur et, d'une longue main élégante, l'invita à s'asseoir.

En dépit de ses jambes qui se dérobaient, elle ne prit pas la chaise. Elle ne voulait rien accepter de lui.

1. Bonjour, Lydia.
2. Je vous en prie, asseyez-vous.

Le regard rivé droit devant elle sur quelque point invisible, sans le regarder, elle murmura d'une voix à peine audible, vibrante de tension :

— Que… que faites-vous ici ?

— *Ich bin…*[1]

— Je ne parle pas allemand.

Elle devina son sourire sardonique sans vraiment le voir. Puis il reprit dans un anglais courant.

— Je suis venu assister au colloque, naturellement. J'ai reçu une invitation le mois dernier.

— Lydia ! appela la voix d'Alexander.

Submergée par un mélange de soulagement et de terreur, elle le vit traverser le hall pour la rejoindre. Il regardait l'homme blond, son expression dure exprimant une hostilité instinctive plutôt que rationnelle.

Arrivé à sa hauteur, il lui tendit un verre d'eau, puis, glissant sa main sous son bras, l'attira délibérément à son côté.

— Merci, dit-elle en prenant le verre. Pouvez-vous nous laisser un moment, je vous prie, monsieur ?

— J'aimerais autant éviter d'avoir à le faire, répondit Alexander, les sourcils froncés.

— Je vous en prie, insista-t-elle.

— Je suis le vicomte Northwood, se présenta-t-il à l'autre homme d'une voix calme et froide. Le fiancé de Miss Kellaway. Et vous êtes ?

La bouche de l'homme esquissa un rictus qui se voulait un sourire.

1. Je suis…

— Le docteur Joseph Cole. Miss Kellaway et moi sommes de vieux amis.

— Étrange, persifla Alexander. Elle n'a pas l'air de vous considérer comme un ami.

— Tout va bien, Northwood, le rassura-t-elle d'une voix pressante. Je vous en prie, allez.

Pourvu qu'il ait perçu la supplication dans sa voix. Après une brève hésitation, il recula… de quelques pas seulement.

— J'attendrai ici, déclara-t-il d'un ton sans réplique avec un signe du menton vers l'autre côté du hall.

Puis, sans quitter l'homme des yeux, il s'éloigna.

Lydia vida son verre d'une traite et le posa sur la chaise. S'armant d'un courage qu'elle ne soupçonnait même pas, elle affronta le docteur Cole du regard.

Sous son corset, son cœur battait à tout rompre. Les yeux plissés, elle l'observa, la partie analytique de son cerveau prenant le pas sur les émotions qui menaçaient de le ravager.

Elle l'étudia d'un œil clinique, remarquant les mèches grises dans ses cheveux blonds clairsemés, les rides qui creusaient son front et les commissures de ses lèvres. Derrière ses lunettes, ses yeux étaient les mêmes, d'un vert aussi pâle qu'un océan glacé, sous ses cils épais, hérissés d'épis.

— Que voulez-vous ? se força-t-elle à demander, ses lèvres comme engourdies. Pourquoi êtes-vous ici ?

Il plongea la main dans la poche de son manteau et en tira une lettre cachetée qu'il mit presque de force dans sa main.

— Ne l'ouvrez pas tout de suite.

Elle essaya de la lui rendre.

— Ce que vous avez écrit ne m'intéresse pas. Je ne veux rien lire de vous. Et je n'ai rien à vous dire.

— Pourtant vous me demandez ce que je veux. Vous voulez donc la réponse ?

Il s'approcha encore et l'air sembla se raréfier autour d'elle. Elle se força à ne pas battre en retraite, à contrôler sa terreur intérieure. Non, elle ne voulait pas connaître la réponse, elle avait bien trop peur de la connaître.

Elle le sentit la jauger avec cette perspicacité acérée qui lui était propre, calculant, ajoutant et soustrayant les changements apportés par les années.

— Vous avez l'air en forme, Lydia.

— Je vais bien.

Un étrange brouillard de souvenirs envahit son esprit : des objets, des gens, des événements auxquels elle ne s'était pas permis de penser depuis des années.

Avec, au premier plan, sa mère, morne silhouette grise dans l'austère chambre de la maison de santé, les sœurs voletant autour d'elle comme des corneilles. Ses cheveux autrefois si longs, si brillants, si épais, avaient été coupés très court et sa peau avait pris la teinte d'un parchemin. Pourtant, quand elle l'avait revue pour la première fois après deux années d'internement, elle avait immédiatement remarqué ses yeux.

Dans ses prunelles du même bleu indigo que le sien, vacillait encore une petite flamme, pâle, faible, mais toujours présente. À cet instant, elle avait compris ce que son père et sa grand-mère espéraient depuis tant d'années : que le soleil revienne illuminer la vraie Theodora Kellaway, la femme si gaie, si chaleureuse, que le poids de la maladie écrasait.

Lydia crispa ses bras croisés. Une autre femme apparut dans sa mémoire. Une silhouette plus douce que Theodora. L'autre femme avait un parfum de pommes et de cannelle, elle portait ses cheveux châtains tressés en couronne, parlait d'une voix douce et musicale, et souriait de ses yeux couleur de café.

Avant même qu'elle ait posé la question, une flèche de douleur lui transperça le cœur. Ses doigts se contractèrent sur ses bras, et le nom de la femme franchit ses lèvres comme un éclat de porcelaine.

— Greta ?

— *Sie ist tot*, [1] déclara Joseph Cole sans laisser paraître le moindre signe de chagrin.

Sous le choc, elle se sentit glacée jusqu'aux os. Refoulant un sanglot de regret, elle recula contre le mur, luttant pour mettre de la distance entre eux. Elle refusait de respirer le même air que lui.

— Quand ? Comment ?

Elle ne voulait pas le savoir mais elle devait poser la question. Après tout, ne méritait-elle pas cette punition ?

— De la tuberculose. Il y a trois ans.

Lydia refoula les larmes qui gonflaient sa gorge. Même si elle détestait la froideur de la voix de Cole, elle savait que, dans son infinie bonté, Greta n'aurait même pas remarqué l'indifférence glaciale de son mari.

---

1. Elle est morte.

Je suis désolée, Greta. Tellement désolée.

— Lydia.

Elle se retourna et vit Alexander revenir vers elle, en gardant une distance respectueuse. La tension de son corps trahissait son exaspération. Sans quitter Cole des yeux, elle leva une main pour le décourager d'approcher.

— Docteur Cole, je vous en prie, partez, supplia-t-elle. Je vous en prie, laissez-moi tranquille. Je ne veux pas vous revoir. Je n'ai jamais voulu vous revoir.

Elle avait parlé d'une voix étouffée pour ne pas trahir son regret. Mais aussi pour empêcher qu'Alexander surprenne ses paroles.

Le sourire s'évanouit des lèvres de Cole pour dévoiler sa vraie nature, le monstre tapi au plus profond de son être. Soudain hostile, il lâcha :

— Avant d'ajouter une parole, Lydia, je vous suggère de lire ma lettre. Sinon, vous pourriez faire quelque chose que vous regretteriez.

Il recula d'un pas, son regard allant et venant de Lydia à Alexander.

— Je vous félicite pour vos fiançailles. J'en ai lu le faire-part dans le *Morning Post*.

Envahie par un funeste pressentiment, elle regarda le docteur Cole s'éloigner. L'air frais s'engouffra par la porte ouverte, dissipant l'atmosphère étouffante.

Son cœur cognait à grands coups dans sa poitrine ; elle avait le souffle court, saccadé. Même son sang lui paraissait plus épais, comme si tout l'orchestre de son corps voulait lui rappeler qu'elle était vivante. Qu'elle pouvait inspirer, expirer, penser, bouger, exister.

Contrairement à sa mère, à Greta.

Prise de vertige, elle chancela et sentit les bras vigoureux d'Alexander la rattraper.

La lettre cachetée était comme un galet sur ses genoux. Face à elle, sur la banquette de la voiture, Alexander gardait les bras croisés. Elle devinait les questions qui se bousculaient dans son esprit, à quel point il se faisait violence pour ne pas les lui poser.

— Qui est-ce ? finit-il par demander d'un ton pressant.

— Mieux vaut pour vous ne pas le connaître.

— Mais vous, comment le connaissez-vous ?

— Il est mathématicien. Il est très fort. Du moins, il l'était. Il y a quelques années.

— Comment le connaissez-vous ? insista-t-il.

— Pouvez-vous… Alexander, je dois rentrer chez moi.

— Pourquoi ?

— Je vous en prie.

Il gratta le toit pour attirer l'attention du cocher à qui il demanda de les conduire à East Street.

Tout le long du trajet, elle sentit sa contrariété et son trouble derrière son mutisme. Elle serrait la lettre si fort qu'elle crut la déchirer. Un instant, elle eut l'idée d'en faire mille morceaux et de les jeter par la fenêtre. Les sabots des chevaux, les roues des voitures et des carrioles,

les chiens, les piétons, les piétineraient jusqu'à ce qu'ils se dissolvent dans la crasse des pavés.

Elle réprima un soupir d'angoisse. N'en connaissait-elle pas déjà le contenu ? Aussi parfaitement qu'elle connaissait le théorème de Pythagore, les contours du visage de Jane, les différentes teintes de ses cheveux, le vert de ses yeux.

Arrivée à destination, elle descendit de la voiture et, précédant Alexander, se hâta vers la porte d'entrée.

— Bonjour, mademoiselle Kellaway. Je viens de sortir du four un gâteau aux graines de sés…

Mrs Driscoll s'arrêta net dans le vestibule, avant d'ajouter, en voyant Alexander sur le seuil :

— Bonjour, lord Northwood.

— Madame Driscoll, est-ce que Jane est à la maison ? demanda Lydia, essayant de contenir l'impatience de sa voix.

— Non, mademoiselle. Mrs Boyd l'a accompagnée à son cours de piano.

— S'il vous plaît, prévenez-moi aussitôt qu'elles seront de retour.

Le regard de Mrs Driscoll alla d'Alexander à Lydia. Son front plissé trahissait sa perplexité.

— Je… euh… Je vais chercher le thé ?

Après avoir retiré son manteau, Lydia entra dans le salon et ferma la porte derrière elle pour empêcher Alexander de la suivre. Elle s'assit sur une chaise près de la fenêtre, tétanisée par la terreur. Les doigts tremblants, elle décacheta la lettre et la déplia.

Ses soupçons laissant place à une résignation douloureuse, elle commença à lire l'écriture nette. Ne redoutait-elle pas ce jour depuis des années ? Elle aurait dû remercier le ciel de ne pas avoir eu à l'affronter plus tôt.

Toute matrice carrée est racine de son polynôme caractéristique.

Elle replia la lettre et la rangea dans sa poche.

Réfléchis, Lydia, réfléchis, se tança-t-elle.

La porte s'ouvrit et Mrs Driscoll déposa le plateau de thé sur une table avant de ressortir. L'odeur des biscuits lui donna la nausée. Elle essaya de boire un peu du liquide chaud mais, au bout de deux gorgées, son estomac se rebella.

Les mains tremblantes, elle agrippa une jatte en porcelaine et se mit à vomir, le front moite.

— Lydia ?

Son cœur battait faiblement. Les larmes lui brûlaient les paupières, brouillant sa vision. Elle sentit la main d'Alexander, chaude et lourde, sur sa nuque.

— Lydia, montez dans votre chambre. Je vais faire appeler le médecin.

— Non, je…

— Vous êtes souffrante. Si vous ne…

— Non.

Le son strident de sa voix le fit reculer.

Elle ferma les yeux et se mit à respirer profondément, essayant de réprimer la violente tempête d'émotions qui, si elle lui laissait libre cours, submergerait toute pensée cohérente. Tenant maladroitement la théière, elle se servit une nouvelle tasse de thé pendant qu'Alexander emportait la jatte souillée. Toujours nauséeuse, elle but une gorgée.

Alexander revint, ses bottes silencieuses sur le tapis. Elle s'obligea à lever les yeux sur lui. Les bras croisés, il lui opposait un visage impénétrable, mais un mélange de frustration et de colère assombrissait ses yeux.

Lydia sentit son cœur se briser. Elle avait cru qu'Alexander était capable d'entendre toutes les vérités, toutes les confessions qu'elle lui ferait.

Or, dorénavant, le moment était venu de le prouver. Et, pour la première fois de sa vie, elle entrevit que sa théorie pouvait se révéler fausse.

Elle tira la lettre de sa poche et, sans un mot, la lui tendit. Il la prit et l'ouvrit. Imperturbable, il la lut. Elle en connaissait déjà le contenu par cœur.

« Chère Lydia,

Je vous félicite pour vos fiançailles. J'avais prévu la nouvelle, depuis que vous avez fait la connaissance de lord Northwood.

Par le biais de plusieurs collègues, j'ai eu vent de l'histoire familiale de monsieur le vicomte et du divorce de ses parents. J'ai l'impression que lord Northwood avait tout mis en œuvre pour faire oublier le scandale.

Je me demande quelle serait sa réaction en apprenant *votre* secret.

Un secret si énorme que, s'il était divulgué dans son monde, son nom serait définitivement ruiné. De plus, cela détruirait la crédibilité de toute sa famille alors même qu'il a déployé tant d'énergie pour réhabiliter celle-ci.

Je doute que vous lui ayez déjà tout avoué. Nous devons nous voir en privé pour déterminer jusqu'où vous êtes prête à aller pour garder *votre* secret. »

Alexander relut la lettre une bonne dizaine de fois avant de lever enfin les yeux vers elle. Un muscle tressautait dans sa joue, les veines de son cou se gonflaient.

— De quoi s'agit-il ? s'enquit-il.

Elle reprit la lettre et l'examina. Les souvenirs affluaient à sa mémoire, son cœur animé du désir désespéré d'appartenir à quelque chose, à quelqu'un, livrant une bataille sans merci à sa raison. Elle voulait cesser de penser. Laisser parler ses émotions.

— Joseph Cole en est l'auteur, murmura-t-elle.

— Qui est-il au juste ? demanda-t-il d'une voix qui trahissait son appréhension.

— Il était professeur à l'université de Leipzig. Mon professeur.

— Et quel secret vous menace-t-il de révéler ?

Il l'enveloppait toujours d'un regard à la fois circonspect et distant. Les émotions la submergèrent : l'amour, la douleur, la peur, le chagrin, la culpabilité, le regret. Et pourtant, alors qu'elle regardait l'homme que, de toute son âme, elle voulait épouser, un grand calme se répandit sur son chaos intérieur, apaisant son cœur, son âme. Elle prit une profonde inspiration et, d'une voix égale, déclara :

— Alexander, Jane n'est pas ma sœur.

— Pas votre…

— Jane est ma fille.

Chapitre 26

L'effervescence régnait à St Martin's Hall où les ouvriers de l'exposition et les conservateurs travaillaient à monter les différents stands. Derrière les fenêtres, le crépuscule tombait. Les flammes étaient moins hautes dans les cheminées, les lumières tamisées dans les énormes candélabres.

Jane se tenait à côté d'un stand de projets éducatifs d'histoire naturelle. Alignées le long des murs, des vitrines remplies de plantes séchées, d'os d'animaux, et de diverses choses préservées dans des bocaux de verre. Sur les tables étaient posées des vitrines d'insectes et de papillons rares aux ailes déployées, de scarabées aux carapaces luisantes. Elle prit un bocal contenant les carcasses de plusieurs phasmes.

L'estomac soudain noué, elle le reposa et leva les yeux vers les fenêtres dont la lumière s'assombrissait au-dessus de la grande galerie qui courait sur trois côtés du grand hall. Elle avait laissé Mr Hall et lord Castleford finir leur travail sur le stand chinois, avec la promesse qu'elle les rejoindrait d'ici une demi-heure.

Elle laissa échapper un soupir. Elle ne voyait pas comment trouver le docteur Cole s'il était vraiment là.

Elle regarda une vitrine contenant des locustes et des vers à soie. Un frisson la traversa. Elle avait beau trouver les insectes très intéressants, elle n'aimait pas du tout les voir morts, sous verre, leurs corps transpercés par des aiguilles.

Elle s'éloigna du stand en direction d'une section sous la galerie. Deux bonnes dizaines de globes, terrestres et célestes, étaient disposées à même le sol, à côté d'une vitrine contenant plusieurs mappemondes de poche. Elle fit tourner l'un d'entre eux, étudiant les constellations qui étaient peintes en figures mythiques et en animaux.

Un autre globe céleste, en verre épais, rempli à moitié d'un liquide bleu, était posé sur un immense présentoir en fonte et une échelle graduée en cuivre. Sa surface était gravée des étoiles et des cercles des latitudes et des longitudes. Elle le prit entre ses mains, le fit pivoter à l'intérieur du support en demi-cercle et regarda le liquide bouger à l'intérieur.

— Bonjour Jane, lança une voix grave et raffinée.

Elle sentit des picotements sur sa peau. Le cœur battant, elle se retourna et vit un homme grand et mince qui se tenait près de l'escalier du fond, les yeux cachés par la lumière réfléchie par les verres de ses lunettes.

La gorge sèche, elle déglutit.

— Vous… vous êtes venu ?

— Bien sûr. Je l'avais dit.

Il s'avança. La lumière glissant sur son visage révéla des yeux d'un vert chaleureux et ses traits aquilins.

— C'est un plaisir de vous voir, même si, honnêtement, j'ai l'impression que nous nous sommes déjà rencontrés. Comme si nous nous connaissions déjà.

Elle sourit, sa nervosité s'apaisant un peu. Enfin, elle pouvait mettre un visage sur les commentaires et devinettes des lettres. Son apparence correspondait à la façon dont il écrivait : élégante, claire, bien élevée. Il avait les cheveux blonds, un peu obscurcis par le crépuscule, et une mèche en virgule sur son front.

Il s'approcha pour s'arrêter de l'autre côté du globe.

— Vos dernières lettres m'ont un peu inquiété, dit-il. Il est évident que quelque chose vous a contrariée. Je suppose que c'est lié à ce document au sujet duquel vous m'avez écrit ?

Elle hocha la tête, sa main frôlant la poche de sa jupe où était plié l'acte de naissance et lui jeta un coup d'œil à la dérobée. Il la regardait toujours, un léger sourire flottant sur ses lèvres, ses yeux aimables et curieux.

— Vous n'aviez pas la moindre idée ? demanda-t-il.

Une boule se forma dans sa gorge et elle secoua la tête. Apparemment, elle n'avait pas eu la moindre idée de quoi que ce soit. Elle n'avait pas imaginé une minute que tous ceux qu'elle aimait, toute sa famille, avaient menti à son sujet. Lui avaient menti.

Un vide abyssal se creusa en elle. Elle regarda la surface du globe, les délicates étoiles gravées dans le verre épais.

— Pourquoi ne m'avez-vous rien dit ? demanda-t-elle.

— J'avais peur que vous cessiez d'écrire si je le faisais, répondit le docteur Cole. Et j'avoue que je pensais que vous ne me croiriez pas.

Il s'interrompit.

— M'auriez-vous cru ?

Elle secoua la tête. Bien sûr que non. Bien sûr qu'elle n'aurait jamais cru quelque chose d'aussi absurde. Papa était son père, pas quelque inconnu avec qui elle avait échangé une correspondance pendant plusieurs mois et dont elle n'avait même pas connu le nom jusqu'à une date récente.

À cela près qu'il l'était. Elle le sentait instinctivement, dans chaque fibre de son être. Même si le nom de cet homme n'apparaissait pas sur son acte de naissance, elle savait qu'il était son père. Elle pouvait même voir leur ressemblance dans la structure de son visage, dans la couleur de ses yeux. Les mêmes que les siens.

Cet homme était son père et Lydia sa mère. La révélation semait le chaos dans ses pensées, aussi déchaînées qu'un océan dans la tempête.

Lydia avait-elle jamais eu l'intention de lui révéler la vérité ? Lydia ou quiconque. Ou avaient-ils juste espéré la laisser vivre dans l'ignorance de ce redoutable mensonge ?

— Pourquoi n'avez-vous pas commencé par prendre contact avec Lydia ? demanda-t-elle.

Placide, le docteur Cole répondit :

— Je savais qu'elle ne voulait pas me voir. Nous ne nous sommes pas séparés dans les circonstances…

les plus agréables. Je voulais que nous apprenions à nous connaître sans son influence. Je devine qu'elle n'a rien d'aimable à dire à mon sujet, ajouta-t-il avec un haussement d'épaules désabusé.

— Avez-vous quoi que ce soit d'aimable à dire à son sujet ?

Il posa sa main aux longs doigts sur la sienne, sur le globe de verre. Sa paume était chaude, rassurante. Elle essaya d'imaginer quel père il aurait pu être. En vain.

— Lydia est d'une intelligence remarquable, répondit-il. Elle l'a toujours été. J'ai été surpris d'apprendre par un collègue qu'elle avait disparu du monde universitaire depuis dix ans. Ses anciens professeurs de mathématiques étaient étonnés de ses aptitudes, même enfant. C'était un prodige. L'avoir comme élève a été pour moi un honneur.

Des larmes inattendues brouillèrent la vision de Jane. Elle savait que Lydia était dotée d'une intelligence hors pair. Elle savait qu'elle avait tant à offrir avec ses solutions, ses preuves, ses équations.

Certes, Lydia aurait pu changer le monde… si elle n'avait pas disparu du monde universitaire, si elle n'avait pas renoncé à publier ses travaux mathématiques.

La main du docteur Cole se resserra sur la sienne. Trop fort. Elle essaya de se dégager de son emprise.

— Quoi qu'il en soit, j'estime que quand vous avez trouvé le document, la chance a joué en notre faveur, reprit-il. Le fait que vous l'ayez trouvé avant le mariage de Lydia n'est peut-être pas une coïncidence. La vérité était sans doute destinée à jaillir maintenant qu'elle ne vivra plus avec vous.

Ses mots avaient subitement pris une intonation de la dureté du silex. Jane lui lança un regard soupçonneux. Il souriait toujours mais ses yeux étaient glacés, soudain, comme par la première couche de givre sur une fenêtre. Un frisson la traversa.

Elle parvint à dégager sa main.

— Je suis désolée, mais il est tard. On m'attend.

— Bien sûr. Mais avant de partir, pouvez-vous me montrer le document ?

Elle tira le papier de sa poche, le déplia, et resta à regarder les mots écrits en français, d'une écriture ronde et déliée.

— Je maîtrise mal la langue française, fit-elle remarquer, mais il n'y a qu'un nom marqué en tant que parent, Lydia Kellaway. Aucune profession n'est indiquée à son sujet. Il est seulement précisé qu'elle avait seize ans… Elle était…

Un sanglot dans la gorge, elle essaya de faire abstraction du fait que Lydia n'avait que cinq ans de plus qu'elle à ce jour, lorsqu'elle l'avait mise au monde.

— L'adresse est à Lyon, reprit-elle. Mon père, sir Henry, et ma grand-mère ont tous les deux signé comme témoins.

Il s'était un peu rapproché, ses doigts toujours posés sur l'énorme globe.

— Intéressant. Laissez-moi voir si je peux vous aider à trouver d'autres informations. Je parle français couramment, vous savez.

Il tendit la main. Au moment où elle allait lui remettre le document, elle se ravisa et le serra contre sa poitrine.

— En fait… Je n'ai pas besoin d'en savoir plus pour le moment. Il est temps que je parle à Lydia de tout cela.

Elle battit en retraite et il s'avança encore. D'un ton condescendant, il demanda :

— Vous pensez vraiment que Lydia vous dira la vérité ? Même si vous lui montrez le document, elle n'a aucune raison de vous révéler la vérité concernant votre père. Vous êtes certaine que mon nom n'apparaît pas ici ?

— Certaine ! affirma Jane, ses doigts se resserrant sur le papier, en froissant les bords.

— Puis-je y jeter un coup d'œil, s'il vous plaît ?

— Pourquoi ?

— Cela me concerne autant que vous, Jane. J'ai le droit de voir l'acte de naissance de ma fille.

— Pourquoi n'étiez-vous pas présent quand le document a été établi ? Pourquoi n'êtes-vous pas nommé en tant que parent ?

— Je n'étais pas là parce que Lydia est partie sans me dire où elle allait.

Il semblait être en proie à une grande tension, la chaleur dans son regard avait fait place à de l'impatience.

— Si je l'avais su, j'aurais demandé à être nommé, bien sûr.

— Aviez-vous l'intention de l'épouser ?

Sa bouche se tordit en un rictus.

— Vous n'avez pas à me poser des questions concernant ma relation avec Lydia.

— J'ai le droit de savoir la vérité concernant mes parents, riposta-t-elle.

Elle aurait tant voulu que la vérité soit autre. Que le docteur Cole ne soit pas vraiment son père. Elle regrettait de ne pas pouvoir croire qu'il n'y avait rien eu entre Lydia et lui. Qu'il n'y avait rien eu d'horrible.

D'un coup d'œil furtif, elle regarda derrière elle, espérant apercevoir un ouvrier ou un conservateur à proximité. Mais il n'y avait personne. Une grande vitrine lui cachait la vue du reste de l'exposition.

Elle se tourna vers le docteur Cole. Il arborait une expression fermée, la veine qui battait à son cou trahissant son irritation grandissante.

— Donnez-moi le document, Jane ! insista-t-il.

Elle secoua la tête. L'angoisse étreignait sa poitrine. Si elle ignorait pourquoi il tenait tant à entrer en possession de ce document, elle devinait qu'une fois qu'elle le lui aurait remis, elle ne le reverrait plus jamais.

Le docteur Cole fit deux grands pas en avant, la soudaineté de son mouvement évoquant l'attaque d'un serpent. Il tendit la main pour lui arracher le papier. Au moment où ses doigts le frôlaient, Jane le lui arracha des mains. L'enfonçant dans sa poche, elle tourna sur ses talons et prit ses jambes à son cou. Le juron guttural de l'homme lui déchira les oreilles.

N'osant pas passer à côté de lui, elle longea le stand d'histoire naturelle, se cacha derrière un diorama présentant des oiseaux empaillés. D'un geste vif, elle tira l'acte de naissance de sa poche et le fourra sous les ailes déployées d'un aigle avant de se diriger vers l'étroit escalier menant à la galerie. Elle la longerait et redescendrait dans la salle d'exposition par l'escalier opposé. Puis elle s'éclipserait par la porte principale.

Une fois en haut, elle se fraya un chemin parmi les vitrines, les tables et les bibliothèques qui encombraient les lieux et chercha à apercevoir Mr Hall par-dessus la balustrade. Mais il semblait s'être volatilisé.

La panique la gagna. Et s'il était déjà rentré ? Non. Mr Hall ne serait pas parti sans elle.

Elle hâta le pas, n'osant pas regarder derrière elle, et contourna une table sur laquelle s'empilaient des cartes roulées. Arrivée au milieu de la galerie, elle trébucha sur quelque chose et, avec un petit cri de frayeur, perdit l'équilibre. En voulant atténuer sa chute de ses mains, elle sentit une vive douleur transpercer son poignet droit.

Avance ! Avance ! se tança-t-elle.

Avec un sanglot de terreur, elle essaya de se relever. Soudain, une ombre masculine s'allongea sur elle et de longs doigts se refermèrent sur son bras. La serrant à lui faire mal, le docteur Cole siffla entre ses dents serrées :

— Petite sotte !

Une main se posa sur sa bouche, étouffant son hurlement de panique.

Chapitre 27

Alexander sursauta et recula d'un pas. Une douleur indescriptible lacéra la poitrine de Lydia. Elle détourna le regard, sachant qu'il était cloué sur place par la surprise.

— Votre… votre fille ?

Elle hocha la tête. Inexplicablement, elle était soulagée de lui avoir enfin dit la vérité. Qu'importait sa réaction, au moins elle s'était débarrassée du fardeau d'un secret aussi lourd.

— Mais Jane a…

— Onze ans. J'avais à peine dix-sept ans quand elle est née.

Elle risqua un coup d'œil à travers l'écran de ses cils baissés. Toujours immobile, il avait les poings serrés, les traits rigides.

— Racontez-moi, lui intima-t-il.

— Ce n'est pas une belle histoire, l'avertit-elle. Loin de là.

— Je m'en fiche ! Que s'est-il passé ? Est-il le père de Jane ?

— Oui, répondit-elle, les doigts crispés sur la lettre.

— Il n'a pas… Vous a-t-il… ? bredouilla Alexander, ses poings se serrant encore, convulsivement.

— Non, non.

Sous son appréhension, la honte s'insinua en elle. Elle essaya de la refouler, sachant qu'elle lui devait toute l'histoire, sans lui épargner les plus sordides détails.

— C'était… c'était une erreur, Alexander, une hideuse erreur, mais j'ai été consentante. Je vous promets de répondre à toutes vos questions, mais je dois d'abord parler avec Jane. Je vous en prie. Je pensais qu'il ne nous retrouverait jamais. Je ne sais pas s'il a essayé d'entrer en contact avec elle, s'il…

Sa voix se brisa. La supposition était trop horrible à formuler. Vaguement consciente de la fureur que dissimulait le silence d'Alexander, elle couvrit son visage de ses mains.

— Où Mrs Driscoll a-t-elle dit que Jane était allée ? demanda-t-il.

— À sa leçon de piano, avec ma grand-mère, répondit-elle, en essuyant son front moite. Je… Il est impératif que je m'entretienne avec elle. C'est la raison pour laquelle j'ai besoin du médaillon. Tout cela…

— Je vais aller la chercher chez mon père. Attendez-moi ici. Je ne tiens pas à une scène devant lord Rushton.

Sur ces mots, il tourna les talons et sortit. Lydia sentait des perles de transpiration ruisseler dans son cou, glissant sous son col étroit.

Elle monta dans sa chambre, se passa de l'eau sur le visage et remit de l'ordre dans ses cheveux. Une boule d'angoisse s'était formée au creux de son ventre. Elle ressortit dans le couloir et gagna la salle d'étude où Jane et elle avaient passé tant d'heures ensemble.

La pièce était envahie des objets personnels de Jane : ses peintures, ses dessins, ses poupées, ses jouets, une mappemonde, des bouts de laine crochetés, des échantillons de broderie.

Elle ramassa une vieille poupée de chiffon que sir Henry lui avait offerte, pour un Noël. Borgne de l'un de ses yeux en boutons de bottine, l'autre œil vide, les coins de sa bouche commençaient à se déchirer.

— Lydia ? appela la voix lasse de sa grand-mère.

Elle se retourna.

— Jane est-elle avec vous ? demanda-t-elle vivement.

— Non, répondit Mrs Boyd.

— Où est Alexander ? reprit-elle alors, saisie d'un sombre pressentiment.

— Je l'ignore. Que se passe-t-il, Lydia ?

— Il est parti chercher Jane à sa leçon de piano, répondit-elle. Ne l'y avez-vous pas accompagnée ?

— Si, mais après sa leçon, elle est partie se promener avec Mr Hall.

Lydia reposa la poupée et commença à fouiller dans une pile de feuillets, sur le bureau : les exercices d'écriture de sa fille, plusieurs dessins, le début d'un exposé sur les libellules. Elle rangea quelques livres dans la bibliothèque et se pencha pour ramasser une feuille froissée qui voletait vers la porte.

Elle était sur le point de la plier pour la remettre entre les couvertures des livres quand elle se figea.

L'encre noire s'étalait sur la page comme une toile d'araignée. Le cœur battant, elle la lissa.

L'écriture nette se brouilla devant ses yeux. Incrédule, prise de vertige, elle se sentit flageoler sur ses jambes.

Non ! Non et non !

— Lydia, que se passe-t-il ? demanda Mrs Boyd, de plus en plus alarmée.

Se redressant bien droit, sa grand-mère s'avança dans la pièce et lui prit la lettre des mains.

S'affalant dans un fauteuil, Lydia attendit qu'elle l'ait lue. Le message était déjà imprimé en lettres de feu dans son cerveau anesthésié par une terreur totale.

« Chère Jane,

Lydia Kellaway a été l'une de mes élèves à l'université de Leipzig, en Allemagne. Si vous souhaitez des éclaircissements, je suggère que vous les lui demandiez vous-même.

Recevez mes sincères salutations,

Docteur Joseph Cole. »

Mrs Boyd laissa échapper le papier et leva les yeux, le visage livide.

— Que signifie tout cela ? demanda-t-elle d'une voix cassante.

Lydia se sentit de nouveau prise de nausée. Elle était incapable de penser, de bouger. Qu'allait-elle faire ? Elle n'en avait pas la moindre idée.

— Il… il est revenu. Il est ici. À Londres.

Un instant, elle eut l'impression que sa grand-mère allait la frapper. Mais elle se contenta de la foudroyer d'un regard assassin.

— Depuis combien de temps le sais-tu ?

— Je viens de l'apprendre.

— Et ceci ? fulmina Mrs Boyd en donnant un coup de canne si violent dans la feuille qu'elle troua le papier.

— Je ne sais pas.

S'extirpant de la stupeur de son désespoir, Lydia se leva. Avec des gestes frénétiques, elle commença à ouvrir les tiroirs du bureau, du placard, poussant les boîtes contenant les trésors de Jane. Elle fouilla dans la bibliothèque basse, feuilleta les livres, priant pour ne pas trouver ce qu'elle cherchait.

La mort dans l'âme, elle sentit ses doigts se refermer autour d'une pile de lettres froissées, toutes couvertes de la même petite écriture serrée. Un voile passa devant ses yeux, une douleur insoutenable lui vrilla les tempes. Le tourment, les regrets refoulés depuis douze ans, refirent surface d'un seul coup.

— Qui les a apportées à Jane ? demanda-t-elle en brandissant les lettres.

— Apportées ? répéta Mrs Boyd, stupéfaite. Personne n'a rien apporté à Jane.

La serrant entre ses mains, elle lut la première de la pile.

« Chère Jane,

St Martin's Hall est facile d'accès. Je m'arrangerai pour y être à l'heure que vous proposez.
Je vous demanderai d'apporter le document afin que je puisse le regarder, puisque vous semblez absolument croire qu'il me concerne.
Recevez mes sincères salutations,
Joseph Cole. »

Lydia releva les yeux vers sa grand-mère.
— Où sont-ils allés avec Mr Hall ? chuchota-t-elle, glacée de terreur.
Le froncement de sourcils de Mrs Boyd s'accentua, dessinant des rides profondes sur son front.
— Voir les préparatifs de l'exposition éducative, répondit-elle. Quand Jane m'a dit tout à l'heure qu'elle avait envie d'y aller, Mr Hall a aimablement proposé de l'y emmener.
Oubliant soudain son sentiment d'impuissance, Lydia sentit un sursaut d'énergie la galvaniser. Elle enfouit les papiers dans sa poche et, sans un regard pour sa grand-mère, quitta la pièce.
— Lydia ! appela Mrs Boyd.
Elle filait déjà le long du couloir et descendait l'escalier. Arrivée dans la rue, elle s'élança vers la station de fiacres de East Street. La peur qui paralysait son cerveau l'empêcha d'entendre le cri strident de sa grand-mère.

Chapitre 28

Le crépuscule tombait sur Long Acre, l'entrée principale de St Martin's Hall cachée derrière une masse de piétons, de calèches, de voitures à cheval et de chariots, grouillant comme des abeilles dans une ruche.

— Il y a sans doute un accident, mademoiselle, cria le cocher. Je ne peux pas aller plus loin. De là où je suis, je vois qu'une voiture a percuté quelque chose.

Avec un juron, Lydia ouvrit la porte de son fiacre. Elle jeta deux shillings au cocher et, d'un pas vif, passa devant l'attroupement des badauds qui regardaient l'accident, se frayant un chemin à travers un groupe de policiers. Poussant les gens, elle tressaillit quand elle vit Sebastian rôdant près de l'entrée de St Martin's Hall.

— Sebastian !

Il leva la tête. Il avait l'air inquiet.

— Lydia, que…

— Jane, demanda-t-elle d'une voix essoufflée, où est Jane ?

— Je ne sais pas. Justement. Elle est restée avec moi tout l'après-midi, puis elle est allée voir un stand pendant que j'aidais Castleford à l'exposition chinoise. Quand je suis allé la chercher, elle était partie.

— Partie ? Que voulez-vous dire, partie ?

— Impossible de la trouver. J'ai pensé qu'elle était peut-être avec Castleford mais, apparemment, il avait pris congé. Aucun des conservateurs ne l'a vue. Quand j'ai entendu tout ce vacarme, je suis sorti dans la rue, mais il y a une telle foule.

— Continuez à la chercher, lui intima Lydia en se dirigeant vers la porte d'entrée. Cherchez dans les salles de classe, dans la bibliothèque. Regardez aussi dans la salle de repos du fond.

— Mais où...

— Je ne peux pas vous expliquer maintenant, Sebastian, l'interrompit-elle. Je vous en prie. Il faut absolument la trouver.

Elle s'élança dans le vestibule, sa respiration bruyante résonnant dans la vaste pièce. Puis elle grimpa en hâte l'escalier qui menait au grand hall dont la surface couvrait tout le premier étage.

Elle poussa la porte à double battant de la salle d'exposition. Les ouvriers continuaient à s'activer autour des stands, dans un tintamarre de marteaux, tandis que les gens se ruaient vers la sortie pour voir l'accident dans la rue.

Elle réprima un besoin féroce de hurler le nom de Jane. Si elle était toujours ici, si Cole était avec elle... Dieu sait ce qu'il pourrait lui faire s'il savait que Lydia la cherchait.

Une ombre passa au-dessus d'elle, se reflétant dans la fenêtre. Lydia leva les yeux vers la galerie déserte, incapable de distinguer quoi que ce soit dans la lumière du crépuscule. Les battements de son cœur martelant ses tempes, elle monta l'escalier à pas de loup et se dirigea vers une cheminée où les braises rougeoyantes d'un feu éclairaient une partie de la galerie.

Sa vue se brouilla avant de se faire précise. Jane était assise dans une chaise près du feu, le bras contre sa poitrine en un geste défensif, le corps tremblant.

Inondée par une vague de soulagement, Lydia étouffa un cri. Elle lutta contre le besoin d'appeler à l'aide.

Du coin de l'œil, elle aperçut un mouvement. Au moment où son cerveau assimilait ce qui se passait, une main masculine lui agrippa le poignet. Elle sentit la douleur transpercer son bras. Cole la tira en avant, ses traits de granit dessinés par les ombres du feu qui se mourait.

— Lydia ! cria Jane en se redressant, les yeux écarquillés par la peur.

Dégageant son bras de l'emprise de Cole, elle courut vers sa fille. L'enlaçant, elle la fit lever de la chaise. Puis, la serrant dans ses bras, elle se tourna pour foudroyer Joseph Cole de son regard le plus dur.

— Que voulez-vous ?

Ses yeux sur Jane, il répondit :

— Quelle valeur attachez-vous à cela, Lydia ? Jusqu'où êtes-vous prête à aller pour lui cacher la vérité ?

— Northwood connaît déjà la vérité. Je la lui ai dite.

Cole esquissa un sourire sardonique.

— Vous pensez me faire croire que vous seriez prête à ruiner votre vie comme ça ?

— Croyez ce que vous voudrez. Il sait que Jane est ma fille.

— *Notre* fille. Vous pouvez peut-être la convaincre de me dire où est le document ?

— Quel document ?

— L'acte de naissance qu'elle a caché, répliqua Cole. Si elle me dit où il se trouve, tout cela pourra finir très vite.

Non. Cela ne finira jamais. Lydia en avait la certitude jusqu'aux tréfonds de son être. *Jamais.*

Elle sentit le corps de Jane contre le sien, la main de la fillette agrippant son bras. Elle croisa son regard. Une étrange complicité passa entre elles, une connivence qui parlait de regrets, de peines. Même si tout ce gâchis avait été occasionné par ce qui était peut-être une bonne intention.

Elle se tourna de nouveau vers le docteur Cole.

— Docteur Cole, pourquoi faites-vous cela ?

Il l'enveloppa de ce regard glaçant de hibou, qui semblait capable d'atteindre les recoins les plus secrets de son esprit.

— J'ai tout perdu, Lydia. D'abord mon poste à l'université. Je n'ai pas pu trouver un autre travail pour me sauver la vie. Puis Greta... Vous savez à quel point elle était faible, frêle. Elle n'a pas pu supporter la pression. Elle l'a écrasée, en fait. Toutes mes économies sont passées en frais médicaux, puis, bien sûr, dans l'enterrement.

Lydia avait envie de plaquer ses mains sur ses oreilles. Elle ne voulait pas entendre parler de la mort de Greta.

— Pourquoi avez-vous perdu votre chaire de professeur ?

Un vague sourire éclaira son visage.

— Faute d'éthique, pour ainsi dire. Pouvez-vous l'imaginer ?

— D'éthique ?

— Elle était morte quand je suis arrivé. Dommage qu'ils ne m'aient jamais cru.

Le souffle de Lydia se fit plus court, la bile brûlant sa gorge.

— Qui… qui était morte ?

— La fille de l'un des professeurs d'histoire. Un vrai gâchis. Une jeune fille exquise. Je n'ai pas idée du nombre d'hommes qu'elle a pu recevoir dans ses appartements.

— Et vous… vous.

— Ils ont dit qu'elle avait été étranglée. Ils ont affirmé que j'étais suspect mais n'ont jamais pu prouver ma culpabilité. Pourtant, le simple fait de parler de tout cela a suffi au ministère de l'Éducation pour me renvoyer.

Un bruit de porte qui s'ouvrait à la volée leur parvint du rez-de-chaussée. Des voix montèrent de l'étage au-dessous comme les cris d'une volée d'oiseaux. Quelque chose se brisa à terre.

Lydia tira Jane derrière elle, aussi discrètement que possible. Elle avait l'intention de la pousser vers l'escalier et vers la sécurité de l'étage inférieur. Mais elle devait être sur ses gardes. Cole était peut-être armé.

— Cela fait un an, reprit-il. C'est alors que j'ai lu la nouvelle de la mort de sir Henry et que j'ai pensé à vous. Je suis retourné à Londres. Je voulais savoir si vous aviez eu l'enfant. Et quand j'ai découvert l'existence de Jane, je me suis demandé si elle avait votre intelligence, vos prodigieuses compétences en mathématiques. J'ai pensé qu'avec vous comme mère et moi comme père, son génie était peut-être déjà légendaire. Aussi, lui ai-je écrit.

Lydia se sentit de nouveau prise de nausée. Ainsi, il avait entraîné Jane dans une correspondance.

— Que vouliez-vous d'elle ?

— D'abord, j'ai pensé qu'elle aurait peut-être des idées neuves, une approche différente des mathématiques.

— Vous vouliez exploiter ses talents à votre avantage, n'est-ce pas ? lâcha Lydia, cassante. Vous pensiez qu'elle pourrait vous procurer quelques nouveaux théorèmes ou identités brillants. Et vous les lui auriez volés, les auriez publiés comme les vôtres dans un effort désespéré pour récupérer votre célébrité perdue ?

Il fronça les sourcils.

— Ce n'est pas tout à fait exact. Elle est ma fille, après tout. En principe, ses théories auraient été les miennes. Imaginez ma déception quand je me suis rendu compte qu'elle était dotée d'un esprit plutôt ordinaire. Par comparaison avec nous, bien sûr.

Lydia serra les dents pour s'empêcher de contredire cette remarque pleine de morgue.

— Alors qu'est-ce qui vous a conduit à votre plan actuel ?

— La nouvelle de la mort de votre père, répondit Cole. Je savais que ce serait le bon moment pour contacter Jane. Puis j'ai eu vent de votre… relation avec un aristocrate fortuné. Si je ne peux pas récupérer ma réputation, une confortable somme d'argent pourra soulager ma déception. Assez pour que je puisse vivre ailleurs, peut-être en France ou en Italie, confortablement, le reste de mes jours.

Il ne veut pas Jane.

La plus grande peur de Lydia, celle qui la hantait depuis dix ans, s'atténua. Elle se moquait de ce qu'il voulait, de ce qu'il ferait, tant qu'il n'essayait pas de lui prendre sa fille.

— Si vous avez l'argent, disparaîtrez-vous ? Pour de bon ?

— Peut-être. Mais j'aurai besoin de l'acte de naissance pour m'assurer que je peux contrôler la situation. Avec ce document en ma possession et vous sachant que j'ai la preuve de la véritable naissance de Jane, je serai sûr que vous ne reviendrez pas sur votre parole.

— Vous ne pouvez pas me faire du chantage toute la vie.

— Si, je le peux, réfuta Cole, la tête penchée de côté, l'œil inquisiteur. Pourquoi avez-vous accepté de l'épouser, Lydia ? Pour le titre et l'argent ? Vous avez mis les deux en danger, vous le savez ?

Lydia ne répondit rien, sa gorge tellement serrée qu'elle peinait à respirer.

— Je ne vous laisserai pas toucher à lord Northwood, déclara-t-elle d'une voix métallique, tout en relâchant son emprise sur Jane dans l'espoir que celle-ci allait se mettre à courir. Vous pouvez raconter tout ce que vous voudrez, docteur Cole. J'en assume l'entière responsabilité. Vous n'imaginez pas comment se passent les choses, comment elles peuvent être manipulées. Northwood sortira d'un scandale la tête haute si c'est moi qui suis calomniée et tenue pour responsable. Alors, quel bénéfice tirerez-vous d'un chantage ?

Ses paroles ne parurent pas le déstabiliser le moins du monde.

— Très bien, reprit-il d'une voix placide. Supposons que la révélation ne détruise pas Northwood. Que pensez-vous de sa conséquence sur la vie de Jane ?

Lydia tressaillit. Devant sa réaction, Cole sourit.

— Je ne suis pas un imbécile, Lydia. Je sais à quel point vous tenez à garder ce secret, même si je vous trouve admirable d'être prête à vous sacrifier pour votre fiancé.

Il se pencha et, scrutant le visage de Jane, reprit d'un ton mielleux :

— C'est très simple, ma chère. J'aurai ou ce document ou vous. Que préférez-vous ?

Une voix grave s'éleva soudain dans l'obscurité grandissante.

— Vous n'aurez pas Jane. Jamais.

Alexander !

L'esprit de Lydia assimila sa voix, sa présence, même si son cœur refusait de le croire. Pourtant, il émergea de l'ombre, une rage froide émanant de tout son être.

— Lord Northwood, constata Cole en haussant les sourcils, l'air méfiant mais pas inquiet, comme s'il savait qu'il avait l'avantage. Peut-être allez-vous montrer un peu de bon sens. L'esprit féminin est enclin à laisser ses émotions guider ses décisions, ai-je remarqué.

Alexander s'approcha et attira Jane loin de Lydia. Il poussa l'enfant derrière lui, lui faisant un bouclier de son corps pour la protéger de Cole. Sans quitter le docteur des yeux, il dit :

— Lydia, la voiture est à l'entrée. Emmenez Jane et rentrez.

Sans laisser à Lydia le temps de faire un pas en direction de sa fille, Cole s'avança, rapide comme une guêpe, et referma une main de fer sur le bras de Lydia. Jane poussa un hurlement.

Le souffle coupé, Lydia se raidit comme une corde, prête à se défendre. Le canon froid d'un revolver se pressa contre son cou. Cole la plaqua contre lui et l'attira vers la balustrade de la galerie.

— Mademoiselle ? Mademoiselle !

Attirée par le tapage, une foule d'ouvriers envahit le rez-de-chaussée, les yeux levés vers eux. Plusieurs hommes s'élancèrent dans l'escalier.

— Personne ne bouge ! cria Cole. Personne. Sinon, je la tue.

Les hommes se figèrent. Avec un juron, Alexander fit un pas en avant. Mais Cole pressa le canon plus fort. Lydia sentit la terreur la paralyser.

Alexander s'arrêta, ses muscles raides sous son pardessus. Derrière lui, Jane regardait Cole, les yeux écarquillés par la peur. Puis elle pivota sur ses talons et s'élança vers l'escalier en courant. Le soulagement de voir sa fille s'échapper apaisa un peu la frayeur de Lydia.

— Lâchez-la, Cole ! lui intima Alexander en levant les mains en un geste d'apaisement. Quelle que soit la somme que vous voulez, vous l'aurez.

— Non !

Lydia tressaillit. Elle sentait des gouttes de transpiration dans son dos, le souffle chaud et âcre de Cole contre son oreille.

— Qu'est-ce qui a le plus de valeur pour vous, Northwood ? La fille ou Lydia ?

— Elles ont la même valeur, répliqua Alexander sans se démonter.

Cole se mit à rire.

— Vraiment ? Supposons que je laisse Lydia avec vous ? Que j'emmène Jane avec moi ? J'aurais un sacré atout, que je pourrais dévoiler quand je voudrais en la présentant comme la fille de la vicomtesse Northwood, l'éminente…

— Arrêtez !

Cole se retourna vivement. Jane s'avançait le long de la galerie, les mains tendues. Une feuille de papier tremblait dans sa main.

— Laissez-la partir, dit-elle en brandissant le papier, et je vous donnerai cela.

Il dévisagea la fillette. Puis, dans un rire sourd, il déclara :

— J'ai peut-être sous-estimé votre intelligence, Jane. De ce groupe illustre, vous pourriez être la plus brillante.

Il tendit la main pour lui prendre le papier mais Jane l'en empêcha. Les traits durcis par sa détermination, elle ordonna :

— Commencez par libérer Lydia.

— Il secoua la tête.

— Pas tant que je ne serai pas en possession des documents.

— Comment puis-je savoir si vous allez la laisser partir ?

— Vous devez me faire confiance. Je suis votre père, après tout.

— Non, vous ne l'êtes pas.

Sans chercher à masquer son impatience, il lâcha d'un ton mordant :

— Donnez-moi ce papier, Jane !

Elle tourna la tête pour regarder Alexander, debout près du feu. Sans crier gare, il bondit sur Cole. À son mouvement inattendu, Lydia sentit son cœur faire un bond dans sa poitrine. De ses mains vigoureuses, il la libéra de l'emprise du docteur.

Le coup de feu partit. Lydia s'écroula à genoux. Jane poussa un hurlement. Un cri d'effroi général monta de la foule amassée à l'étage inférieur, suivi d'une brusque agitation.

Se jetant sur Cole, Alexander le plaqua contre la balustrade. Le bois se fendit en un craquement. Avec un grognement, le docteur l'attrapa par les cheveux. Laissant échapper le document, Jane courut à Lydia et, l'agrippant de ses deux mains, tenta de l'éloigner des deux hommes qui luttaient. Lydia pressa une main sur son ventre, sa vision se brouillant. Elle cligna frénétiquement des yeux, essayant de se concentrer, essayant de…

— La fille ! hurla un homme. Emmenez-la.

Lydia poussa Jane vers la voix inconnue. La foule au rez-de-chaussée parut enfler et bouger comme un océan.

Un bruit effrayant résonna dans la pièce. Agrippant Cole par le col, Alexander l'avait encore une fois projeté contre la balustrade. Une entaille sanguinolente s'ouvrit dans le front du docteur.

Il étouffa un juron et donna un coup de pied au genou d'Alexander. Le craquement suffit à le faire lâcher prise. Cole se libéra.

Le pistolet ? Où est le pistolet ?

Lydia se leva, prête à tout. Mais Cole s'avançait, se rapprochant. Il ramassa l'arme à l'endroit où elle était tombée, près de l'âtre et la brandit, visant les hommes qui montaient l'escalier, puis la foule.

Les gens hurlaient. Les portes claquaient. Les bruits de pas résonnaient.

Alexander bondit sur Cole par-derrière et le fit tomber à terre. Le pistolet lui glissa des mains. Les deux hommes émirent des grognements, leurs os craquant.

Jane s'élança et s'empara de l'acte de naissance. Cole se contorsionna pour échapper à Alexander.

D'instinct, Lydia devina ce qui allait arriver. Tout comme elle sut qu'elle ne pouvait rien faire pour l'empêcher.

Pétrifiée d'horreur, elle vit Cole se jeter sur sa fille, brisant la balustrade fendue avec un craquement comme un bruit de tonnerre.

Incapable d'arrêter sa chute, Cole repoussa Jane de côté avant de tomber à travers la balustrade. Avec un hurlement d'effroi, elle glissa sur le sol alors que des morceaux de bois allaient s'écraser sur la mappemonde en contrebas.

Des cris s'élevèrent de la foule en effervescence.

— Jane ! hurla Alexander.

Il se jeta sur la fillette, sa main agrippant son poignet au moment où elle commençait à glisser par-dessus bord. Prenant appui d'un pied contre un pilier, il l'immobilisa.

Prise de panique, Lydia attrapa Jane par l'autre main, murmurant une prière de gratitude quand les doigts de sa fille se refermèrent autour des siens.

Elle risqua un coup d'œil par-dessus bord. Cole s'était rattrapé à un pilier cassé. En contrebas, les surfaces rondes de la terre et du ciel ondulaient dans la lumière du crépuscule.

Les traits de Cole étaient déformés par la peur et l'effort. Ses jambes se balançaient dans le vide. Le bois craqua de nouveau, le projetant en bas.

Aidée par Alexander, Lydia hissa sa fille en sécurité dans la galerie. Tremblante, secouée de sanglots, Jane se jeta dans ses bras.

Alexander tendit la main vers Cole, toujours dans le vide. Le visage livide du docteur luisait de transpiration. Avec un juron, Alexander avança encore le bras. Cole lâcha le pilier d'une main pour essayer d'attraper celle d'Alexander. Ses jambes battaient pour trouver une prise. Le pilier craqua dans un bruit de balle de revolver.

Seigneur !

Pressant le visage de Jane contre son épaule, Lydia regarda Cole. Ses yeux verts écarquillés de terreur croisèrent les siens.

Le pilier se rompit. Avec un cri, Cole tomba, battant violemment des bras. Sa tête alla frapper un énorme globe de verre, avec un bruit sinistre qui résonna dans le hall. Une mare de sang se répandit sur la surface transparente. Il glissa sur le sol où il s'écrasa, son corps gisant immobile.

Au milieu des clameurs, un vent de panique s'éleva dans la salle.

Chapitre 29

À St Martin's Hall, l'agitation était à son comble. Des cris, des bruits de pas assourdissants, le son strident des sifflets des agents.

La foule de la rue envahit le vestibule et le rez-de-chaussée. Mais Alexander aurait été bien incapable de dire si la confusion était partie de l'intérieur ou de l'extérieur. Un homme cria pour demander le retour à l'ordre. Des femmes hurlaient. Des vitres se brisaient sous l'impact de projectiles.

Alexander poussa Lydia et Jane dans un coin de la galerie plongé dans la pénombre, priant pour qu'elles y soient en sécurité.

— Attendez-moi ici. Ne bougez pas jusqu'à mon retour.

Dehors, la police et un détachement d'infanterie envahissaient la rue, essayant de restaurer l'ordre. Alexander aida à tirer les blessés à l'abri. La vue d'un homme qui perdait son sang au milieu des décombres lui donna la nausée. Il le prit sous les bras et le tira à l'entrée d'une pièce vide.

— Ça va ? demanda-t-il en retirant sa cravate pour la presser sur la tempe blessée de l'homme.

L'homme acquiesça d'un hochement de tête, les yeux vitreux. Alexander appela un agent à l'aide, puis regagna le hall d'exposition. Une marée humaine se ruait à travers les vitrines, les envoyant s'écraser au sol. Des plumes volaient dans l'air, des instruments de musique gisaient à terre, brisés, les écoles modèles écrasées. Devant le désastre, son cœur se serra.

Se frayant un passage à travers la foule, il arriva au stand des mappemondes où deux agents regardaient le corps de Cole, couché sur le ventre. Sous les pieds d'Alexander, des feuilles de papier se déchiraient, des morceaux de verre s'écrasaient. Il se détourna du sang coagulé.

Il fouilla les débris de verre cassé, de bois. Son poing se referma autour d'un morceau de papier coincé sous un globe représentant les constellations. Il le fourra dans sa poche et ressortit en courant dans la rue.

Lydia et Jane restèrent assises en silence au milieu de la panique. Des cris et des bruits montaient de l'étage inférieur. Plusieurs personnes passèrent en courant dans la galerie mais elles étaient dissimulées à l'ombre de la cheminée.

Lydia serrait Jane contre elle, les bras de la fillette noués autour de son cou. Son petit corps était secoué de tremblements.

Un flot de souvenirs envahit la mémoire de Lydia. Elle la revoyait bébé, dans ses bras. Toutes ces années à regarder sa fille grandir, apprendre, à voir ses premiers pas, à écouter ses premiers mots, à satisfaire son insatiable curiosité. À chérir ses sourires. À aimer chaque instant passé ensemble.

Elle déposa un baiser sur sa joue. Comme elle aurait aimé que sa propre mère éprouve une telle joie ! Peut-être… peut-être l'avait-elle éprouvée pendant quelques années, quand elle était petite.

— Je t'aime, chuchota Lydia. Quoi qu'il arrive, s'il te plaît, ne l'oublie jamais. Je t'ai aimée et t'aimerai toujours plus, à chaque battement de mon cœur. Tu es tout pour moi.

Sans répondre, Jane prit sa main et entrelaça ses doigts aux siens.

Alexander essuya la sueur et la crasse de son front d'un revers de main. À côté de lui, Sebastian tirait une femme à l'abri de la foule de la rue. Son frère avait réussi à le trouver et ils travaillaient ensemble dans le chaos. Ils avaient ramené des gens dans les bureaux du hall d'exposition, avaient crié à d'autres de rentrer, de fermer les portes, les volets.

Au bout de plusieurs heures, la foule se dispersa, laissant les lieux en ruine. Des éclats de verre, de bois jonchaient les rues, des carrioles cassées gisaient au milieu des ordures. L'obscurité tomba en un voile épais alors que le bruit diminuait.

Alexander passa une main sur son visage couvert d'égratignures. Suivi de Sebastian, il rentra dans St Martin's Hall. Le cœur étreint par l'inquiétude, il monta l'escalier pour aller chercher Jane et Lydia. Il les trouva, toujours blotties dans les bras l'une de l'autre, près de la cheminée, pâles mais visiblement indemnes.

La violence de sa gratitude mêlée de soulagement balaya sa fatigue. Il souleva Jane dans ses bras. Sebastian tendit la main à Lydia pour l'aider à se lever, et ils redescendirent dans le hall d'exposition.

— Oh, Alexander ! chuchota Lydia, consternée, devant le désastre.

Dehors, la foule grouillait toujours dans la rue, mais la police avait rétabli l'ordre et bloqué l'entrée du hall. Tenant toujours Jane d'un bras, Alexander attira Lydia à lui de l'autre. Quand il sentit son corps se presser contre le sien, la tension dans sa poitrine se relâcha un peu.

Sir George Cooke, du Conseil de la Société des Arts, s'avançait vers lui à grands pas, l'air sévère.

— Lord Northwood. L'inspecteur de police se dirige vers Mount Street. Vous devriez aller l'y retrouver. Hadley sera là aussi.

Accompagnés par sir George, ils regagnèrent la maison d'Alexander où les domestiques étaient en effervescence. Ils s'affairèrent à faire chauffer de l'eau, préparer des vêtements propres, offrir du thé et du cognac. Lydia envoya Jane au premier étage avec la gouvernante pour s'occuper d'elle et attendre le médecin qui avait été appelé.

— Les premiers rapports, lord Northwood, indiquent que vous êtes responsable de l'éruption de cette émeute, déclara l'inspecteur Denison avec un air vaguement compatissant.

— Émeute qui, renchérit lord Hadley, a détruit l'intérieur de St Martin's Hall et l'exposition de la Société des Arts. Nous allons devoir en informer les actionnaires et les commissaires étrangers.

Alexander essaya de se laisser inquiéter par le ton menaçant dans la voix de l'homme, mais il était trop fatigué. Il frotta ses yeux brûlants.

— Et ?

— Nous devons mener une enquête, monsieur, répliqua Denison. Nous avons des témoignages de plusieurs personnes qui ont assisté à votre altercation avec Mr Cole, dit-il après avoir consulté ses notes. Ils vous ont vu le pousser par-dessus la balustrade.

— Non, intervint Lydia d'une voix choquée. Non, inspecteur, ce n'est pas exact. Cet homme était après... ma sœur. Lord Northwood nous protégeait toutes les deux. Il essayait de...

— Mademoiselle Kellaway, inutile de le défendre pour le moment, l'interrompit Denison. Nous en saurons plus au cours de l'enquête. Néanmoins, je tiens à vous avertir que les correspondants des journaux vont interroger des témoins pour avoir le compte-rendu des événements et que le vicomte n'est pas présenté sous un jour favorable.

— Une plainte sera-t-elle déposée, inspecteur ? s'enquit Sebastian.

— Je l'ignore encore, monsieur. Nous devons commencer par déterminer la nature de l'émeute pour voir s'il s'agit d'un délit ou d'une possible trahison...

— Trahison, répéta Lydia, incrédule.

— Je ne veux rien insinuer, mademoiselle, mais avec la guerre, et les… liens de lord Northwood avec le pays ennemi, quelques ouvriers ont fait remarquer qu'il avait des sympathies pour le tsar.

— Comme nous le savons, s'empressa d'ajouter sir George, il ne s'agit en rien d'une nouvelle accusation.

Sebastian laissa échapper un éclat de rire narquois. L'inspecteur s'agita, mal à l'aise.

— Tout cela doit encore être tiré au clair, monsieur, dit-il. Mais lord Northwood devra passer devant un magistrat. Et je ne peux rien changer aux témoignages des gens.

Alexander échangea un regard entendu avec son frère. Ils venaient d'avoir la même idée. Quels que soient les résultats de l'enquête, leur nom serait lié à cet événement déplorable.

Il regarda l'inspecteur.

— Combien de personnes ont été blessées ?

— Aux dernières nouvelles, une dizaine.

Lydia étouffa un cri. Sebastian poussa un juron. Alexander sentit un poids lui écraser l'estomac. Se ressaisissant, il se leva et fit un geste vers la porte.

— Messieurs, il est tard. Comme vous le savez, nous sommes tous fatigués. Si nous pouvions reprendre cette conversation demain, je vous en serais reconnaissant.

Lord Hadley hocha la tête et prit son chapeau.

— Nous allons en informer le reste du Conseil, Northwood. Nous n'avons pas pris de décision concernant le remplacement du directeur de l'exposition, aussi en êtes-vous toujours responsable. Soyez prêt pour les conséquences.

Les hommes sortirent en file indienne. Alexander adressa un signe de tête à Sebastian qui les suivit.

La porte se referma. Lydia sentit croître son inquiétude. Elle enroula une mèche de cheveux autour d'un doigt et, de colère, la tira au point de se faire mal.

Alexander se dirigea vers le buffet et retira le bouchon de la carafe de cognac. Il servit deux verres et but une gorgée de l'un d'entre eux, avant de donner l'autre à Lydia. Elle contempla le liquide ambré un moment, le goûta à son tour et sentit la chaleur de l'alcool lui fouetter les sangs.

Alexander la regardait, ruminant ses pensées, la joue lacérée d'une égratignure rouge.

— Maintenant, racontez-moi, lui enjoignit-il.

Elle inspira profondément. Elle savait qu'elle lui devait la vérité, même si cela signifiait la mort de leur relation. Seule une autre personne connaissait toute l'histoire et cette personne n'était désormais plus de ce monde.

Le passé envahit ses souvenirs, avec tous ses espoirs, toutes ses erreurs.

— Joseph Cole était le professeur de mathématiques à l'université de Leipzig, commença-t-elle d'une voix monocorde. Son père était anglais, sa mère allemande. Le docteur Cole avait passé son enfance à Londres avant d'aller à l'université de Berlin et de se voir offrir la chaire de Leipzig. Au vu de mes résultats d'examens, il a exprimé une immense admiration pour mes capacités et m'a acceptée comme élève. Sa femme et lui m'ont offert le gîte et le couvert.

Au bout de quelques minutes d'un silence glacial, Alexander demanda :

— Sa femme ?

Elle hocha la tête, la honte lui tordant l'estomac.

— Il était marié. Sa femme…

Elle se força à prononcer son prénom, se punissant avec le souvenir d'une femme douce, aux yeux noisette, qui semblait ne savoir que chuchoter.

— Greta. Elle s'appelait Greta. Elle était très bonne. Ils s'étaient rencontrés quand il avait accepté le poste de professeur. Ma grand-mère m'avait accompagnée en Allemagne. Elle voulait me trouver un chaperon, quelqu'un de confiance, afin de pouvoir revenir auprès de ma mère. Elle n'a pas mis longtemps à décider que Greta serait la personne idéale pour ce rôle. Un mois plus tard, elle était de retour à Londres. Et Greta était une compagnie merveilleuse. Elle m'a appris un peu d'allemand, a fait en sorte que j'écrive à mon père et à ma mère tous les jours. Ils n'avaient pas d'enfants. Je pense que… qu'elle voulait me traiter comme sa fille.

Le cœur de Lydia cognait dans sa poitrine. Une vision du docteur Cole, plus jeune, passa dans son esprit, l'homme pour qui elle avait développé une sombre fascination, l'élégant docteur Cole à l'esprit si brillant, ses yeux vifs et froids de véritable intellectuel.

— Les filles ne pouvant pas s'y inscrire, j'avais une permission spéciale pour prendre des cours à l'université, expliqua-t-elle. Je n'avais pas d'amis.

Il n'y avait pas d'autres filles et celles du village ne me comprenaient pas. Les garçons me trouvaient étrange. Je passais presque tout mon temps entre le docteur Cole et Greta. Puis sa mère est tombée malade et elle a dû partir pour Brême. Je suis restée seule avec le docteur Cole. Sa tante, une dame âgée, est venue s'installer chez eux par souci des convenances. Mais elle était frêle, un peu distraite. Elle passait presque tout son temps dans sa chambre.

Elle s'agita, mal à l'aise. Sans regarder Alexander, elle était consciente de sa présence immobile, rigide. Ses vêtements collaient à sa peau, sa gorge moite de transpiration. Elle but une nouvelle gorgée de cognac.

— Je… je prenais un bain. Il le savait. Il avait vu la femme de chambre monter les seaux d'eau. Il est entré dans ma chambre quand j'étais…

Sa voix se brisa. Elle ferma les yeux, les souvenirs embrumés se réveillant derrière ses paupières. Sa première surprise, faisant place à une méfiance intriguée en voyant le docteur Cole s'approcher de la baignoire sans chercher à dissimuler ses intentions. Ses doigts glissant sur son corps formé mais jamais caressé, embrasant ses sens : sa peau, son sang ; galvanisant son désir.

— Mais il n'a pas… Ce n'était pas…, demanda Alexander d'une voix étranglée.

Les joues en feu, elle se força à continuer sa confession comme s'il s'agissait d'une punition pour avoir goûté aux plaisirs illicites de son propre corps.

Des souvenirs réprimés depuis longtemps remontèrent comme des bulles à la surface de sa mémoire : la façon dont le si cérébral docteur Cole avait laissé place à un amant enflammé, ses inhibitions de jeune vierge tombant comme la peau d'un serpent en mue. L'ivresse de sa nudité, le délicieux frottement de sa chair contre la sienne.

— Avant lui, je n'avais jamais… seul mon esprit m'avait occupée, reprit-elle. Je n'avais jamais accordé beaucoup de pensées aux affaires du corps. En tout cas, jamais de cette façon. J'étais… stupéfaite. Je… je ne voulais pas que cela s'arrête.

— Mais cela s'est arrêté ?

— À la fin, oui. Nous avons continué même… même après le retour de Greta. Quand elle n'était pas à la maison, ou au milieu de la nuit. Parfois dans le bureau de l'université. Si elle s'est doutée de quelque chose, je ne l'ai jamais su. Elle ne me traitait pas différemment, ce qui aurait dû m'amener à mettre un terme à cette liaison sordide.

— Combien de temps cela a-t-il duré ? demanda-t-il, l'œil grave.

— Trois ou quatre mois. Jusqu'au jour où je me suis rendu compte que j'attendais un enfant. J'étais terrifiée, bien sûr. Et quand je l'ai annoncé au docteur Cole, sa réaction m'a fait l'effet d'une douche glacée. De façon très délibérée, il m'a dit que je ne pourrais jamais prouver que cet enfant était de lui, et que si quelqu'un l'apprenait, ce serait ma perte. Il m'a emmenée chez une femme qui était censée pouvoir… pouvoir me débarrasser de l'enfant. J'ai refusé. Je ne pouvais pas. Il m'a dit que si je n'acceptais pas, je ne serais plus la bienvenue sous son toit.

Elle baissa les yeux sur ses mains, voyant qu'elle agrippait les plis de sa jupe. Sa mâchoire contractée lui faisait mal à force de retenir ses larmes.

— Je savais que ma grand-mère était partie pour Lyon avec ma mère. Elles étaient dans la maison de santé tenue par des religieuses. Je n'avais nul autre endroit où aller. Sûrement pas à Londres. Aussi, ai-je écrit à ma grand-mère pour lui annoncer mon arrivée, et j'ai pris le train pour Lyon. Je n'ai même pas dit au revoir à Greta.

— L'avez-vous jamais revue ? Ou lui ?

— Non. Jamais jusqu'à aujourd'hui.

— Que s'est-il passé quand vous êtes arrivée à Lyon ?

— Mon père est venu me chercher à la gare.

Abasourdi, il bafouilla :

— Votre…

— Il était venu rendre visite à ma mère, quinze jours auparavant. Je l'ignorais.

Elle eut soudain l'impression de ne plus être dans la même pièce qu'Alexander. D'avoir remonté le temps. L'odeur du charbon emplissait l'air, les roues grinçaient contre les rails. Sur les quais, les voix des passagers se mêlaient à celles des porteurs, des vendeurs.

Et soudain elle voyait son père, qui l'attendait, sans se douter de son déshonneur. Ses lunettes perchées sur son nez, la monture de fer si fragile sur son visage, son pardessus s'enroulant autour de ses jambes comme les ailes d'un corbeau. Le front plissé par ses soucis pour sa femme, sa belle-mère, sa fille.

— Qu'y a-t-il ? avait-il demandé. Que s'est-il passé ?

Incapable de répondre, elle s'était jetée dans ses bras, avec l'atroce certitude que c'était la dernière fois qu'il accepterait de l'embrasser.

Hélas, elle ne s'était pas trompée. Mais, grâce au ciel, du jour de sa naissance, sir Henry Kellaway n'avait jamais privé Jane de son affection, de son amour sincère. Et pour cela, elle lui vouait une reconnaissance éternelle.

— Le lui avez-vous dit ? demanda Alexander.

— En fait, je l'ai révélé à ma mère, répondit-elle avec un petit rire sans joie.

Avoir choisi sa mère pour confidente était d'une telle absurdité !

— Je ne sais pas pourquoi, reprit-elle après une seconde. Je ne l'avais pas vue depuis plusieurs années. Elle était… on l'avait mise sous laudanum. Je crois qu'elle ne savait même pas que j'étais là, mais j'avais un besoin impératif de dire la vérité à quelqu'un. Alors un soir, je me suis assise à son chevet et je lui ai tout avoué.

— A-t-elle réagi ?

— Non. À l'époque, je n'ai même pas pensé qu'elle m'avait entendue. Mais le lendemain, elle l'a dit à mon père.

— Pardon ? s'exclama-t-il, de plus en plus surpris.

— Elle avait tout entendu. Elle avait même tout compris. Et elle lui a répété ce que je lui avais dit.

Ce même soir, j'ai dû affronter mon père, et avouer pour la seconde fois.

— Qu'a-t-il fait ?

Elle se mura dans le silence.

Si p est un nombre premier, alors pour tout entier a, $a^p - a$ sera également divisible par p.

Le sinus de deux thêtas est égal à deux fois...

Assez ! se tança-t-elle.

Elle chassa de son esprit les preuves, les théorèmes, les identités, les équations. Chassa tout ce qui pouvait se calculer. Força les souvenirs à remonter à la surface. Une douleur latente, familière, vrilla sa joue. La douleur de la gifle paternelle, de l'état de choc dans lequel sa conduite insensée avait plongé son père, de sa propre conviction qu'elle méritait toute violence qu'il décidait d'appliquer.

Il ne recommença pas. La seule gifle jamais donnée à sa propre fille suffit à le réduire à l'immobilité. Pendant trois jours, il ne lui avait pas adressé la parole, ne l'avait pas regardée. Puis, un matin, il la convoqua en présence de Charlotte Boyd dans une pièce privée et lui expliqua d'une voix glaciale qu'elle devait accepter leur plan ou qu'elle devrait se débrouiller seule.

— C'était l'idée de ma grand-mère, expliqua-t-elle à Alexander. Elle avait décidé que nous resterions quelque temps dans cette maison de santé. Je pense que mon père et elle m'auraient renvoyée immédiatement s'ils n'avaient pas compris que j'étais la seule personne qui avait pu faire réagir ma mère. Même si cela avait été grâce à un secret aussi honteux. Aussi, mon père m'a-t-il demandé de rester assise auprès d'elle et d'essayer d'obtenir d'autres réactions.

— Y êtes-vous parvenue ?

— Pendant plusieurs semaines, oui. Jusqu'à ce qu'il soit devenu évident que son état s'aggravait. Mon père a demandé aux sœurs de me garder pendant ma grossesse et elles ont accepté. Personne d'autre n'était au courant de mon état, hormis le docteur Cole qui, bien sûr, ne risquait pas de dévoiler ce secret à quiconque. Aussi, ma grand-mère m'avait-elle dit qu'après la naissance, nous ferions croire que l'enfant était celui de ma mère. Mon père a donné une somme importante à la maison de santé pour garantir la discrétion des sœurs. Il n'a jamais pu combler le gouffre que cela a creusé dans ses finances.

Le cœur battant, pleine d'appréhension, elle finit par relever la tête. Debout de l'autre côté de la pièce, Alexander la dévisageait. Son regard harassé n'exprimait ni le jugement ni le dégoût qu'elle avait craint d'y lire.

— Continuez.

— Après la naissance, nous sommes restés à Lyon. Au bout d'un an, ma mère est morte. Nous sommes revenus à Londres, notre secret inviolable. Jane est devenue la fille de mon père et de ma mère, et ma sœur.

— Et vous avez gardé le secret toutes ces années ?

— Oui. Malgré la santé fragile de ma mère, les gens n'avaient aucune raison de ne pas croire que Jane était sa fille. Si nous ne leur disions rien, ils penseraient qu'elle était la fille légitime de mes parents. Même nos plus lointains parents le croyaient. Nous n'avons jamais éprouvé le besoin de changer cette version des faits.

— Vous n'en avez parlé à personne ?

— Ma grand-mère m'a expliqué que si quelqu'un apprenait la vérité, la réputation de notre famille souffrirait de dommages irrémédiables et que je me verrais obligée de partir, répondit Lydia. Aussi ai-je été autorisée à servir de tutrice à Jane, à continuer mes travaux de mathématiques. À condition que ce soit dans l'anonymat, pour minimiser les risques d'une nouvelle rencontre avec le docteur Cole. Bien sûr, ma grand-mère a insisté sur ma conduite irréprochable. Étant donné les circonstances, je ne peux pas l'en blâmer. Voilà presque douze ans que c'est ainsi.

Jusqu'à maintenant. Jusqu'à vous.

Il se dirigea vers la fenêtre puis, l'air sinistre, revint sur ses pas.

— Jane ne connaissait pas la vérité ?

Le cœur engourdi de Lydia se gonfla de douleur.

— Elle… Le médaillon, Alexander. Il contenait un compartiment secret. Mon père l'avait fait confectionner spécialement, répondit-elle, sentant ses larmes jaillir de ses yeux. Il y avait placé une pièce porte-bonheur avant de l'offrir à ma mère. La pièce avait disparu depuis longtemps mais je l'avais remplacée par la clé du coffret de cuivre contenant l'acte de naissance de Jane. J'étais seule à connaître cette cachette. Vous avez été en possession du médaillon pendant trois mois. Vous n'avez jamais remarqué le compartiment secret.

— Non, je n'ai pas passé des heures à l'examiner, rétorqua-t-il. Je n'ai jamais entendu parler d'un médaillon avec deux compartiments. Mais vous n'avez pas répondu à ma question. Jane a-t-elle découvert la vérité ?

— Quand vous lui avez donné le médaillon, elle a trouvé la clé. Et elle a vite compris que c'était celle du coffret qui avait toujours été dans le bureau de mon père.

Alexander resta silencieux un moment. Puis il fulmina :

— Bon sang ! C'est pour cela qu'elle est allée rencontrer Cole. Si je n'avais pas…

— Non, ne vous fustigez pas. Pas maintenant.

Le bruit de ses bottes étouffé par le tapis lui fit lever la tête. Il s'arrêta à quelques pas d'elle, les mains plaquées le long du corps dans une posture raide.

— Tellement d'erreurs. Tant de douleur, murmura-t-il.

— Je suis désolée, chuchota-t-elle. Si vous saviez à quel point je suis désolée.

— J'ai été… implacable n'est-ce pas ? demanda-t-il d'un ton dégoûté. Je ne pouvais pas vous laisser tranquille. Je ne le voulais pas.

— Dans un coin secret de mon cœur, Alexander, je ne souhaitais pas que vous me laissiez tranquille.

Elle se leva, avec un besoin impérieux de le toucher, tout en sachant qu'elle ne le pouvait pas.

— Mais maintenant, vous comprenez pourquoi il est impossible pour moi de vous épouser. J'admets qu'un bref moment, j'ai pensé que cela pourrait être possible. Mais, c'était comme de vouloir décrocher la lune. Et ne laissez jamais personne vous accuser, ni vous ni moi, d'être idiots d'y avoir cru.

Incapable de résister, elle s'avança vers lui et pressa ses lèvres sur son menton rugueux d'une barbe naissante. Il tourna la tête, sa bouche frôlant la sienne en un baiser si léger qu'il en était presque imperceptible. Un baiser qui, néanmoins, contenait un millier de regrets.

Lydia se détourna, sentant son cœur voler en éclats.

— Je t'aime, murmura Alexander.

Elle parvint à franchir la porte avant que ses sanglots ne la secouent.

Chapitre 30

— Que les accusations soient prouvées ou même légitimes n'a pas d'importance, Northwood, déclara le comte de Rushton en regardant le feu. C'est une excuse pour vous priver de votre siège au Conseil de la Société, de votre position de directeur de l'exposition.

— C'est une excuse pour se débarrasser de lui, renchérit Sebastian sans ménagement.

Devant le visage grave de son père, Alexander sentit son estomac se nouer. Constatant que tout son travail des deux dernières années avait échoué, il se sentait bouillonner de colère. Malgré tout ce qu'il avait fait pour restaurer la réputation de la famille, ils seraient désormais blâmés pour les ravages et les blessures causés par l'émeute.

Son père avait raison. La vérité ne comptait pas.

Après tout, quelle importance ? Depuis que Lydia était partie, sa poitrine n'était plus qu'un nœud dur et douloureux. Pas une minute ne passait sans qu'il pense à elle. Elle hantait ses nuits et il se réveillait en nage, perclus de douleur. Il avait analysé la situation de Jane sous tous les angles, essayé de trouver une manière de faire porter le blâme à Lydia, de la calomnier… et n'avait abouti qu'à un profond sentiment de honte vis-à-vis de lui-même.

Comment pouvait-on condamner une jeune fille de seize ans dont la vie s'était déroulée dans la solitude et l'obscurité ? Dont l'esprit brillant faisait d'elle à la fois un prodige et une anomalie ? Une jeune fille qui n'avait pas eu d'amis, n'avait pas eu de mère, n'avait pas vécu une enfance normale ? Une jeune fille qui avait succombé aux manipulations d'un homme corrompu et deux fois plus âgé qu'elle ?

Et comment pouvait-il la blâmer de ne pas lui avoir dit la vérité quand elle avait tout d'abord refusé inflexiblement de l'épouser ? Elle avait essayé de le protéger en déclinant sa demande en mariage et il avait persisté. Il n'avait pas accepté son refus, et l'avait manipulée pour la forcer à changer d'avis.

Avec une grimace, il passa ses mains sur son visage.

Non. La seule personne à blâmer pour cette débâcle, c'était lui. Lui seul.

— Alex ?

Il leva les yeux vers son frère.

— La police examine la situation de Cole, déclara Sebastian. Apparemment, il était descendu dans une pension de famille à Bethnal Green. Selon le propriétaire, un certain Mr Krebbs, il y était depuis presque cinq mois. Krebbs affirme que Cole avait quelques possessions et disait être sans famille. Le commissaire ne s'attend pas à faire des découvertes importantes. Ce qui est à ton… à notre avantage.

Le rapport officiel dira que Cole est mort en essayant de kidnapper Jane.

— Est-ce que cela change quoi que ce soit en ce qui concerne l'émeute ? s'enquit le comte.

— C'est ce dont ils veulent m'accuser, fit valoir Alexander.

— Je ne vois pas comment, dit Sebastian. Ce n'est pas comme si tu avais été en train de faire un discours séditieux ou de distribuer des pamphlets antibritanniques.

— Quelle importance ? persifla-t-il. Le Conseil a voulu me faire quitter le comité depuis des semaines, avant même que la guerre ne commence, et on voulait sans doute me voir démissionner de la Société par la même occasion. Pourquoi n'affirmerait-on pas que j'ai suscité l'émeute qui a détruit l'exposition et St Martin's Hall ? Comme l'a dit père, ils n'auront que faire d'un constat légal s'ils ont une excuse pour se débarrasser de moi.

Et si les membres du Conseil ne traînaient pas intentionnellement son nom dans la boue, ils ne feraient rien pour l'empêcher.

Eh bien qu'ils aillent au diable ! Il ferait aussi bien d'épouser Lydia, et tant pis pour lui si la vérité éclatait. Il était prêt à vivre dans le scandale tout le reste de sa vie.

Bon sang ! Ne serait-il pas comte, un jour ? Alors, si les gens voulaient rester bouche bée, choqués en public par sa conduite, alors qu'ils couchaient avec leurs domestiques et leurs maîtresses en privé…

qu'il en soit ainsi. Il les inviterait tous à prendre le thé, leur offrirait des petits-fours et pléthore de sujets pour alimenter leurs commérages.

Il regarda son frère. Sebastian n'aurait jamais laissé personne d'autre lui dicter la façon de mener sa vie. Pourquoi n'adopterait-il pas les principes de son cadet ?

— Lord Rushton, déclara-t-il en se levant.

Son père et Sebastian le regardèrent, un peu surpris.

— Northwood ?

— Quoi qu'il arrive, déclara Alexander, j'ai toujours l'intention d'épouser Lydia Kellaway.

Le soleil filtrait par une fente entre les rideaux. Jane repoussa ses cheveux de son visage et alla les écarter, laissant la lumière entrer à flots dans la pièce. Après s'être lavé le visage et les mains au lavabo, elle s'arrêta près de la table où du thé chaud et une corbeille de muffins l'attendaient.

La porte s'ouvrit dans un grincement. Elle leva les yeux. Lydia se tenait sur le seuil.

Sa sœur… ou plutôt sa mère… était pâle, les traits tirés, le regard inquiet. Mrs Boyd se tenait derrière elle.

— Pouvons-nous entrer ? demanda Lydia.

Jane opina du chef. Avec un sourire hésitant, Lydia s'avança. Se déplaçant lentement, leur grand-mère alla s'asseoir sur une chaise près du lit.

— Comment te sens-tu ?

— Bien. Fatiguée, mais… bien.

Jane but une gorgée de thé et prit un muffin qu'elle reposa immédiatement. Elle n'avait pas faim. Elle regagna son lit, tirant les couvertures sur ses jambes.

— Lord Northwood va bien ? Et vous ?

— Nous allons bien, répondit Lydia en s'asseyant sur le bord du lit et en inspirant longuement. Jane, je…

— Pourquoi ne m'avez-vous rien dit, l'interrompit-elle, tandis qu'une nouvelle bouffée de chagrin mêlé de colère montait en elle. Pourquoi m'avez-vous menti ?

Son regard accusateur alla de Lydia à leur grand-mère.

— C'est une histoire longue et compliquée, déclara Lydia avec douceur. Mais tu dois me croire quand je te dis que c'était mieux ainsi. Si tu avais su… si quiconque avait découvert la vérité, tu m'aurais été enlevée. C'était le seul moyen de te garder avec nous.

— C'est la vérité, Jane, renchérit Mrs Boyd, la voix lasse mais résolue, comme si elle était toujours aussi sûre d'elle. Nous avons agi de la sorte pour protéger notre famille. Quand ma fille est tombée malade, nous avons fait notre possible pour l'aider, même si cela signifiait épuiser nos finances. Nous sommes allés partout en espérant trouver un traitement.

Elle s'interrompit et s'éclaircit la gorge.

— Et quand nous avons perdu Theodora à cause des ravages de cette horrible maladie, nous n'étions plus que tous les deux, sir Henry et moi-même. Mon mari était mort depuis longtemps, sir Henry n'avait ni frère ni sœur, et Lydia… avait toujours estimé qu'elle se sentait mieux en compagnie des nombres et des équations.

Elle ne s'est jamais rendu compte de la place que nous occupions dans sa vie.

Lydia regarda leur grand-mère comme si elle l'entendait pour la première fois. Mrs Boyd croisa son regard, le visage empreint de tendresse.

— Aussi, quand nous avons appris la situation de Lydia, nous n'avons pas voulu que toi, une innocente, tu en souffres. Surtout quand nous avons compris que tu pourrais être le salut de ta mère.

Un sanglot étranglé sortit de la gorge de Lydia. Jane sentit ses yeux s'embuer de larmes quand sa main se resserra sur la sienne.

— C'est la vérité, Jane, hoqueta-t-elle. Je n'ai jamais… Je ne sais pas ce qui me serait arrivé si je ne t'avais pas eue. Tu m'as donné un but dans la vie, bien au-delà des chiffres. Tu m'as donné l'espoir, l'amour, et si c'était à refaire, je ne voudrais rien changer. J'aurais menti au diable lui-même pour te garder.

— C'était mon idée, Jane. Aussi, tu ne dois pas blâmer Lydia, reprit Mrs Boyd.

Elle se leva en s'appuyant pesamment sur sa canne, et déposa un baiser sur le front de Jane.

— Nous avons agi ainsi pour être sûrs que tu restes parmi nous. Que tu ne sois pas séparée de Lydia. N'oublie pas.

Elle pressa l'épaule de sa petite-fille et quitta la pièce, refermant la porte derrière elle.

Jane essaya d'imaginer sa vie dans une autre maison, avec une autre famille. Mais elle ne le pouvait pas. Elle n'appartiendrait jamais qu'aux Kellaway. Qu'à Lydia.

— Je ne le pensais pas quand j'ai dit que je te détestais, chuchota-t-elle.

— Je sais.

Jane baissa les yeux sur le papier froissé.

— Est-ce…

Lydia lissa le document dans sa main, révélant l'écriture déliée la nommant comme la mère de Jane. Sans l'ombre d'un doute.

— Il était tombé sous l'un des globes, expliqua-t-elle. Alexander l'a retrouvé.

— Que vas-tu en faire ?

— Te le donner.

— Me le donner ? répéta-t-elle, visiblement surprise.

Avec un signe d'assentiment, Lydia posa l'acte de naissance sur ses genoux.

— Que dois-je en faire ? s'étonna-t-elle.

— Ce que tu voudras. Il t'appartient. Jamais plus je ne te mentirai. Sur rien.

Jane garda les yeux rivés sur le papier, essayant de croire, d'accepter ce qu'elle lisait. En regardant le document pour la énième fois, elle comprenait à quel point tout avait été fait pour le mieux.

Elle contempla son nom, le lieu de sa naissance. L'adresse de l'endroit où sa grand-mère, Theodora, avait habité, les noms de son père, de leur grand-mère. Puis venait *Kellaway, Lydia*. Et une ligne blanche à l'endroit où le nom du père aurait dû être inscrit.

C'était douloureux mais établi dans les règles. Et juste.

— Je regrette, dit-elle en essuyant une larme.

— Que regrettes-tu ? demanda Lydia.

— De lui avoir écrit, hoqueta-t-elle. De te l'avoir caché. Plusieurs fois, j'avais pensé te le dire mais c'était… eh bien, c'était un secret que je voulais garder pour moi seule. Quelque chose qui n'appartenait qu'à moi.

— Je comprends. Inutile de t'excuser.

— Si. Je le veux. Il m'a dit… il a dit que tu avais été obligée d'abandonner ton travail après ma naissance. Tu aurais pu faire tellement de choses, Lydia. Changer tant de choses…

— Jane !

Surprise, elle leva les yeux, et vit Lydia fondre sur elle avec la violence d'une mère aigle. Elle la prit dans ses bras et la serra contre son cœur, pressant sa joue sur ses cheveux.

— Je te défends de jamais, jamais penser que j'ai renoncé à quoi que ce soit pour toi. Jamais ! Je te voulais, Jane. Tu n'imagines même pas à quel point. Oui, j'avais peur, et oui, j'ai fait de terribles erreurs, mais à ta naissance, quand je t'ai tenue dans mes bras pour la première fois, j'ai su que le monde avait changé pour moi. J'ai su que les chiffres et les équations ne pourraient jamais remplir mon cœur comme tu le fais. Tout ce qui comptait pour moi, à partir de ce jour, c'était d'être avec toi.

Jane ne put retenir ses larmes plus longtemps. Nichant son visage dans le cou de sa mère, elle respira l'odeur familière. Depuis onze ans, elle avait ressenti le vague manque d'une mère quand, depuis toujours, elle était avec elle. Toujours.

— Je regrette de ne pas avoir su, déclara-t-elle. Je regrette…

— Est-ce que cela aurait changé tellement de choses entre nous ? demanda Lydia, resserrant ses bras autour de ses épaules. Notre relation aurait-elle été si différente ?

Non. Jane savait qu'elle aurait peut-être été une autre personne, mais ce n'était pas ce qui était écrit… Elle devait sans doute être exactement celle qu'elle était.

Elle se dégagea de l'étreinte de Lydia et la regarda. Pourquoi n'avait-elle jamais remarqué la similitude de leurs traits ?

— Tu l'aimais ? demanda-t-elle.

Ses yeux bleus s'emplirent de tristesse et elle répondit :

— Non. Je ne l'ai jamais aimé.

— Tu le hais ?

— Non plus. Parce que sans lui, tu ne serais pas là.

Chapitre 31

Le cœur d'Alexander battait si fort qu'il menaçait d'éclater dans sa poitrine. Il avait laissé passer une semaine et attendu que les nouvelles de l'émeute se calment avant de tenter de revoir Lydia, mais le temps n'avait fait qu'accroître le tourbillon des émotions contradictoires qui l'animaient. Il suivit Mrs Driscoll qui le précédait d'un pas vif vers le bureau tout en essuyant ses mains moites sur sa veste.

Lydia se leva d'un fauteuil près de la fenêtre, avec un sourire réservé. Les battements de son cœur s'accélérèrent. Debout au milieu d'une flaque de soleil, dans sa robe noire au col de dentelle, ses longs cheveux retenus par un ruban, elle n'avait jamais été aussi belle. Elle était pâle, son regard d'azur grave, mais bienveillant.

À peine Mrs Driscoll fut-elle sortie, qu'elle s'avança et, souriante, lui prit les mains et les serra fort.

Bonté divine ! Est-il possible de l'aimer plus ? se demanda-t-il.

— Bonjour, la salua-t-il, incapable de prononcer une autre parole.

— Bonjour, répondit-elle, une lueur amusée s'allumant dans ses yeux.

Il s'éclaircit la gorge.

— Vous… vous allez bien ?

— Oui. Et vous ? Talia m'a appris que le Conseil de la Société des Arts a convoqué ses membres pour une réunion la semaine prochaine.

— En effet. Ils veulent parler de ce qui s'est passé. Lord Hadley a demandé à deux des inspecteurs de police de leur remettre les rapports sur les événements de cette nuit.

— Pourquoi la police… oh, Alexander !

— Cela n'a pas d'importance, Lydia.

— Bien sûr que si ! Ils ne peuvent pas vous accuser de quelque chose dont vous n'êtes pas responsable.

— De toute façon, ils cherchaient une excuse pour me dépouiller de mes fonctions. Pour eux, cela tombe à pic. Mon sang russe n'était pas une raison suffisante pour un renvoi.

— Mais s'il n'y a pas de preuve…

— Ils n'ont pas besoin de preuve pour dire que j'étais en tort. Ce qui compte c'est qu'il n'existe pas d'élément prouvant que je ne l'étais pas.

— Ils doivent bien savoir que c'est le coup de feu qui a tout déclenché.

— La police n'était pas là quand c'est arrivé. Tout ce qu'ils ont, ce sont des témoignages de gens. Ils ne savent rien, en fait.

Lydia se mordilla la lèvre inférieure et regarda fixement sa cravate un moment.

— Que disent-ils ? demanda-t-elle. Que vous avez provoqué l'émeute en vous jetant sur le docteur Cole ?

— Principalement. Ce n'est pas une plainte légale, mais ou bien ils vont trouver un moyen pour que cela le devienne, ou bien il y aura un article dans le *Times* qui fera autant de dégâts, si ce n'est plus.

— Mais il y avait une foule de gens devant le hall d'exposition avant même que vous arriviez. Il y avait déjà…

Il s'avança d'un pas, prenant son cou dans ses mains. Il inhala son odeur pimpante de linge propre, de lavande, et sentit s'apaiser ses nerfs irrités.

— Lydia… Cela n'a pas d'importance.

— Vous vous trompez, Alexander, objecta-t-elle, la voix un peu stridente, les épaules raidies. Tout ce que vous avez fait, tout ce pour quoi vous avez travaillé, ils ne peuvent pas vous le retirer seulement sur une plainte truquée. Vous ne pouvez pas les laisser faire.

Il l'interrompit d'un baiser. Pressant ses lèvres sur les siennes, il sentit l'endroit où, contre sa paume, son cœur battait sous la peau fine de son cou. Une satisfaction féroce l'envahit quand elle se fondit contre lui comme mue par un besoin incontrôlable, ses bras se nouant autour de sa taille, répondant à son baiser avec un mélange de douceur et de passion. Elle laissa échapper un petit gémissement. Il lutta contre l'envie de dénouer le ruban de ses cheveux et d'enfoncer les mains dans leur masse soyeuse.

Ses mains se plaquant sur son torse, elle essaya de mettre un peu de distance entre eux.

— Arrêtez, chuchota-t-elle.

Il se força à reculer, caressant son visage de sa main. Il devait faire en sorte qu'elle accepte. C'était impératif.

— Est-ce que…

Sa voix se brisa. Il déglutit et recommença.

— Est-ce que Jane va bien ? Votre grand-mère ?

— Oui, Jane va bien. Nous devons encore apprendre à apprivoiser cette nouvelle relation entre nous, mais elle ne m'en veut plus. Je pense toutefois qu'il lui faudra du temps pour comprendre.

Une ombre de chagrin obscurcit son beau regard azur alors qu'elle se retournait pour servir le thé. En silence, elle lui tendit une tasse, puis ajouta du sucre et du lait dans la sienne. Il attendit qu'elle soit installée sur le canapé, puis s'assit dans un fauteuil, à distance respectable, pour n'être pas tenté de la toucher.

— Comment était-ce ? demanda-t-il. Prétendre que vous étiez sa sœur alors que…

Elle haussa les épaules avec indifférence.

— Je m'y suis habituée. Je n'avais pas le choix. Quand ma grand-mère eut décidé du plan que nous allions suivre, j'ai été soulagée. Mon père et elle auraient pu faire adopter l'enfant ou nous envoyer toutes les deux au loin, et je n'aurais rien pu faire. Alors, même si nous avons dû mentir, je leur ai été reconnaissante de pouvoir garder Jane. Et pas seulement de la garder. J'étais tout le temps avec elle. Je ne l'ai jamais vue comme la fille du docteur Cole. Toujours comme la mienne.

Elle but son thé et regarda par la fenêtre comme si elle voyait son passé défiler.

— Pendant les moments de regret, les moments où j'aurais tant voulu lui dire que j'étais sa mère, il me suffisait de me rappeler qu'on pouvait me la retirer du jour au lendemain. Je sais que je lui ai toujours caché cette vérité. Je n'ai pas eu le choix. Mais avec ce mensonge, je n'ai jamais pu être tout ce que je voulais être pour Jane. Je n'ai jamais vraiment pu être moi-même.

Elle battit furieusement des paupières, sa bouche se contractant, et posa sa tasse à côté d'elle.

— Même avant Jane, je ne sais pas si j'aurais pu. J'étais une enfant étrange, Alexander. Je trouvais tellement de réconfort dans les chiffres, dans leur pureté, leur limpidité. Et je remercierai éternellement ma grand-mère d'avoir insisté pour faire développer mon talent. Je regrette de ne pas avoir appris à comprendre les gens aussi bien que je comprenais les équations. S'il en avait été ainsi, ma vie aurait pu prendre une autre tournure. Même si, malgré tout, pour rien au monde, je n'aurais renoncé à Jane. Mais ce n'est pas avant de vous avoir rencontré…

Sa voix se mit à trembler. Elle s'interrompit, un mélange de peine et de nostalgie se peignant sur son visage.

— Quand j'ai cédé au docteur Cole, c'était parce que je voulais sentir quelque chose. Je ne m'étais pas rendu compte que, depuis que ma mère était tombée malade, j'étais enfouie sous des couches de calculs et de théorèmes. Je ne sais pas ce à quoi je m'attendais, si je pensais que nous allions tomber amoureux, vivre une liaison éphémère. Je ne savais pas s'il quitterait sa femme.

Tout ce que je savais, c'est que, pour la première fois de ma vie, je me sentais réveillée de ma léthargie.

Alexander sentit sa mâchoire se crisper à en hurler de douleur. Il détestait, haïssait l'idée que Lydia – sa Lydia – ait imaginé trouver le bonheur dans les bras d'un autre homme.

— Puis, reprit Lydia, j'ai compris ma fatale erreur. J'étais réveillée, certes, mais je vivais un cauchemar de trahison et de mensonge. J'en étais tout aussi responsable que le docteur Cole. Et même après la naissance de Jane, surtout après sa naissance, je craignais tant de commettre une nouvelle erreur que j'ai cherché un refuge dans ce que je pensais être la sécurité des chiffres.

Un instant, elle garda le silence, avant de reprendre, résignée :

— Pendant ces années, tout allait bien. J'avais Jane. J'avais mon travail. Puis je vous ai rencontré.

Quand elle planta sans ciller son regard dans le sien, il sut qu'elle lisait dans son âme.

— Jusqu'à ce jour, je ne m'étais même pas rendu compte que j'étais prisonnière d'une prison que je m'étais créée. Je n'avais pas réfléchi à ce qui m'arriverait, ce qui arriverait à Jane quand elle grandirait. Une fois qu'elle quitterait la maison, se marierait, commencerait sa propre vie. Je comptais continuer mon travail, bien sûr, mais j'ai alors compris que cela ne me suffirait pas.

Tout en la regardant, Alexander sentit quelque chose craquer en lui, un sentiment à la fois douloureux et libérateur, une pousse germant soudain d'une graine dure et sèche.

— Que voulez-vous, Lydia ? demanda-t-il, se rappelant le soir, des semaines auparavant, où il lui avait posé cette question dans une tentative désespérée de la comprendre.

Un long moment, ils se regardèrent, comme si, elle aussi, se rappelait cette nuit, ce baiser, ce moment où tout avait changé pour toujours.

— Je veux que ma famille soit heureuse, répondit-elle. Je veux que les gens continuent à admirer le travail de mon père, à respecter son œuvre. Je veux que ma grand-mère ait l'impression que tout ce qu'elle a fait a fini par déboucher sur du positif. Je veux que Jane ait la vie qu'elle souhaite, que…

— Non. Que voulez-vous pour vous ?

Elle ne répondit rien. Posant sa tasse, il combla l'espace entre eux, tous ses nerfs tendus comme des cordes.

— Je sais ce que je veux, dit-il. Je vous veux toujours, Lydia.

Fuyant ses yeux, elle se détourna vers la fenêtre.

— Je vous en prie. Non.

— Je veux vous épouser. Je me fiche du qu'en-dira-t-on, du futur de la Société, de ce…

— C'est faux ! répliqua-t-elle en se tournant vers lui, son regard trahissant sa frustration. Et votre père ? Ne croyez-vous pas que votre mariage avec moi l'isolera davantage ? Et lady Talia ? N'a-t-elle pas traversé suffisamment d'épreuves ? Qu'arrivera-t-il quand les gens sauront que son frère a épousé une femme mère d'un enfant illégitime ?

— Nous n'avons pas besoin de l'annoncer, bon sang !

— Alors nous nous marions et nous gardons le secret ? persifla-t-elle. Et Jane ? Continuera-t-elle à être ma sœur ? Et qu'arrivera-t-il si nous devons dévoiler la vérité ?

— Personne d'autre que nous n'a besoin de la connaître.

— Vous prendriez ce risque, garderiez ce secret, tout en sachant que la vérité pourrait vous ruiner, détruire votre famille ?

Elle s'avança d'un pas, ses yeux bleus froids comme l'acier.

— Votre mère n'a-t-elle pas gardé un secret, Alexander ?

Une bouffée d'une violente colère l'envahit.

— Ma mère n'a rien à voir dans tout cela, répliqua-t-il, cinglant.

— Mais son secret a causé le déshonneur de votre famille. Voulez-vous vraiment recommencer ?

Des souvenirs enfouis revinrent à la mémoire d'Alexander. Son sentiment d'impuissance lui broyait la poitrine en un étau douloureux.

— Je ferai en sorte que tout aille bien, Lydia, affirma-t-il avec toute sa force de conviction.

Elle reprit, comme si elle n'avait pas entendu :

— Et vous croyez vraiment que je suis prête à vous placer, vous et votre famille, dans ce genre de situation ?

S'avançant d'un pas, elle posa sa paume fraîche contre sa joue. Son regard azur, teinté d'une émotion qu'il n'arrivait pas à analyser, scrutait son visage.

— Voilà pourquoi j'ai refusé votre demande en mariage, Alexander. Et je suis plus que reconnaissante de voir que nous pouvons enfin être honnêtes l'un envers l'autre. Mais cela ne change rien à ma décision. Je ne peux pas vous épouser.

Sa main glissa sur son visage. Il aurait pu se noyer dans ses yeux embués de larmes tant ils évoquaient les profondeurs infinies de l'océan.

— Ce que je veux pour moi ? demanda-t-elle. Une vie tranquille, comme celle que…

Elle détourna le regard.

— Quoi ? demanda Alexander.

— Comme celle que j'avais avant de vous connaître, murmura-t-elle si doucement qu'il dut tendre l'oreille.

Il serra les poings à s'en faire mal aux jointures. Elle essayait de le faire souffrir, de le pousser à renoncer à elle. Il le savait et pourtant ses paroles faisaient mouche.

— Cette vie est finie, Lydia.

Elle essuya ses larmes.

— Pas pour moi.

— Vraiment ? Jane sait que vous êtes sa mère maintenant. Est-ce que cela n'a pas tout changé pour vous ?

Elle tressaillit. Satisfait de la voir désarçonnée, il recula vers la porte et, son index pointé sur elle, reprit :

— La seule vie que vous pouvez avoir désormais, Lydia, la seule vie que nous pouvons tous les deux avoir, c'est celle que nous choisirons.

Chapitre 32

Indifférent au vacarme des voix, Alexander était assis au premier rang dans la grande salle de la Société des Arts, à l'Adelphi, en compagnie de Sebastian et de lord Rushton. Les inspecteurs de police avaient pris place de l'autre côté.

L'endroit grouillait de monde. Les membres du Conseil de la Société et tous les représentants du syndicat étaient présents. Par curiosité ? Par devoir ? Il aurait été bien incapable de le dire.

Les membres du Conseil présidaient sur une estrade. L'air agités, ils parlaient entre eux, consultaient des papiers, jetaient des coups d'œil dans la direction d'Alexander.

— Tu aurais pu au moins te raser, lui fit remarquer Sebastian en se caressant la joue, sa voix se perdant dans le vacarme. Comme moi.

— Votre frère a raison, renchérit le comte en les regardant à la dérobée. Vous avez l'air d'un clochard, Northwood.

C'était le cadet de ses soucis. Néanmoins, il passa une main dans ses cheveux pour les lisser. Ces cinq dernières nuits, il avait à peine fermé l'œil. Il avait lutté pour trouver un moyen de convaincre Lydia de lui laisser une chance. Mais qu'importaient ses efforts, il savait qu'elle ne céderait pas. Même si elle en avait envie.

Il étouffa un juron et essaya de se concentrer sur les membres du Conseil. Derrière la longue table, lord Hadley se leva.

— S'il vous plaît ! Je demande le silence.

Hadley agita les bras pour faire signe à tout le monde de s'asseoir. L'agitation s'apaisa, et il s'éclaircit la gorge.

— Comme vous le savez tous, nous avons organisé cette réunion pour discuter du problème que pose l'exposition éducative présidée par lord Northwood. Nous savions depuis quelque temps que ses liens étroits avec l'Empire russe, tout comme sa société de négoce, étaient peut-être en conflit avec les objectifs définis pour l'exposition, les principaux étant de promouvoir la suprématie du système éducatif britannique et de l'industrie britannique et de continuer à générer le libre-échange avec la France.

Des murmures d'approbation s'élevèrent dans la foule. Alexander se rappela la première fois qu'il avait parlé de l'exposition à Lydia. Assise dans son salon, elle lui avait proposé de l'aider avec le stand des mathématiques. S'il avait su alors à quel point elle lui manquerait un jour…

« J'ai un talent pour les mathématiques. »

Elle ignorait qu'elle avait aussi le talent de lui voler son cœur.

— Jusqu'ici, nous avons donc décidé d'ignorer les liens de lord Northwood avec la Russie en raison de son puissant soutien à la Société des Arts, poursuivit Hadley. Néanmoins, cette guerre qui vient de commencer nous a poussés à considérer avec plus d'attention la valeur de sa contribution par rapport aux inconvénients de sa… situation personnelle. La semaine dernière, lord Northwood a été impliqué dans une altercation avec un homme qui, soi-disant, essayait de kidnapper une jeune fille – la sœur de la fiancée de lord Northwood. La police a étouffé l'affaire. Par conséquent, nous pouvons être tous d'accord sur le fait que Northwood a agi de la sorte dans le but de protéger sa fiancée et la fillette.

La fillette. Alexander sentit sa poitrine se contracter à la pensée de ce qui aurait pu arriver à Jane. Une toute jeune fille, si intelligente, si jolie, si pleine d'espoirs, de promesses. Il imaginait que si on lui avait donné la chance de vivre une vie normale, Lydia aurait été comme Jane, enfant.

— Plusieurs personnes ont affirmé l'avoir vu pousser l'homme par-dessus la balustrade de la galerie de St Martin's Hall, reprit Hadley.

Alexander s'agita impatiemment. Tout le monde n'était-il pas déjà au courant des événements ?

— D'autres témoignages affirment que l'homme a provoqué sa propre chute, enchaîna Hadley. Je ne sais pas quelle affirmation peut être confirmée, mais il suffit de dire que la police n'a pas jugé nécessaire d'accuser Northwood d'un délit lié à cet accident.

Accident qui, hélas, a provoqué ce qui ne peut être décrit que comme une émeute. Une foule s'était déjà rassemblée dans la rue devant St Martin's Hall pour assister à un accident entre deux carrioles et la bataille qui s'en est suivie entre les deux conducteurs a provoqué une grande confusion. De nombreuses personnes ont cherché refuge à l'intérieur de St Martin's Hall pour se protéger de cette mêlée de plus en plus bruyante, mais quand ils ont vu la lutte entre les deux hommes, ils ont déclenché un autre tumulte. Puis, le docteur Cole a fait sa chute mortelle. Je suis certain que vous avez lu le rapport sur le chaos qui a suivi ce tragique événement.

— Non seulement les blessés ont été nombreux, ajouta lord Wiltshire, mais les stands de l'exposition ont été très abîmés, certains irrémédiablement.

— Northwood doit payer pour les dégâts ! cria un homme du fond de la salle.

Les membres du Conseil échangèrent un coup d'œil.

Alexander se leva, se tournant à moitié vers l'homme.

— J'ai proposé de le faire, déclara-t-il. Le Conseil a refusé.

Hadley toussota.

— Nous n'avons pas eu le choix, monsieur, étant donné le…

— C'est inacceptable, lord Northwood ! lança un homme sec et nerveux, en se levant de l'autre côté de l'allée. Je suis Henri Bonnart, le commissaire français de la Société. Nous ne pouvons accepter l'argent d'un homme qui possède une société de négoce située dans l'Empire russe.

— Merci, monsieur Bonnart, déclara Hadley. Néanmoins, le but de cette réunion est de considérer la position de lord Northwood en tant que directeur de l'exposition et vice-président de la Société des Arts. J'ai bien peur que la police ait la ferme conviction que ses actions ont suscité l'émeute qui a suivi, et, en l'absence d'autres preuves concluantes…

— Lord Hadley.

Une voix de femme s'éleva de l'entrée de la salle.

Tout le monde se retourna. Le cœur d'Alexander s'accéléra. Lydia franchit la porte, droite comme un I, l'air résolue. Son porte-documents à la main, elle descendit l'allée en direction du Conseil.

Il la regarda l'espace d'une seconde avant de se rendre compte qu'elle était suivie par une demi-douzaine d'hommes portant des caisses, des livres, de grands panneaux de bristol, des rouleaux de papier. Il reconnut les amis mathématiciens de Lydia, les hommes du comité de rédaction du journal des mathématiques, le docteur Sigley, lord Perry, tous marchant à sa suite comme un régiment suivant son chef.

Sans un regard pour lui, elle s'arrêta devant le Conseil. Les pommettes rosies, elle prit la parole d'une voix calme et ferme.

— Messieurs, je vous prie d'excuser mon irruption, mais j'ai des éléments d'une grande importance à vous communiquer. Je m'appelle Lydia Kellaway et ces messieurs sont des professeurs et des mathématiciens avec les plus hautes qualifications. Quand j'ai appris la plainte déposée contre lord Northwood, et sachant à quel point elle était infondée, j'ai sollicité l'aide de mes collègues.

— Une aide dans quel but, mademoiselle Kellaway ? s'enquit Wiltshire.

Lydia se tourna vers les mathématiciens avec un petit hochement de tête. Les hommes se rassemblèrent d'un côté, juste en face d'Alexander, afin de pouvoir être vus et par le Conseil et par le public. Deux d'entre eux dressèrent un stand et disposèrent plusieurs panneaux, tandis qu'un autre sortait une liasse de papiers d'une caisse et les distribuait aux membres du Conseil.

Abasourdi, Alexander dévisagea Lydia. À cinq mètres de lui, elle l'observait, ses joues pâles toujours colorées, ses yeux bleus empreints de douceur. Quand leurs regards se croisèrent, elle tressaillit. Il déglutit, joignant les mains pour se retenir de la rejoindre, de la prendre par la taille et de la plaquer contre lui.

Une lueur de désir indéniable s'alluma dans les prunelles de Lydia, comme si la même pensée lui traversait l'esprit.

Lydia. Lydia.

Elle secoua brièvement la tête et prit une règle. Se tournant vers une carte sur le tableau, elle s'éclaircit délicatement la voix.

— Ceci, messieurs, commença-t-elle, est un schéma du premier étage de la galerie de St Martin's Hall le soir de l'émeute. Mon collègue, le docteur Sigley, a entrepris une recherche approfondie sur les mouvements de foule et va vous expliquer pourquoi il est impossible que lord Northwood ait pu inciter l'assemblée à provoquer une émeute.

Elle frappa la carte de la règle. Le public s'agita, parcouru par une rumeur d'étonnement et de curiosité. Alexander se pencha en avant, les coudes sur ses genoux.

Lydia fit un signe de la tête au docteur Sigley.

— Si vous voulez bien, monsieur.

— Avec plaisir, mademoiselle Kellaway, répondit Sigley en s'avançant d'un pas pour s'adresser au public. Messieurs, je suis le docteur Edward Sigley, membre de Société Royale, docteur en droit canon et en droit privé, membre de la Société royale d'Édimbourg, détenteur de la chaire de « *Lucasian professor* »[1] à l'université de Cambridge, et rédacteur en chef du *Cambridge & Dublin Mathematical Journal*.

Il marqua une pause comme pour permettre à tout le monde d'assimiler ses titres de mathématicien. Le premier silence passé, un murmure approbateur s'éleva. Sigley hocha la tête avec satisfaction.

— J'ai réalisé de nombreuses expériences sur le lien entre la dynamique des foules et la relation flot-densité, reprit-il. Cela peut s'écrire ainsi…

Il s'interrompit et inscrivit une équation au tableau.

— Je vous demande pardon, docteur Sigley, demanda Hadley en levant une main, le front plissé.

---

1. La chaire de *Lucasian professor* est réservée aux plus éminents professeurs de mathématiques de l'Université de Cambridge. *(NdT)*

Si je peux parler au nom de mes collègues, je me hasarderai à suggérer que nous sommes à peu près aussi intéressés par la relation flot-densité que par la mode féminine.

Quelques éclats de rire fusèrent. Lydia sentit l'irritation la gagner. Un homme à la carrure imposante, à la barbe fournie, se leva au centre de la pièce.

— Allons, monsieur ! Nombreux sont les membres de la Société intéressés par les mathématiques ou, du moins, qui y connaissent quelque chose. Cela fait partie des sujets d'examens de la Société, n'est-ce pas ? Le professeur nous parle de mathématiques appliquées, n'est-ce pas professeur ? Nous devrions écouter ce qu'il a à dire.

Un brouhaha d'approbation s'éleva. Alexander regarda l'homme qui venait de défier le président de la Société pour défendre les mathématiciens. Puis il se retourna vers Lydia. Elle lui adressa un clin d'œil.

— Exactement, répondit Sigley avec un signe de tête approbateur pour son partisan. Les mathématiques appliquées sont des mathématiques pures comme la géométrie, ou les propriétés de l'espace, utilisées pour établir les principes de la statique et de la dynamique, dont je suis en train de vous parler.

— Bon sang, monsieur, venez-en au fait ! cria une voix dans la foule. Quel rapport avec Northwood ?

Le public s'agita de nouveau, montrant cette fois des signes d'impatience. Alexander et Sebastian échangèrent un regard. Ce dernier semblait inquiet.

Alexander tourna la tête vers Lydia qui, raide comme la justice, joignait les mains, mordillant sa lèvre inférieure de ses dents blanches.

Regardez-moi, lui intima-t-il silencieusement.

Comme si elle l'entendait, elle obtempéra. Un faible sourire se dessina sur ses lèvres pulpeuses. Les yeux d'Alexander glissèrent sur ses épaules recouvertes de l'austère robe noire, descendirent sur la courbe de ses seins, puis sur sa taille. Dès le premier soir, il avait su à quel point elle était douce et voluptueuse sous ses épaisseurs de vêtements. Et dès ce moment, il avait su qu'il la voulait.

Ce qu'il avait ignoré, néanmoins, c'était à quel point il allait l'aimer.

Les joues de Lydia s'empourprèrent de nouveau, comme si son regard était une caresse. Ses cheveux tirés en un chignon impeccable étaient soyeux, brillants, sous son chapeau. Il détestait toutes ces épingles qui emprisonnaient sa magnifique chevelure, aurait voulu les retirer. Et en sentir le frôlement soyeux sur sa peau.

Seigneur ! Il s'agita dans sa chaise et essaya de se concentrer sur les autres mathématiciens. Cela réussit à calmer son excitation mais son attention demeurait fixée sur Lydia.

Le docteur Sigley se tourna vers ses collègues et deux des autres mathématiciens s'avancèrent avec des tableaux. Un troisième déroula un panneau couvert de calculs.

— Tout d'abord, expliqua Sigley, j'ai observé dans ces recherches de nombreuses situations impliquant de grandes foules. On peut parler de flot d'information dans une foule comme on pourrait parler du flot d'information dans un étang. Supposons qu'un gamin jette une pierre en l'air. Elle atterrit en un point A et la dynamique des fluides incompressibles impose que les ondes de gravité se déploient en cercles à partir du point d'impact. Connaissant comme je les connais les équations qui gouvernent cette dynamique, je pourrais vous dire quand les premières ondulations causées par cette pierre atteindront la rive. C'est maintenant que cela devient intéressant. Je pourrais également résoudre le problème suivant. À savoir que, si je passais quelques minutes après que le gamin a jeté sa pierre et que je me contentais d'observer, à une heure H, les vaguelettes qui lécheraient mes pieds, je pourrais sans erreur vous indiquer l'endroit exact où est tombée la pierre sans, pourtant, l'avoir vue tomber. Un peu comme si je remontais le temps, en quelque sorte.

Il s'écarta et fit un signe à Lydia qui écrivit une équation sur le tableau. Alexander était comme hypnotisé par le gracieux mouvement de son bras, la studieuse concentration de son ravissant visage.

Il sentit sa poitrine se gonfler d'un mélange de joie et de fierté. Il aimait voir fonctionner le cerveau de Lydia, connaissant la complexité des mécanismes et des rouages que dissimulaient ses splendides yeux bleus. Se délectait de savoir que tous les hommes de la salle devaient être étonnés par son intelligence.

Elle se tourna de nouveau vers le public.

— Ainsi, messieurs, énonça-t-elle, nous affirmons que le phénomène est le même avec l'émeute. Une foule est tout à fait comparable à un étang, un agrégat dense de particules qui se transmettent des informations en entrant en collision les unes avec les autres.

— Et nous pouvons également résoudre le problème inverse, poursuivit le docteur Sigley en désignant l'équation. Même si je n'étais pas là, je peux déclarer sans équivoque que si lord Northwood se trouvait vraiment à l'endroit indiqué, à l'heure indiquée – et de nombreux témoins peuvent corroborer ce fait – comme les inspecteurs peuvent le vérifier, j'en suis certain, alors les lois du mouvement excluent la possibilité qu'il ait provoqué la commotion qui s'est propagée sur les lieux à la vitesse nominale de quinze mètres à la minute.

— Où diable veut-il en venir, mademoiselle Kellaway ? s'impatienta Hadley.

— Monsieur, déclara Lydia, la conclusion essentielle des calculs du docteur Sigley est que lord Northwood n'est en rien responsable de l'éruption de cette émeute. Il se trouvait à cet endroit, enchaîna-t-elle en frappant de sa règle la galerie sur le plan, et d'après les calculs de la relation flot-densité, que vous devriez étudier de plus près, l'émeute a commencé ici.

Elle appuya sa déclaration d'un nouveau coup de règle, sur l'entrée du hall. Un moment, le silence plana sur l'assistance. Bientôt suivi par un brouhaha de questions, de cris des gens se levant pour examiner la preuve.

— Incroyable ! murmura Sebastian.

Hadley regarda le plan, puis les papiers que lord Perry lui avait donnés. Les inspecteurs de police s'approchèrent de la longue table et, têtes baissées, tinrent un conciliabule avec les membres du Conseil.

Il y eut ensuite de longues palabres ponctuées de grands gestes. Sir George Cooke vint trouver les mathématiciens pour leur désigner des points précis sur les feuilles. Un autre membre du Conseil se lança dans une discussion avec lord Perry, tandis que les inspecteurs de police, visiblement désorientés, se grattaient la tête, et que deux autres membres du Conseil semblaient trop perplexes pour parler. Les représentants du syndicat présents dans la foule s'approchèrent de l'estrade pour se joindre aux débats.

Sur le côté, Lydia discutait avec plusieurs hommes, son expression à la fois sérieuse et confiante. Alexander attendit qu'elle soit seule un moment avant de s'avancer vers elle.

Elle leva les yeux sur lui, ses longs cils se détachant comme des plumes noires sur son teint d'albâtre. Son regard trahissait son désir et… une émotion indéchiffrable. Il voulait la toucher. Il voulait l'embrasser. Ses doigts se serrèrent dans sa paume alors qu'il réprimait cette violente envie.

— Pourquoi ? demanda-t-il.

Elle battit des paupières, ses yeux se posant sur sa gorge. Elle haussa les épaules, la désinvolture de son geste contredisant la myriade d'émotions qui scintillaient au fond de ses prunelles.

— Les calculs fonctionnent, répondit-elle.

— Ce n'est pas une réponse.

— C'est la seule que je puisse vous donner.

— Je vous demande pardon, mademoiselle Kellaway, les interrompit lord Perry en touchant le bras de Lydia pour attirer son attention. Voudriez-vous nous donner votre opinion sur l'équation de rapport ?

Ignorant le coup d'œil un peu hostile du mathématicien, Alexander recula d'un pas et reprit son siège, incapable de détacher ses yeux de Lydia qui, après s'être avancée vers le tableau, commença une discussion avec deux autres hommes.

Après une bonne demi-heure de brouhaha et d'agitation, Hadley agita de nouveau les bras.

— De l'ordre ! Que tout le monde reprenne sa place, s'il vous plaît. Il me semble que nous sommes arrivés à une sorte de conclusion…

Il attendit que le tumulte s'apaise, puis s'éclaircit la gorge.

— Nous estimons que mademoiselle Kellaway et le docteur Sigley nous ont fourni une preuve convaincante, malgré sa complexité, et que les actes de lord Northwood ne sont en aucun cas à l'origine de l'émeute. Est-ce exact, inspecteur ?

— Parfaitement exact, monsieur, approuva l'inspecteur Denison, malgré son air dubitatif.

Les mathématiciens se congratulèrent. Triomphante, Lydia sourit à Alexander.

Il lui sourit en retour parce que c'était elle et qu'il l'aimait pour tout ce qu'elle était, pour tout ce qu'elle avait fait pour lui. Mais, prudent, il restait sur ses gardes.

— Néanmoins, si nous pouvons dire sans nous tromper que lord Northwood est absous du blâme d'avoir incité l'émeute, reprit Hadley, nous ne pouvons ignorer le fait qu'il était impliqué dans une altercation qui s'est terminée par la mort d'un homme et que le chaos qui en a découlé, quelle qu'en soit l'origine, a provoqué la destruction de l'exposition.

— Sans parler de ses liens avec l'Empire russe, ajouta sir George. Et nous avons été informés par lord Clarendon que…

Alexander cessa d'écouter. Il savait ce qui allait suivre. L'annonce publique de son renvoi de la Société des Arts.

Il regarda Lydia. Elle observait les membres du Conseil avec méfiance, tortillant d'une main une mèche de cheveux échappée de son chapeau. Il faillit sourire. Savait-elle qu'elle faisait toujours cela quand elle était nerveuse ?

Sir George poursuivit son laïus. Les ennemis, la rupture des relations diplomatiques, la flotte dans la mer Noire, l'Empire ottoman, le sentiment antirusse des Français, les actes d'hostilité…

Tout en gardant son regard rivé sur Lydia, une émotion qu'il ne pouvait définir enfla en lui, submergeant sa colère, son désespoir, son besoin de tout contrôler… Une grande vague d'espoir. Un sentiment de liberté.

Il était incapable de se souvenir de la dernière fois qu'il avait ressenti une telle ivresse. S'il ne voulait plus jamais voir sa famille souffrir, le devoir de les protéger ne pouvait plus lui incomber à lui seul.

Il regarda son père. Lord Rushton considérait sir George, une expression dure sur le visage. Une pensée étrange traversa l'esprit de Northwood. Il ne s'était jamais demandé si son père avait été vraiment heureux un jour.

— Je vous demande pardon, murmura-t-il, en posant une main sur le bras paternel.

Puis il se leva et s'adressa au Conseil.

— Messieurs, si je peux me permettre…

Tous les yeux se tournèrent vers lui. Un bourdonnement s'éleva dans la foule. Son père tira sur sa manche pour essayer de le faire asseoir. Alexander se dégagea et vint se placer face à la salle.

— Puis-je ? demanda-t-il.

Hadley jeta un coup d'œil aux autres membres du Conseil qui hochèrent la tête.

— Je vous en prie, lord Northwood.

— Tout d'abord, je voudrais vous présenter mes excuses pour les événements de la soirée en question. Certaines personnes ont été blessées, des biens détruits. Un homme est mort. Mon implication ne fait aucun doute et je regrette profondément l'image négative que cela a donné de la Société. Depuis deux ans, en tant que vice-président, j'ai travaillé dur à l'organisation de l'exposition qui devait célébrer le centenaire de la Société des Arts. Personne n'a autant souhaité le succès international de l'exposition que moi. Néanmoins, étant donné les récents événements, je me vois dans l'obligation de donner ma démission des postes de directeur de l'exposition et vice-président de la Société. À compter de cette minute.

Des cris de surprise fusèrent de part et d'autre.

— Je demande le silence ! s'exclama Hadley en frappant la table de sa main.

Alexander ne pouvait se résoudre à regarder Lydia. Son esprit, son âme, se remplirent d'images d'une vaste cité où les canaux serpentaient entre les places lumineuses et les murs des maisons, où les jardins fleurissaient au milieu des rues pleines d'une foule animée, devant des palais de marbre blanc.

— Je serai heureux de travailler pour un temps avec le remplaçant que le Conseil nommera, poursuivit-il, afin d'assurer une passation de pouvoirs harmonieuse. Comme il l'a été précisé à maintes reprises, je suis propriétaire d'une société de négoce dont le siège est à Saint-Pétersbourg. Je crois maintenant que c'est là que je serai le plus utile. Aussi, j'aimerais vous informer qu'avant la fin de l'été, j'aurai quitté Londres.

Non !

Tétanisée par la surprise, Lydia porta sa main à sa gorge et réprima un cri. Alexander continua à parler au public, sa voix grave roulant comme les vagues d'un océan. Seuls quelques pas la séparaient de lui. Autour d'elle, les mathématiciens marmonnaient dans leur barbe, mais elle était tellement effondrée que c'était comme un grondement qui lui emplissait les oreilles.

Alexander, son Alexander, voulait partir ? Cet homme si courageux, si fort, si fier, qui pouvait affronter le monde sans broncher… À présent, il allait partir, quitter Londres, la quitter ?

Sa colère, son désespoir étaient si violents que le sang battait à ses tempes. Elle le regarda, vit ses cheveux chatoyants dans la lumière, son cou vigoureux, la ligne inflexible de son profil. Elle éprouva un élan d'amour tel qu'elle en eut le souffle coupé.

Avec un effort, elle détourna le regard d'Alexander pour observer son père et son frère. Sebastian souriait, lord Rushton paraissait perplexe. Les membres du Conseil reprirent leurs conciliabules.

Puis, après s'être éclairci la gorge, Hadley déclara :

— Bien, lord Northwood, si telle est votre intention, le Conseil accepte votre démission et vous souhaite un bon voyage.

Dans un brouhaha de discussions, tout le monde se précipita vers l'estrade et Alexander qui fut bientôt entouré d'un groupe. Certains lui serraient la main, d'autres le réprimandaient.

— Honteux, Northwood ! le tança un homme d'un air menaçant. Tout cela est honteux.

— Bon débarras ! grommela un autre.

— Ne faites pas attention, lança un troisième qui balaya les critiques de ses collègues d'un haussement d'épaules. Nous sommes, pour la plupart, tout à fait conscients du magnifique travail que vous avez accompli, monsieur. Je suis d'accord avec Hadley et mes meilleurs vœux vous accompagnent.

Lydia se tourna vers ses collègues, luttant contre le besoin de courir vers Alexander et de… de quoi ? Elle ne savait pas si elle avait envie de le frapper ou de l'embrasser éperdument. Peut-être les deux à la fois.

— Nous allons prendre congé, messieurs, annonça-t-elle, luttant pour ne rien laisser paraître de son trouble. Notre travail est terminé.

Ses amis réunirent leurs livres, roulèrent leurs feuilles de calcul, empilèrent les papiers. Lydia referma son porte-documents, prit sa règle et se dirigea vers la sortie en se faisant violence pour ne pas se retourner et regarder Alexander.

— Lydia !

Sa voix pressante s'était élevée au-dessus de la clameur de la foule.

Elle ralentit. Une étincelle d'espoir jaillit dans sa tristesse, puis ses mots résonnèrent dans son esprit : « J'ai l'intention de partir. »

Qu'est-ce que cela pouvait bien lui faire ? Il savait aussi bien qu'elle qu'ils ne pourraient jamais vivre leur amour, aussi la raison ne lui dictait-elle pas de seulement souhaiter que Dieu le protège et chérir leurs souvenirs ?

Bien sûr, son cœur se moquait bien de ce que sa raison lui dictait. Son cœur, lui, la poussait à vivre ses rêves.

— Mademoiselle Kellaway ? demanda lord Perry en frôlant son épaule pour lui indiquer qu'elle devait continuer à avancer.

La foule s'agitait derrière eux. Un mur humain la sépara bientôt d'Alexander.

La gorge nouée, Lydia agrippa son porte-documents. Redressant les épaules, elle avança vers le hall d'entrée.

— Lydia, répéta Alexander, d'une voix empreinte d'exaspération.

Un long tremblement la parcourut. Elle hâta le pas, essayant de passer inaperçue parmi ses collègues. Elle ne pouvait pas lui faire face, lui permettre de constater à quel point elle sentait son cœur se briser.

— Messieurs ! appela la voix de Sebastian, s'élevant au-dessus de la cacophonie. Messieurs, des rafraîchissements sont servis dans la salle de réunion.

Un murmure approbateur s'éleva et les assistants s'avancèrent vers le vestibule. La foule s'était dispersée. Incapable de résister, Lydia jeta un coup d'œil vers Alexander.

Il venait vers elle, les poings serrés, l'air résolu. Leurs regards s'affrontèrent et, devant la sombre tension qu'irradiait tout son corps, une sourde angoisse lui contracta la poitrine. Elle se détourna et traversa le vestibule à la hâte.

Le docteur Grant lui tint la porte. Ses collègues s'affairaient autour d'elle, manifestement inquiets de la voir si pressée.

— La voiture est-elle prête, lord Perry ? demanda-t-elle en s'arrêtant sur le perron pour fouiller du regard la rue animée. Allons, nous n'avons pas de temps à perdre.

Un juron retentit derrière eux, suivi par le bruit d'une porte qui claquait.

— Lydia !

Elle se figea. Les autres mathématiciens se retournèrent et, méfiants, regardèrent Alexander traverser le grand vestibule. L'air fébrile, ses cheveux en bataille tombant sur son front, le front moite, il ressemblait au diable qui venait réclamer son âme.

Plusieurs des mathématiciens formèrent un demi-cercle protecteur autour de Lydia. Pendant qu'il approchait, elle s'appliqua à prendre une expression impassible, malgré la myriade d'émotions qui se bousculaient en elle.

— Lydia, dit-il en s'arrêtant, le souffle court.

Un instant passa. Il regarda les autres hommes. Puis, prenant visiblement sur lui, il recouvra son sang-froid. Il inspira, expira et passa une main dans ses cheveux.

— Messieurs, lord Perry, docteur Sigley, je tenais à vous remercier du fond du cœur pour les efforts que vous avez faits pour moi.

— Nous avons été heureux de pouvoir vous aider, monsieur, même si, comme je le crois, vous savez que notre intention première était d'aider Miss Kellaway.

— Ce qui est tout à fait naturel, docteur Sigley, repartit Alexander en se redressant, sans quitter Lydia du regard.

Elle sentit son cœur chavirer sous son regard pressant, insistant.

— J'ai… Puis-je demeurer un instant seul avec Miss Kellaway ?

Les mathématiciens s'agitèrent autour d'elle. Deux d'entre eux bombèrent le torse, l'air menaçant.

— Lydia, dit-il d'un ton suppliant. Je vous en prie.

Sentant sa détermination se fissurer, elle essaya de rassembler le courage de lui résister. De résister à son envie de capituler.

— Je n'ai pas la moindre idée de la raison pour laquelle vous voulez me parler seule, lord Northwood, annonça-t-elle, elle-même surprise par la froideur de son ton. Vous avez clairement indiqué à l'assemblée que vous n'aviez aucun désir de poursuivre votre travail avec la Société, pas plus que de vous battre pour restaurer l'honneur de votre nom, ce pourquoi, ajouta-t-elle en désignant ses collègues, nous avons passé plusieurs heures à vous aider. Lord Perry a même annulé une conférence pour nous retrouver au bureau du docteur Sigley où nous avons mis au point notre démonstration.

Lord Perry le regarda attentivement en hochant la tête.

— Je ne…, commença Alexander.

— En outre, reprit Lydia, serrant son porte-documents contre sa poitrine comme un bouclier, puisque vous avez conçu le projet de rentrer en Russie, nous n'avons plus de raison de…

— Lydia, laissez-moi parler, de grâce ! l'interrompit Alexander d'un ton sec. Je n'ai jamais dit que je voulais rentrer seul en Russie.

Elle cligna des yeux, son sang ne fit qu'un tour.

— Eh bien que…

— Je ne l'ai pas dit parce que ce n'est pas mon intention.

— Pas votre intention ? répéta-t-elle, abasourdie.

— Non.

Il prit une nouvelle inspiration et déclara :

— Je veux que Jane et vous veniez avec moi.

Il gardait son regard rivé sur son visage. Elle pressa une main contre sa poitrine, son cœur affolé cognant contre sa paume, résonnant dans toute la longueur de son bras.

— Messieurs, dit-elle d'une voix mal assurée, si vous voulez bien m'excuser…

Totalement désorientée, elle l'entraîna près de l'escalier. Puis, fermant les yeux, elle prit une longue inspiration, tentant de chasser les images que cette promesse faisait naître en elle. Enfin elle se tourna vers lui et, lui lançant un regard de défi, lui donna une tape sur le bras.

— De quoi parlez-vous ? Avez-vous perdu la raison ?

Il se frotta le bras, une brève lueur d'amusement s'allumant dans ses yeux.

— Je parle de notre avenir. Je veux que Jane et vous veniez vivre à Saint-Pétersbourg avec moi.

— Êtes-vous devenu fou ?

Son cœur battait la chamade. Pourquoi refusait-il de se tenir tranquille en entendant ces paroles, devant l'espoir qu'exprimaient ses magnifiques yeux d'ébène ?

— Je… je ne peux pas vivre avec vous en Russie.

— Pourquoi pas ?

— Parce que je ne peux pas vous épouser, Alexander.

Ses paroles prononcées à haute voix glacèrent les émotions incandescentes qui menaçaient de balayer sa détermination. Rattrapée par la réalité, elle s'exhorta au calme.

— N'avons-nous pas examiné la question sous tous ses angles ? Rien n'a changé.

— Pourquoi avez-vous amené votre petite bande de génies à la réunion, dans ce cas ? persifla-t-il.

Prise au dépourvu, elle le dévisagea, bouche bée. Puis se forçant à prendre son air le plus dégagé, elle répondit :

— Je savais qu'ils pourraient m'aider à prouver votre…

— Non, pourquoi les avez-vous amenés ? Pourquoi vouliez-vous me voir innocenté ?

— Je ne voulais pas vous voir porter le blâme pour des événements dont vous n'étiez pas responsable, répondit-elle. Je sais à quel point vous aviez travaillé dur. Vous ne méritiez pas de tout perdre parce que vous aviez voulu nous défendre, Jane et moi.

— Donc, vous aviez l'impression d'avoir une dette envers moi ?

— Eh bien, dans un sens, oui, mais…

— Quelle est l'autre raison qui vous a poussée à agir ainsi, Lydia ?

Elle laissa échapper un soupir exaspéré et regarda le mur d'en face par-dessus son épaule. Quelle importance s'il savait la vérité ? Cela ne changerait rien.

Pourquoi ne pas le laisser partir avec un souvenir, au moins, de ce qu'ils avaient été ensemble ? Puisqu'ils ne pouvaient envisager d'avenir ensemble. Et surtout pour cette raison.

— Lydia.

— Bon, très bien ! lâcha-t-elle en posant son regard sur lui. Je vous aime toujours Alexander. Je voulais vous aider parce que je vous aime encore et que je ne supporte pas l'idée de ces hommes vous dénigrant devant une aussi grande assistance, sans personne pour vous défendre. D'accord ? Je l'ai dit. Est-ce ce que vous vouliez entendre ?

— Absolument.

Il lui décocha un sourire éblouissant, son bonheur l'embrasant d'un amour d'une telle puissance qu'elle en eut le souffle coupé. D'un espoir plus brillant encore que le soleil illuminant le regard brûlant dont il l'enveloppait. Il saisit ses mains comme s'il se faisait violence pour ne pas la prendre dans ses bras. Elle les serra dans les siennes, se délectant de la sensation de leurs doigts entrelacés, de ses larges paumes l'emprisonnant. Pourtant, malgré son ravissement, elle était incapable de faire taire sa tristesse.

— Cela ne change rien, Alexander. J'ai beau vous aimer de tout mon être, de toute mon âme, cela ne change rien.

— Épousez-moi.

Elle agrippa ses mains, priant d'avoir la force de résister à toute la beauté que ces deux simples mots représentaient.

— Je vous en prie, arrêtez, chuchota-t-elle. Si vous voulez vous enfuir…

— Je ne fuis rien du tout, répliqua-t-il, sa voix se faisant de plus en plus pressante. Je prends un nouveau départ et je veux le prendre avec vous et Jane. Ne le voyez-vous pas ? C'est la réponse à votre dilemme.

Soudain méfiante, elle s'enquit :

— Partir dans un pays étranger ?

— Non, rentrer à la maison, répondit-il d'une voix étranglée, ses traits volontaires tirés par la tension. Vous souvenez-vous de cette nuit où vous m'avez dit que l'on avait toujours le choix ? Vous aviez raison. Pendant longtemps, j'ai laissé les décisions, les circonstances, les autres diriger ma vie. C'est terminé. Maintenant, je fais mes propres choix. Et je vous choisis. Vous.

— Je ne peux pas…

— Si, vous pouvez, insista-t-il. Tout ira bien, Lydia. Je vous le promets. Partagez ma vie. Je vous en prie.

Son cœur battait si fort qu'elle l'entendait résonner dans ses oreilles. Elle comprit soudainement ce qui avait motivé sa décision. À Saint-Pétersbourg, ils pouvaient vivre parmi des gens qui ne connaîtraient rien de leur passé. La réputation de leurs familles respectives ne souffrirait pas. Ils pourraient vivre libres. Ils retrouveraient peut-être l'espoir et la joie.

Seigneur ! Son esprit tournait à vive allure, analysant les arguments, évaluant les risques, écartant les doutes. C'était la vérité. Il avait raison. Ils pouvaient quitter Londres ensemble et commencer une nouvelle vie dans une ville où Alexander était chez lui, une ville où la neige illuminait les nuits, où résonnaient les cloches des troïkas, une ville de souvenirs chéris. Une ville qui pourrait leur appartenir, où ils pourraient vivre la vie qu'ils s'inventeraient.

Était-ce possible ? Leur bonheur était-il à portée de main ? Pouvait-elle lui faire assez confiance, se faire assez confiance pour se risquer ainsi dans l'inconnu ?

— Choisissez, Lydia, chuchota Alexander.

— Je… Je choisis Jane, finit-elle par annoncer, levant une main pour l'interrompre. Je vous choisis, Jane et vous, Alexander. Je nous choisis, vous, elle et moi.

Devant le nouveau sourire qui éclairait son beau visage, elle sentit un bonheur infini l'inonder, son cœur se gonfler d'une immense plénitude. Il l'attira dans ses bras et, la plaquant contre lui, s'empara de ses lèvres.

Elle étouffa un cri de surprise sous son baiser fiévreux, possessif, s'offrant à elle tout entier. Elle sentit sa tension se dissiper, son corps se faire languide contre le sien, s'abandonner à ce baiser sans fin… jusqu'à ce qu'elle retombe sur terre.

Alexander la prit par les épaules, son regard fouillant son visage en feu, ses yeux noirs remplis d'amour et d'espoir.

— Je t'aime, déclara-t-il. Plus que ma vie.

— Je t'aime. Plus que mes chiffres, ajouta-t-elle avec un sourire espiègle.

Il se mit à rire. Sentant son visage s'empourprer, elle jeta un coup d'œil en direction de ses collègues.

Restés près de la porte, ils n'avaient pas manqué une miette du spectacle.

Alexander toussota et s'écarta d'elle. Un silence embarrassé planait dans le vestibule.

— Eh bien… pas mal du tout, lord Northwood ! finit par dire le docteur Sigley.

Le docteur Grant étouffa un petit rire. Un autre applaudit et bientôt, un fou rire général gagna l'assemblée. Même lord Perry renonça à sa mine renfrognée pour se joindre à l'hilarité et aux applaudissements de ses collègues.

Alexander sourit et la regarda. Les yeux pétillant d'amusement, elle pencha la tête vers les mathématiciens.

— Peut-être seraient-ils intéressés par mes théories sur l'amour, en fin de compte, chuchota-t-elle en glissant sa main dans la sienne, sachant qu'elle chérirait à jamais la chaleur de son regard, le frôlement de ses doigts. Au bout du compte, je pense que nous choisirions tous l'amour, Alexander. Chacun d'entre nous.

Chapitre 33

Des odeurs persistantes de buffet de mariage emplissaient la maison. Des pommes aux épices, du vin, de la galantine. Les vases de cristal débordaient de fleurs, leurs pétales jonchant les tapis. Le soleil qui entrait à flots à travers les rideaux baignait la maison d'une lumière dorée.

— Voici quinze jours que j'examine le problème, déclara lord Rushton, en fronçant les sourcils. Ce que le professeur a transmis est très intéressant, mais j'avoue que je n'en comprends toujours pas le moindre mot.

— Je serais heureuse de vous l'expliquer plus en détail, monsieur, si vous…

— Ne vous inquiétez pas, lady Northwood, dit Rushton en la remerciant d'un geste de la main. Je vous crois sur parole, le docteur Sigley et vous.

— Voilà qui est très sage, lord Rushton, approuva Mrs Boyd en hochant la tête.

Lydia croisa les yeux d'Alexander qui, de l'autre côté de la pièce, jouait aux échecs avec Jane. Il lui décocha un clin d'œil. Elle sourit, son cœur se gonflant d'un tel amour qu'elle avait l'impression de flotter dans un océan de bonheur.

Son âme avait été si longtemps tourmentée, crispée comme une feuille de papier blanc froissée. Mais désormais, chaque fois qu'elle sentait le regard brûlant d'Alexander sur elle, chaque fois qu'il la touchait, elle se sentait s'épanouir.

— Lydia, Alexander vous a-t-il dit que l'une des mathématiciennes les plus éminentes de Saint-Pétersbourg est une femme ? demanda Talia. Il faudrait que vous la rencontriez.

— Notre frère Darius la connaît bien, renchérit Sebastian alors qu'Alexander et Jane s'approchaient de leur petit groupe réuni au coin du feu. Il n'est pas très mondain, mais il a néanmoins quelques relations. Vous ne manquerez pas de compagnie.

— Il te recommandera peut-être des professeurs de piano pour que Jane continue ses leçons, suggéra Mrs Boyd.

— Y serai-je obligée ? intervint Jane comme si sa grand-mère lui avait demandé de creuser un puits.

Sebastian sourit et Talia répondit :

— Connaissant Darius, il est plus probable qu'il voudra s'entretenir avec vous des espèces d'insectes. J'ai l'intention de vous rendre visite. Vous êtes contente de faire ce voyage ?

Lydia sourit à l'enfant qui s'exclama, rayonnante :

— Oh oui ! J'ai toujours voulu voyager, vous savez, mais je ne suis jamais allée plus loin que Brighton. Cela va être une aventure passionnante. Et lord Rushton accepte de soigner ma fougère en notre absence.

En entendant la joyeuse impatience dans la voix de sa fille, Lydia sentit une douce allégresse l'envahir et la serra contre elle. Il y avait quelques mois à peine, jamais elle n'aurait imaginé possible un avenir d'espoir, de promesses, de liberté. Un avenir dans lequel elle pourrait être la mère de Jane dans tous les sens du terme, lui donner tout ce qu'elle n'avait jamais eu.

Depuis quinze jours, la sérénité s'était emparée de son âme. Une sérénité que renforçait la certitude de l'amour et de la dévotion qu'Alexander et elle partageaient. Et, d'une certaine façon, aussi, la certitude que cette vie dans laquelle elle était sur le point de s'embarquer était celle dont ses parents auraient rêvé pour elle.

Une vie dans laquelle elle ne serait plus jamais seule.

— Nous reviendrons probablement à Londres dans quelques années, déclara Alexander en pressant d'une main l'épaule de Lydia, comme s'il devinait les émotions qui se bousculaient en elle. Une fois la tempête apaisée.

La chaleur de sa paume traversa ses vêtements et réchauffa sa peau.

— Oui, dit lord Rushton en fronçant encore les sourcils. Cela ne provoquera pas un nouveau scandale.

— Sûrement pas, monsieur, répliqua Mrs Boyd. Surtout si l'on considère combien lord Northwood a travaillé à restaurer votre réputation.

Le comte lui lança un regard mordant.

Mrs Boyd appuya sa déclaration en frappant le sol de sa canne.

— Il faut être un homme d'envergure pour prendre les rênes et rectifier une situation critique. Des hommes plus ordinaires que lord Northwood seraient partis se cacher. Vous devez être décoré pour avoir élevé un fils au caractère aussi trempé. Après tout, qu'y a-t-il de plus important que de s'occuper de sa famille ? Et quand lord et lady Northwood quitteront Londres, je suis sûre que vous continuerez vos obligations avec l'honneur et la dignité attendus d'un homme de votre qualité et de votre rang…

— Madame Boyd, l'interrompit lord Rushton en frappant le manteau de la cheminée de sa grande main, je vous remercie de votre avis très tranché sur la question.

Northwood les interrompit d'un toussotement.

— Madame Boyd, si vous souhaitez rester chez vous, je m'assurerai de vous fournir le personnel adéquat. Peut-être envisagerez-vous aussi de prendre une dame de compagnie ?

— Peut-être, répondit Mrs Boyd en regardant Jane assise près de Lydia. Quant à Jane, j'espère que vous reviendrez tous de temps à autre pour que je puisse la voir. Et je ne vois aucun inconvénient à faire le voyage moi-même une ou deux fois, à condition de pouvoir être logée convenablement.

— J'aimerais tellement que vous veniez, dit Lydia. Je redoute de vous laisser seule à Londres.

— Juste ciel, Lydia ! Je ne serai pas seule. J'ai mon travail, mon cercle d'amis. Et franchement, j'ai l'impression que lord Rushton ferait bien de s'engager dans des œuvres charitables constructives. S'il s'y décide, je serais heureuse de l'aider. N'en prenez pas ombrage, je vous en prie, monsieur, ajouta-t-elle avec un mouvement de tête dans sa direction.

Voyant que son père semblait sur le point d'exploser, Alexander s'empressa de s'interposer.

— Nous avons l'intention de partir avant la fin du mois. Je pense avoir tout réglé avec la Société d'ici là.

— Parfait, approuva lord Rushton en se redressant et en lissant son habit. Voilà une idée originale, Northwood, mais elle me paraît très bonne. Bravo !

D'un signe de tête, il indiqua à Talia et à Sebastian qu'il était temps de prendre congé. Alors que tous se préparaient à partir, Lydia s'approcha de lord Rushton. L'enveloppant d'un regard affectueux, il prit sa main.

— Mon fils m'a dit un jour qu'il n'avait jamais rencontré personne comme vous, dit-il. Je dois dire que j'ai rarement entendu une affirmation aussi juste.

— Nous n'avons plus de place que pour la vérité, répliqua Lydia, en posant sa main sur celle du comte. Et, à la vérité, c'est un honneur de faire partie de votre famille. J'aime votre fils de toute mon âme.

Elle glissa un regard vers Alexander qui la dévisageait avec un sourire empreint d'un tel amour qu'une vague d'une joie et d'un espoir insensés l'inonda.

— Votre fille, reprit le comte d'une voix bourrue, Jane. Prenez bien soin d'elle. Je me suis attaché à elle.

Il ponctua son aveu d'une pression de la main. Il n'avait pas besoin d'en dire plus.

Elle embrassa Talia et sa grand-mère, puis se pencha pour prendre Jane dans ses bras.

— Je suis heureuse que tu l'aies épousé, dit Jane en la serrant fort. Ce sera une aventure, n'est-ce pas ?

— Une merveilleuse aventure.

Une fois tout le monde parti, Alexander s'avança d'un pas et elle se retrouva dans ses bras, son visage contre sa chemise, la chaleur de son corps solide contre le sien.

Jane avait raison. Leur futur dans un nouveau pays serait une aventure. Complexe, imprévisible, exaltante. Comme sa relation avec Alexander. Comme la vie.

— Vous êtes heureuse ? chuchota-t-il dans ses cheveux.

— Totalement. Et vous ? demanda-t-elle en levant les yeux vers lui.

— Oui. Pour la première fois de ma vie.

Il se positionna de tout son poids sur elle. Ses doigts agrippèrent ses hanches. Elle sentit la toison rêche de ses cuisses frôler la peau douce de l'intérieur de ses cuisses, son souffle chaud sur son épaule. Ses seins écrasés contre son torse, d'un coup de reins, il entra en elle.

Elle agrippa son dos, son visage niché dans le creux de son épaule. Son odeur l'enivra. Elle ondula, exhalant un gémissement, alors qu'il s'enfonçait plus loin avec un juron étouffé. Elle resserra la pression de ses jambes contre ses cuisses. Ses mains glissèrent le long de son dos, sur ses muscles et sa peau tendus.

Elle gémit. Haleta. Ondoya. Puis elle sentit son corps se raidir, ses muscles jouer sous ses mains, ses hanches se soulever.

— Attends, dit-elle d'une voix haletante en se dégageant, ses mains cherchant son érection. Attends. Je… laisse-moi voir.

— Lydia, dit-il d'une voix rauque de désir. Nous sommes mariés.

— Oui, mais…

Elle leva les yeux vers son beau visage couvert de transpiration. Le sous-entendu de sa phrase transperça la brume d'extase dans laquelle elle baignait pour la toucher en plein cœur.

Elle hasarda d'une voix étranglée :

— Tu veux dire… Tu veux… tu veux un enfant ? bredouilla-t-elle.

Le regard empreint d'une tendresse infinie, il effleura son front moite de ses lèvres, agitant ses mèches rebelles. Puis, encerclant ses poignets de ses mains vigoureuses, il plaqua ses bras des deux côtés de sa tête pour l'immobiliser et s'enfonça de nouveau en elle, avec une telle vigueur, que tout son corps fut secoué de frissons.

— Alexander, dit-elle dans un souffle.

Pour toute réponse, il donna une nouvelle poussée, puis une autre, en intensifiant le rythme des va-et-vient. Elle sentit une lave brûlante rouler dans ses veines.

— Prends-moi, siffla-t-il à son oreille. Totalement.

Ses yeux la brûlaient. Elle agrippa son dos, s'arc-bouta, jambes écartées, sentant l'extase approcher à chaque nouvelle poussée de reins. Et, au-delà des sensations divines, le pur plaisir charnel, la trépidation de l'attente. L'espoir, l'amour, le bonheur tournoyaient en elle en un tourbillon de joie pure qui inondait tout son être.

— Prends-moi, répéta-t-il dans un grognement.

— Oui, approuva-t-elle dans un halètement, ses hanches se soulevant à sa rencontre, grisée par l'intensité des sensations qui déferlaient en elle, alors que le plaisir jaillissait en elle avec une violence inouïe.

— Oui, je le veux, je veux…

— Maintenant, dit-il.

À son tour, il se laissa aller à la jouissance qui le submergeait. Dans un ultime sursaut, ses lèvres s'entrouvrirent pour crier son nom, son corps secoué par la puissance de l'orgasme.

Basculant la tête en arrière, il plongea une dernière fois en elle, accélérant le tempo, pris par les convulsions de la même délivrance, et se laissa emporter par la lame de sensations divines.

Une plainte naquit dans la gorge de Lydia.

— Je le sens, oh oui !

Elle se plaqua plus près de lui, pressa sa joue au creux de son épaule. Des arcs-en-ciel derrière ses paupières closes, elle sentit la semence de son mari l'inonder alors qu'il reprenait possession d'elle.

Il l'attira au creux de son bras et passa une main dans ses cheveux emmêlés. Elle ferma les yeux et laissa échapper un long soupir de plénitude. Ils étaient repus, fourbus. Posant une main sur son torse, elle écouta les battements de son cœur et, l'espace d'un instant, imagina le sien battre à l'unisson. Elle était émerveillée de savoir qu'elle avait encore tant à découvrir sur lui. Encore tellement de surprises, de projets à partager avec lui.

— Tu avais raison, murmura-t-elle.

— Vraiment ? demanda-t-il d'une voix rauque. À quel propos ?

Se redressant, appuyée sur un coude, elle le regarda.

— Mary Shelley a écrit une histoire. Un alchimiste prend une potion qui doit le rendre immortel. Mais il ne boit que la moitié de la bouteille et se demande alors quelle est la moitié de l'infini ?

— C'est une devinette, hasarda-t-il.

— Mais la question, répliqua-t-elle en lui donnant une petite tape sur le nez, n'a aucun sens. L'infini n'est pas un nombre. Il ne peut être mesuré, multiplié, ni divisé par un calcul mathématique. C'est un concept, une idée de quelque chose qui dure toujours. Sans fin. Sans limite.

Elle déposa un baiser sur ses lèvres et caressa son torse.

— Voilà pourquoi tu avais raison, reprit-elle. J'ai essayé de quantifier l'attirance, le désir, de développer des équations différentielles pour expliquer les relations entre les hommes et les femmes. J'ai compris que c'était impossible. La vie et l'amour sont incommensurables. Ils ne peuvent être quantifiés, calculés. La vie continue après la mort d'une manière que nous ne comprendrons jamais. Et l'amour… l'amour est aussi complexe, aussi démesuré que l'infini lui-même.

— Mmmh. Vous êtes vraiment remarquable, lady Northwood, déclara-t-il en glissant une main dans son dos. Remarquable et très belle. Vous allez faire sensation à Saint-Pétersbourg, même si je dois m'assurer que vous n'oubliiez jamais avoir admis que j'avais raison.

Lydia sourit.

— Je n'attendais pas moins de vous.

Alexander caressa son cou, de bas en haut, comme pour évoquer la toute première fois où il l'avait approchée dans le salon.

— Je t'aime infiniment, dit-il en prenant sa nuque pour l'attirer à lui. Pour toujours.

Lorsque leurs lèvres se joignirent de nouveau, le cœur de Lydia s'emplit d'un amour assez puissant pour bannir tous les regrets. Elle savait que leur première rencontre de minuit avait scellé son destin. La chaleur, la lumière, l'espoir, avaient terrassé l'obscurité pour la transporter jusqu'au présent, jusqu'à cet endroit.

Un endroit où l'infini était aussi tangible que la caresse de son mari. Un endroit où, dans les moments de bonheur, d'exceptionnelle beauté, un plus un pouvait faire… un.

Note de l'auteur

Je me suis appuyée sur plusieurs sources pour me documenter sur les éléments mathématiques de ce livre, les études suivantes servant de base aux théories de Lydia sur la corrélation entre l'amour et les mathématiques. *Mathematics and Sex* par Clio Cresswell, (Crow's Nest, Australie ; Allen and Unwin, 2003) ; *Laura and Petrarch : An Intriguing Case of Cyclical Love Dynamics*, par Sergio Rinaldi, *SIAM Journal on Applied Mathematics* et *Love Dynamics : The Case of Linear Couples, Applied Mathematics and Computation* ; *Love Affairs and Differential Equations* par S. H. Strogatz, *Mathematics Magazine*, 61(1): 35 (1988).

Merci à vous, brillants mathématiciens, de raisonner comme jamais je n'en serais capable.

DÉCOUVREZ AUSSI CHEZ MILADY ROMANCE :

En librairie ce mois-ci

Margaret Mallory	Le Retour des Highlanders : *Le Chef*
Laurie Viera Rigler	*Confessions d'une fan de Jane Austen*

En grand format

M. Leighton	Face cachée : *Dans la peau*

21 février 2014

Pamela Aidan	Darcy Gentleman : *Un mot de vous*
Jane Ashford	*En secondes noces*
Robyn DeHart	Fruit défendu : *Un soupçon de malice*
Beverley Kendall	Les Séducteurs : *Désir ardent*

En grand format

Rainbow Rowell	*Fangirl*

Achevé d'imprimer en décembre 2013
Par CPI Brodard & Taupin - La Flèche (France)
N° d'impression : 3002969
Dépôt légal : janvier 2014
Imprimé en France
81121146-1